Данил КОРЕЦКИЙ

ПАРФЮМ В АНДОРРЕ

ЭКСМО
2003

УДК 882
ББК 84(2Рос-Рус)6-4
К 66

Разработка серийного оформления
художников *Г. Саукова, В. Щербакова*

Серия основана в 1993 году

Корецкий Д. А.

К 66   Парфюм в Андорре. Адрес командировки — тюрьма. Криминальные приключения: Повести. — М.: Изд-во Эксмо, 2003. — 352 с. (Серия «Черная кошка»).

ISBN 5-699-02337-2

«Парфюм в Андорре». Отставной разведчик Дмитрий Полянский, работая по найму, выполняет деликатную миссию в экзотической горной стране. Ему приходится пережить бурные приключения, предательство работодателей и чудом избежать смерти. Но виртуозно проведя оперативную комбинацию, используя знание человеческой психологии, он сумел выйти из опасного противостояния победителем, отомстить убийцам друга и разбогатеть.

«Адрес командировки — тюрьма». Сотрудник контрразведки Вольф, покрытый для правдоподобия легенды татуировками, внедрен в преступную среду и проходит по всем кругам тюремного ада. Впервые в художественной литературе столь подробно и достоверно показана жизнь криминального мира, его обычаи и традиции. Только огромная физическая сила, опыт бойца специальной разведки и цельность натуры позволяют герою выжить и выполнить задание.

Герои цикла «Криминальные приключения» совершают преступления и борются с ними в мирах далекого будущего. Фантастический фон обостряет ситуации и делает действие еще более увлекательным.

УДК 882
ББК 84(2Рос-Рус)6-4

Парфюм в Андорре

Повесть

1

— Ваши документы... — Похожий на почтальона таможенник говорил по-испански, и я вопросительно посмотрел на нашего гида — маленькую доброжелательную женщину с табличкой «Марина» на белой блузе.

— Он просит паспорт, — явно обескураженно перевела Марина, и по автобусу прошло беспокойное шевеление. Никто не считает экзотические карликовые государства настоящими, а рассказы о суверенитете и членстве в ООН, пограничные будки и полосатые шлагбаумы воспринимаются как завлекающая туристов бутафория. Но если синяя униформа из мнущейся ткани действительно казалась бутафорской, то большой тяжелый револьвер с потертой ручкой был явно настоящим. А требование для доверчивой и либеральной Европы — даже слишком!

Я пожал плечами и протянул паспорт. Таможенник внимательно его пролистал.

— Покажите, пожалуйста, ваши вещи.

Он вежливо улыбался. Я подождал перевода и сказал то, что обычно говорят в подобных случаях:

— Какие у меня вещи? Джемпер и банка пива! Может, еще карманы вывернуть?

Заглянув в пакет, таможенник улыбнулся шире и, как мне показалось, искреннее.

— Добро пожаловать в Андорру!

— Они всегда так бдительны? — спросил я Марину, когда автобус тронулся.

Она недоуменно покачала головой:

— Да нет... Это вообще на моей памяти первый случай. На выезде иногда смотрят, чтобы не вывозили товаров сверх нормы. И то довольно поверхностно...

— Если бы мы были гражданами нормального государства, они бы вели себя по-другому! — Сидящий впереди высокий парень повернулся ко мне. Его узкая голова с круглыми пронзительными глазами торчала над спинкой сиденья, как будто динозавр выглядывал из своего мезозоя. — Потому что рота десантников может вмиг поставить этот обезьянник раком! У них же армии нет! А эти ряженые куклы разбегутся и засунут свои допотопные пушки в задницы! Так чего выделываться и людям настроение портить!

— Ерунда, обычная формальность, — отмахнулся я. — Не обращайте внимания.

Вокруг возвышались поросшие лесом горы, справа сквозь деревья просматривалась крыша одинокого дома, рядом желтел тщательно расчищенный и ухоженный лоскуток крохотного поля. Я с треском открыл пиво. Пить из банки было неудобно, как всегда, замочило усы, потекло по подбородку и капнуло на брюки.

— Хотите граппы? — снова повернулся высокий. Он сел в автобус у отеля «Мирамар». — У меня есть фляжка.

— Спасибо, на месте выпью. Собираюсь сегодня отвязаться как следует.

— Одному путешествовать скучно. И пить в одиночку неинтересно.

— Разве? Не замечал. Зачем же вы поехали один?

— Подружка заболела. Отравилась чем-то вчера вечером. Не пропадать же билету за сорок евро... А вы?

— А я отсидел восемь лет в общей камере и с тех пор люблю одиночество.

— А-а-а-а... — Ошарашенный динозавр отвернулся. Зато теперь на меня уставилась соседка — рыхлая женщина неопределенного возраста, которая всю дорогу смотрела в окно и переговаривалась с сидящими сзади мужем и сыном. Ее звали Леной, мужа — Васей, а здоровенного парня с сорок пятым размером ноги они называли Юрочкой.

— Вы правда сидели в тюрьме? — шепотом спросила она, округлив глаза.

— Нет, это шутка. Я журналист.

Лена успокоилась.

— Конечно, человека сразу видно... Вы и не похожи: у вас интеллигентное лицо.

Я расплылся в польщенной улыбке:

— Спасибо. Вы хорошо разбираетесь в людях.

— А эта журналистка... Забыла фамилию... Которая пишет, что от нее без ума все мужчины, и описывает, как она с ними... Вы ее знаете?

— Увы, нет. У меня другие темы. Читали «Пляски каннибалов»?

— Это все выдумки. Лучше напишите про здешние пляжи. Почему мы должны платить за зонтики и лежаки?

— Я подумаю.

К счастью, Марина взяла микрофон.

— Сейчас мы проезжаем по дну озера. В прошлом году питающую его реку перегородили плотиной и спустили воду...

За окном расстилался лунный ландшафт. На спутниковом снимке осушенное дно выглядело как сковородка с подгоревшим жиром. В действительности — нагромождение скал, россыпи камней, толстые слои засохшего, растрескавшегося ила. Но разрезавшее эту первобытную дикость шоссе — ровное, гладкое, с аккуратной цветной разметкой — ничем не отличалось от благоустроенных дорог побережья. Да и плотина на отвесной скале напоминала замечательно отреставрированный средневековый замок: безупречно белый бетонный монолит, тускло отблескивающие массивные створы ворот — ни ржавчины, ни следов протечек... Я вспомнил, как выглядит Чиркейская ГЭС в Дагестане, и ощутил укол потревоженной совести.

— Пока это единственная неосвоенная территория в республике, — бодро продолжала Марина. — Но ей обязательно найдут применение, и очень быстро — земли ведь не хватает.

— А полезных ископаемых здесь нет? — спросил сзади Вася. Всю дорогу он пил пиво, которое, как известно, пробуждает любознательность. Я с трудом сдержал ругательство. Похоже, эта семейка обожает задавать идиотские вопросы.

— Про полезные ископаемые в путеводителях ничего не пишут, — с профессиональным сожалением ответила Марина. — Да и туристов здесь интересует совсем другое: спиртное, табак, радиоаппаратура и

10

парфюмерия. Они гораздо дешевле, чем в Испании и Франции. А кто пойдет со мной в парфюмерный магазин, получит скидку еще на десять процентов.

2

Магазин располагался в центре Андорры-ла-Вельи, неподалеку от паркинга, на пути всех экскурсионных групп. Обещание дополнительных скидок действовало безотказно — просторный, украшенный зеркалами и благоухающий дорогими ароматами зал заполняла возбужденная разноязычная толпа. Длиннющие полки заставлены сотнями разнообразнейших флаконов. Обтянутый кожей «Heritage», завернутый в шерстяной двухцветный шарф «Rocabar», «Men' Story» в виде книги, «Nemo», по идее, изображал перископ «Наутилуса», но почему-то больше походил на армейскую полевую стереотрубу...

Свободный доступ разжигает азарт. Поддавшись всеобщему психозу, я прыскал душистые спреи на ладонь, запястье, локтевой сгиб, предплечье, тыльную сторону ладони, потом на те же самые участки другой руки, придирчиво нюхал, стараясь отграничить один запах от другого и выбрать лучший. Дурманящий «Cacharel», оправдывающий свое название «Egoiste», освежающий «Gucci», фантазийный, с цитрусовой нотой «Givenchy», утонченный «Dupont»...

Рядом молодая брюнетка увлеченно отыскивала свой индивидуальный волшебный тон. В полупрозрачной блузке, короткой юбке и босоножках на шпильке, она выглядела очень эффектно. Недаром лысеющий француз моих лет столь же увлеченно фотографировал ее цифровой камерой. Я явно мешал, постоянно попадая в кадр. Хотя вежливый фотограф не выражал недовольства, я шагнул в сторону, помахал ему рукой и улыбнулся, но ответной улыбки не получил.

— Попробуйте «Boucheron». — Улыбчивая девочка-консультант протянула брюнетке витой стеклянный перстень с крышкой в виде голубого топаза. — Их придумал ювелир, этот тон вечен, как драгоценности...

— Ах! — Высокая шпилька подвернулась, затейливый флакончик с хрустальным звоном разбился, и маслянистая желтая жидкость выплеснулась брюнетке на ноги. Она растерянно наклонилась, будто вдыхая тяжелый, дурманящий запах. Француз наконец улыбнулся и быстро сделал очередной снимок.

Через полчаса я был покрыт двумя десятками утонченных мужских ароматов, созданных лучшими парфюмерами мира. Самое трудное — сделать выбор. Но не для меня. Я без колебаний выбрал «212» — свежий и изысканный, в строгом, под сталь, цилиндре с магнитной пробкой, безупречном и пугающем, как бомба террориста.

— Сеньору маленький флакон или большой? — спросила продавщица, и отрабатывающая свои комиссионные Марина добросовестно перевела.

— В этом пятьдесят миллилитров, в этом сто, — от себя добавила Марина. — А стоит он всего на девять евро дороже.

Я, конечно, купил большой — другой мне просто не подходил. Выйдя на улицу, я сразу почувствовал, что нечто изменилось. Встречные женщины поворачивали ко мне напряженные лица, их ноздри раздувались, в глазах вспыхивали искры, и острые первобыт-

12

ные инстинкты прокалывали тесную оболочку цивилизованности. Я чувствовал, как наливаются возбуждением их соски, как набухают желанием их влагалища и мускусный запах естественных выделений вплетается в причудливую мозаику искусственных ароматов, созданных Армани, Гуччи и Шанель. Женщины непроизвольно собирались вокруг меня, как собаки вокруг шашлычника, нет, более требовательно и угрожающе — как волки вокруг одинокого теленка. Вначале они сдерживались, оставаясь в рамках приличия, но постепенно чудовищное напряжение, как царская водка, разъедало сдерживающие плоть оковы нравственности. Они все теснее обступали меня, будто случайно трогали одежду, ловили за руки, толкали тугими бедрами, их носы, бессовестно вытянувшись, втягивали молекулы ароматов с моей кожи, а горячие языки будто невзначай обжигали ее короткими влажными касаниями. Эти контакты становились все теснее и настойчивей, и ясно было, что через несколько минут случится неизбежное...

Да, именно так написала бы на моем месте упомянутая Леной несчастная нимфоманка с заурядной внешностью и незаурядным самомнением, болезненно мечтающая о славе куртизанки мирового масштаба. На самом деле я просто оказался в довольно плотной толпе, женщины и правда касались меня разными частями тела, а встречная симпатичная испанка действительно стрельнула в меня напряженным взглядом, и в карих глазах метнулся двусмысленный огонек. Все остальное можно додумать в меру фантазии и подсознательных комплексов.

Сзади меня толкнули, или «какая-то незнакомка прижалась всем телом, обжигая лопатки раскаленными грудями». Я обернулся.

— Пардон! Ах, это вы? — Лена, как ледокол, рассекала толпу, увлекая за собой все семейство. — Вы по магазинам или в термальный комплекс?

Марина предложила группе три часа свободного времени и два варианта его проведения. Большинство соотечественников склонялись к первому, я — ко второму.

— Еще не решил. Но знаю точно, что хорошо выпью.

Лена принужденно улыбнулась, а обогнав меня, озабоченно сказала мужу:

— Главное, чтобы не блевал в автобусе.

3

Центральная улица блистала чистотой, лаком автомобилей и шикарными витринами сотен универсамов, магазинов и магазинчиков. Как будто находилась в Париже, Мадриде, Берлине, новой Москве или другой европейской столице, а не в крохотном городке, затерянном в Пиренеях на высоте тысячи метров. «Два мира, две судьбы», — писали советские идеологи под снимками парижского клошара и московского академика. Это точно. Тут даже аэропорт есть. Я вспомнил, как выглядит главная улица Тырныауза, и опять ощутил угрызения совести.

Термальный комплекс имел вид остро вытянутой вверх прозрачной пирамиды. В киоске внизу я за шесть евро купил красные плавки, переоделся, запер шкафчик с любимой цифрой «пять» на дверце, надел ключ на запястье и зашел в хорошо освещенный солнцем, просторный высокий зал. Над огромным бассейном с синей водой на разных уровнях возвышались четыре белые чаши джакузи, по периметру каждой били десятки фонтанчиков. Загорелые мужчины и женщины расслабленно лежали в чашах, вяло бултыхались в бассейне. Знакомых лиц, по-моему, не было. У прозрачной, как в оранжерее, стены стояли белые шезлонги. Я посидел в одном, привыкая к душноватой атмосфере и осматриваясь, потом спрятал под полотенце ключ, поплавал немного, по белой винтовой лестнице с золотыми перилами прямо из теплой воды поднялся в джакузи, понежился в бурлящих пузырьках и действительно ощутил телесное расслабление. С каким удовольствием я бы провел здесь все три часа, потом вернулся в автобус и прожил еще два оплаченных дня в «Камбриллс Принцесс», валяясь на золотом песке и ныряя в ласковые волны с пляшущими у берега золотинками слюды... Но у меня было много дел. Только бы не произошло каких-либо неожиданностей.

Я вернулся к шезлонгу, с замиранием сердца развернул полотенце... Все в порядке — ключ был на месте. Именно тот, который нужен.

Таблички в коридоре указывали направления: гидромассаж, сауна, шейпинг... Я нашел парикмахерскую, сел в кресло.

— Побрейте мне голову и сбрейте усы, — на испанском сказал я.

Средних лет андоррец в кипенно-белом халате и с густой копной черных, стоящих дыбом волос заметно удивился.

— Что побрить?

— Побрейте мне голову и сбрейте усы, — повторил я по-к
атfalls... — Побрейте мне голову и сбрейте усы, — повторил я по-каталански, чем удивил его еще больше. На самом деле ничего удивительного в этом не было: я свободно говорил на восьми языках и мог объясниться еще на двенадцати. Иногда на языке страны пребывания я писал статьи в местные газеты. Как правило, они посвящались дружбе с Россией.

Потом я пошел в солярий. Через пять минут ровный загар покрывал лицо и череп, как будто на них никогда не росли волосы. В лифте я поднялся на смотровую площадку. У мощных подзорных труб никого не было. Я бегло осмотрел живописные окрестности: суровые горы, под стать им вросшие в склоны старинные дома из грубого камня, круглые и квадратные башни церквей и замков. Современные здания имели более веселый вид и заметно оживляли пейзаж. Внизу, у входа в пирамиду был разбит прекрасный парк с ухоженными деревьями и коротко подстриженным зеленым газоном. На скамейках отдыхали распаренные в термальных водах люди.

Из комплекса вышел человек, похожий на меня до процедуры бритья. Очень похожий. Около пятидесяти лет, рост сто семьдесят семь, наметившийся животик, зачесанные на пробор волосы, изрядно тронутые сединой, усы. Благородное лицо интеллигента, которому если и приходилось совершать дурные поступки, то они не отразились на внешности. На человеке была моя одежда, в кармане лежал мой паспорт, в руках он держал полиэтиленовый пакет с моим джемпером и купленным одеколоном «212». Конечно, если придирчиво присматриваться, то можно найти различия: он на сантиметр выше и на четыре килограмма тяжелее, у него другой голос, и седина сделана искусственно. Но сейчас он выпил сто граммов виски для запаха и умело изображает опьянение, а в автобусе будет спать, сдвинув на лицо кепку с противосолнечным козырьком. Так что вряд ли кто-то сумеет разобраться в таких тонкостях. Потом он будет два дня наслаждаться жизнью в четырехзвездном отеле, где я умышленно не заводил близких знакомств, и на золотом пляже, знакомства на котором столь же приятны, сколь и скоротечны. Счастливец!

Черт, что это?! Похожий на меня человек ничком повалился на землю и остался неподвижно лежать на чистой асфальтовой дорожке. К нему подбежали две женщины, начали тормошить, пытались поднять... Но расплывающееся на спине темное пятно убеждало в том, что все усилия бесполезны. Его застрелили! Скорей всего, из снайперской винтовки или из пистолета с глушителем. Словом, как обычно...

Меня бросило в жар, кровь молотками застучала в висках, тело обмякло. Я втравил Марка в это дело! Плевая работа, хороший заработок, никакой опасности, обычная перестраховка... Так оно и было. По крайней мере, я думал, что так оно и было. О моей поездке знали только Патроков и Иван, никакой необходимости в конспиративных предосторожностях не имелось. Но меня не зря называли хитрой скотиной — я всегда исповедовал принцип: лучше перестраховаться, чем на всю жизнь сесть в тюрьму или стать жертвой несчастного случая! Тридцать лет стажа разведработы без провалов и серьезных проблем подтвердили правильность такой позиции.

Покрытый потом, я спустился в раздевалку. Руки заметно дрожали. Надо бы действительно хорошо выпить. Шкафчик номер пять был открыт, я отпер восьмой. Вместо белой шведки надел голубую водолазку, вместо джинсов — свободные кремовые брюки спортивного покроя с множеством карманов. В одном лежал паспорт на имя гражданина Германии доктора Хорста Крюгера, в другом пачка крупных купюр и кредитная карточка, в третьем обычный складной нож, на сероватом клинке которого имелась надпись: «Толедо». Легкие туфли на тонкой подошве завершили наряд. В руки я взял кожаный портфель со всем необходимым.

Вокруг Марка уже собралась толпа зевак, в самом центре высился похожий на динозавра парень из автобуса. Вид он имел озабоченный. Мигая красными и синими огнями, подъехала полицейская машина. На прошедшего мимо доктора Крюгера никто не обратил внимания.

4

В первом же баре я выпил три виски и купил знаменитую больше дешевизной, чем качеством, андоррскую сигару. Потом с полчаса стоял возле магазина игрушек, глядя, как рыжие супермены в развевающихся плащах нарезают под потолком круги на почти невидимых лесках. То ли алкоголь, то ли созерцание помогли — руки перестали дрожать, и нервный озноб прошел. Стыдно признаться, но я ощутил голод.

У входа в ресторан «Андорра» стоял двухметровый медведь. Я посмотрел на часы — без трех минут четыре. Стоящий человек привлекает внимание, поэтому я не торопясь двинулся вдоль чистых витрин. Наш автобус уже ушел. Опоздавших тут ждать не принято — Марина предупреждала заранее. Лена громогласно одобрила: «Семеро одного не ждут!» И двух тоже — не исключено, что мой высоченный приятель с головой динозавра задержался до особых распоряжений... Может быть, и любознательный любитель пива Вася остался: не зря же он задал свой идиотский вопрос... Правда, выглядит он ни в ухо ни в рыло, да и вся семейка смотрится довольно убедительно, но это ни о чем не говорит: профессионалы именно так и работают. Другое дело — на кого? На кого работает лысоватый «француз», истративший на меня целую фотопленку? Кто напустил на меня таможенника? Хрен его знает! Ясно одно: меня сдали с потрохами!

Беглый анализ ситуации показывает, что в ней задействованы как минимум три силы. Одна наблюдает, контролирует каждый мой шаг. Исполнители — «динозавр», а может, Вася, или они оба, или кто-то еще, кто никак себя не проявил и не привлек внимания. Цель: держать нанимателей в курсе моих телодвижений.

Вторая проверила меня на «чистоту» и одновременно предупредила, что я нахожусь под колпаком. Цель: напугать и парализовать всякую активность. Исполнитель — таможенный чиновник, что должно внушить представление, будто меня остерегает государство Андорра. Но в этом замечательном государстве нет разведки и контрразведки, а без глаз, ушей и носа что может знать язык? Таможенник, скорей всего, использован втемную. Возможно, им просто подбросили фотографию и номер автобуса, написав, что едет опасный преступник. Похоже на реакцию цивилизованной официальной структуры, интересам которой ничего не угрожает.

Третья сила не располагала фотографиями, «француз» восполнил этот пробел, а затем неизвестный снайпер решил вопрос радикально. Третья сила не связана со второй, не ограничена законом и действует жестоко, а потому куда более эффективно. Цель: уничтожить угрозу в зародыше.

Выводы: первая сила — Патроков. И Иван как производная этой силы. Вторая — Интерпол, испанская контрразведка или еще что-то в этом роде. Третья, несомненно, — хозяева андоррского молибдена. Значит, он действительно существует в природе? А все вместе означает, что подставили меня капитально: о секретнейшей миссии не знает только продавщица парфюмерного магазина! Да и то не факт... Ну а что в итоге? Все три силы убеждены, что я мертв, а я жив, здоров и голоден! К тому же вышел из-под контроля и обрубил все хвосты! Короче, оправдал свое прозвище. Пострадал только бедный Марк, но такой скотине, как я, это не может испортить аппетит...

Механизм в моей голове всегда точно рассчитывал сантиметры и секунды. Когда я вернулся к огромному медведю, минутная стрелка стояла точно на двенадцати. Ресторан почти пуст. В конце вытянутого зала должен быть камин. Он там и оказался. Чуть дальше, в нише у окна, стояли два столика. За одним сидела симпатичная испанка, едва не испепелившая меня взглядом возле парфюмерного магазина. На самом деле она француженка и много лет работала на нашу Службу. До тех пор, пока меня не выгнали на пенсию. Сотрудничать с другим офицером Мадлен отказалась. И правильно сделала. Сейчас ни в ком нельзя быть уверенным до конца. Кроме меня, разумеется.

Мадлен заканчивала обед, доктор Крюгер сел за соседний столик и сделал заказ. На безупречном немецком, естественно. Аперитив — пастис, эндивий под соусом рокфор, запеченные улитки, утиная грудка средней прожарки, полбутылки мозельского. В нарушение правил немец, не дожидаясь десерта, решил закурить и попросил у симпатичной испанки лежащие перед ней спички. Женщина вначале не поняла, но эсперанто жестов сделало свое дело: она равнодушно кивнула. Безалаберный Крюгер умело разжег сигару, а коробок с адресом сунул в карман. Со стороны все выглядело совершенно естественно, тем более что со стороны никто не наблюдал. Испанка вскоре ушла, а доктор не торопясь пообедал и еще добрых полчаса наслаждался своей сигарой.

5

Такси остановилось у нарядного шестиэтажного дома, стоящего прямо на склоне горы. Еще раз незаметно осмотревшись, я набрал код. Дверь мягко открылась, и неправдоподобно чистый подъезд обволок доктора Крюгера атмосферой благополучия и уюта. Здесь невозможно нассать в угол или выцарапать на стене ругательное слово. Хотя скотина может нагадить где угодно.

На пятый этаж я поднялся пешком. Мадлен открыла сразу и молча бросилась мне на шею. Ни паролей-отзывов, ни дурацких вопросов типа: «Вы не привели «хвост»?» Да и я не стал обходить квартиру в поисках засады или спрятанных микрофонов. Такие штучки подходят для шпионских романов. В реальной жизни они ничего не дают.

— Извини, зайка, я не в форме. — Доктор Крюгер целомудренно чмокнул Мадлен в гладкую щечку и, деликатно отстранившись, осмотрелся вокруг.— Какое уютное гнездышко, дорогая. Не скажешь, что оно снято неделю назад: здесь все как у тебя в Лионе. И занавески, и керамические фигурки очень похожи... Однако к делу: доложи обстановку!

Если Мадлен и обиделась, то виду не показала. Все-таки она достаточно долго занимается работой, которая требует скрывать свои истинные чувства.

— Два шурфа в разных концах долины. Никакой охраны. Можно было набрать целый мешок. С чего ты взял, что там есть золото?

Мадлен вывалила на стол десятка два серо-черных, опаленных взрывами камней.

— Эти из восточного шурфа, а эти из западного...

— Хорошо, очень хорошо. — Доктор Крюгер жадно перебрал невзрачные куски породы. Они выглядели точно так же, как камни в Тырныаузе. — Никто не мешал?

— Нет. Ты же сказал — идти в сумерках. Там вообще никого не было. Даже машины не проезжали.

— Хорошо... Это очень хорошо. — Крюгер поставил на стол свой портфель и открыл его. — Не боялась?

— Странный вопрос. И потом, я взяла пистолет. В Андорре разрешают носить оружие...

— Да, но только своим гражданам. А правда, что тюрьма здесь вырублена в скале и преступников по средневековым законам обезглавливают широким мечом?

Мадлен пожала плечами:

— Не знаю. Может, отпетых злодеев... И потом, какая разница — широкий он или узкий?

— В парижском музее я видел меч палача — широченный, с отрубленным острием. — Как любой тонкий, легкоранимый человек, я тяжело вздохнул. — Ужасающее впечатление!

— Здесь должен быть замечательный вид с балкона, а у меня мало времени, — бестактно вмешался Крюгер. Видно, он не меньшая скотина, чем я.

Нахмурившись, Мадлен вышла. Я достал из портфеля футляр, из футляра — пробирки с химикатами и капнул на камень вначале розовым, потом желтым. Смешавшись, капли запузырились, поднялся легкий дымок. Когда реакция закончилась, на неровной поверхности осталось ярко-зеленое пятнышко. Отлично! Я взял второй камень, потом третий... Через двадцать минут работа была завершена. Результат превзошел все ожидания: сто процентов с высоким содержанием! Я вылил химикаты в туалет, тщательно вымыл пробирки, оттер пятна на камнях и сложил все в бумажный пакет.

— Ты не соскучилась, дорогая?

Вид с балкона действительно такой, что дух захватывает: дикие горы окружают оазис цивилизации — разнообразные по архитектуре дома, плавно извивающаяся в бетонных берегах Валира, парки, газоны, клумбы... Так и хочется прыгнуть и полететь. В детстве и юности я часто летал во сне. А в семьдесят девятом украл самую секретную разработку Пентагона — ракетный ранец для десантирования спецподразделений. Помню, за это мне дали премию в размере оклада.

Облокотившись на перила, Мадлен невесело смотрела куда-то вниз. Я нежно обнял напряженные плечи.

— Расслабься, зайка, ты отлично сработала. Оставь мне машину и поспеши, а то опоздаешь на самолет. У тебя ведь еще дежурство.

— Да, еще и дежурство.

— Конечно, ты очень устала, но это последний раз. Обещаю.

— Я знаю цену твоим обещаниям.

— Кстати, никакого золота здесь не оказалось. Но на наших заработках это не отражается, вот твои пять тысяч.

— Спасибо.

Она высвободилась, равнодушно взяла деньги и пошла собираться. Я проводил взглядом стройную фигурку. Никаких эмоций. Раньше мандраж перед акцией не оказывал столь губительного воздействия. Отвык от риска? Или годы берут свое?

Я перебрал содержимое портфеля.

Коммуникатор «Нокия-9290» — гибрид карманного компьютера с сотовым телефоном, номер зарегистрирован в Германии на несуществующего человека. Компактная подзорная труба — монокуляр десяти-кратного увеличения. Цилиндр с цифрами 212 на матовом боку. Белый бумажный прямоугольник. Это что-то лишнее. Никакого конверта здесь быть не должно...

Очень осторожно я взял конверт в руки. Ни проволочек, ни сердечника, ни порошков — обычное письмо. Нож с хрустом вспорол тугую бумагу, и я сразу узнал почерк Марка.

«...Только из-за тебя я согласился вспомнить старое. Ты ведь знаешь мою интуицию. Так вот, с самого начала у меня было плохое предчувствие. Очень плохое. И оно все усиливалось. Связаться с тобой не смог, да это ничего бы и не дало — ты ведь упрям как осел. Извини, это я послал письмо в таможню, написал, что тебя ищет Интерпол. Я знаю, как это называется. Но тебе ведь ничего не угрожало. Я надеялся, что ты насторожишься и все отменишь. Однако, раз ты читаешь это письмо, ничего подобного не произошло. Где же сейчас я? Если лежу на пляже — позвони, и я сто раз извинюсь за свой идиотизм и беспросветную глупость...»

Марк лежал в морге. В моей одежде, в заляпанных моим пивом брюках. Хотя он и сделал то, чего делать нельзя, идиотом и беспросветным глупцом был я.

— Ты плачешь?! — У одетой в дорогу Мадлен из рук выпала сумка. — Значит, тебе тоже нелегко расставаться! А зачем нож?

У меня вздрагивали пальцы, и обычный складной нож с надписью: «Толедо» на клинке как живой прыгал на ладони, разворачиваясь острием то в одну, то в другую сторону. Когда нет стопора, колоть надо наиско-

25

сок, против линии складывания, и нож это учитывал, ложась каждый раз так, как надо.

— Я приеду к тебе, когда все кончится.

— Что «все»? Мы же закончили работу и получили деньги! Поедем сейчас...

— Нет. Сейчас нет. Кстати, дай мне пистолет.

Губы Мадлен дрогнули. Она полезла в сумку и положила на край стола маленькую «беретту» и ключи от автомобиля.

— Угнать машину я не смогла, слева от подъезда синий «Форд Фокус». Он взят напрокат по поддельному удостоверению.

— Я правда приеду.

— Ключ от квартиры оставь у консьержки. Прощай.

Не поверила. Вряд ли ее можно за это винить. Как и меня, незаметно проконтролировавшего из окна ее отъезд. Ничего подозрительного я не заметил.

Я раскрыл коммуникатор, набрал код России и первую цифру номера, потом согнутый палец завис над клавиатурой. Патроков нетерпеливо ждет результатов анализов. Но ему наверняка сообщили, что я убит. Если выйти на связь, об этом узнает Иван или кто-то еще — тот, кто сливает информацию третьей силе. Фонтан говна забьет опять, меня начнут искать и убьют по-настоящему. Бр-р-р... Нет, лучше пусть все остается как есть...

Вышел в Интернет и проверил котировки акций на франкфуртской бирже. Цены на молибден упали еще на восемь пунктов. В Лондоне — на семь, в Нью-Йорке — на пять: сказывается отдаленность Нового Света.

26

Но совершенно очевидно одно — андоррский молибден перестал быть мифом и мировой рынок реагирует так, как и должен реагировать на новое крупное месторождение. Потом я вошел на сайт швейцарского банка «Лео», ввел пароль и убедился, что миллион долларов по-прежнему заблокирован на промежуточном счете до конца завтрашних суток. Впрочем, иначе и быть не могло. Если цена молибдена за это время повысится, миллион автоматически будет переведен на цифровой счет господина Крюгера. Если нет — возвратится на счет Патрокова. Комбинация безупречна: с одной стороны, исключен любой обман, с другой — теряет смысл убийство несчастного Дмитрия Полянского. «Хитрая скотина!» — сказал по этому поводу Иван. И с ним можно согласиться по двум причинам. Во-первых, еще тридцать лет назад меня так назвал Роберт Смит, тогда рядовой офицер, а впоследствии резидент ЦРУ во Франции. А во-вторых, страховка придумана, без ложной скромности, гениально, и Иван не мог не оценить ее законченности и изящества.

6

Иван на самом деле не простофиля из сказки, а генерал-майор Иванников, и его оперативный стаж не меньше, чем у меня. Правда, родственные связи и особенности характера сделали его службу качественно иной. Он всегда занимал легальные должности в посольстве, имел дипломатический паспорт, а самой рискованной его операцией было ксерокопирование статей из газетных подшивок в публичных библиотеках. Его не сажали в тюрьму, не грозили зажарить и съесть, не пытались сбить машиной или застрелить. Тем не менее считалось, что мы оба работаем «в поле», «на холоде», хотя поля и холода у нас были совершенно разными. Последние двадцать лет Иванников и вовсе сидел в тепле руководящего кабинета, являясь моим прямым начальником: вначале непосредственным, а потом — самым высоким. Когда Россия резко снизила внешнеполитическую активность и отказалась от «острых» акций, способность выполнять грязную работу и готовность рисковать своей шкурой мгновенно обесценились, и я был отправлен на пенсион. Иван лично вручил мне почетную грамоту, конверт со скудной премией, сердечно пожал руку и посетовал, что профессионалов нынче ни в грош не ставят. Поскольку инициатором увольнения являлся он сам, трудно было понять, кому адресован этот упрек.

А через два года Иванников самолично позвонил мне, поинтересовался житьем-бытьем, удовлетворенностью жизнью и материальным достатком. Эффект от этого звонка был сопоставим с неожиданным визитом в однокомнатную хрущевку африканского носорога. Впрочем, нет: в конце концов, носорог мог убежать из зоопарка и, влекомый первобытными инстинктами, забиться, обдирая бока, в панельную пещеру на окраине столицы. А вот чтобы давно и прочно отгороженный от мира референтами, охранниками, помощниками и секретарями, богоподобный генерал позвонил напрямую ничтожному, списанному в запас майоришке и стал расспрашивать о его проблемах — это событие совершенно невероятное, которое и сравнивать-то не с чем. Если бы ко мне заглянули пьяные вдрызг инопланетяне и попросили добавить на бутылку, я бы, наверное, удивился меньше.

— Разбросала нас судьба, сколько лет, сколько зим по кружке пива не выпили! — бодро кричал Иван. — Это не годится! Друзей забывать нельзя! Садись в самолет, прилетай в Минводы, я тебя встречу, поедем в горы, отдохнем по полной программе! Не один год бок о бок работали, или нам вспомнить нечего?

Вспомнить можно было до хрена. Например, однажды, в результате умелого планирования операции тогда еще полковником Иванниковым, я очутился в джунглях Борсханы с тридцатикилограммовым маяком ориентации подводных лодок, совершенно не представляя, как доставить его в подходящее для установки место. Другой раз, дожидаясь эксфильтрации, напрасно торчал три дня на уругвайском побережье, пока не попал в лапы береговой охраны. Третий...

— Шашлыки, коньяк, охота, девочки — все как положено! Дорогу я оплачу, да еще и о заработках хороших поговорим! Я про товарищей всегда помню, ты ведь знаешь! Чего молчишь-то? Зазнался?

Я обвел взглядом обшарпанную комнату:

— Да нет... Просто прикидываю, как дела раскидать...

Никаких дел у меня не было. Вообще никаких. Все эти ассоциации ветеранов спецслужб занимались тем, против чего всю жизнь боролись, сыскные и охранные конторы преданно работали на зажравшихся нуворишей, а если привычки нет, в сорок восемь поздно становиться холуем. Целыми днями я бродил по Москве: выбирал места для закладки тайников и «моменталок», наблюдал за каким-нибудь прохожим, отслеживая все его перемещения и контакты, уходил от преследования... К сожалению, воображаемого. Я не интересовал решительно никого, одиночество и никчемность сводили с ума, и я был бы рад даже врагам, если бы они проявили внимание к моей персоне.

— Это, старик, все не дела, а делишки! Дела мы здесь обсудим! Так что, прилетаешь завтра?

— Прилетаю, — наконец сказал я.

Иван с двумя мордоворотами встретил меня прямо у трапа «Ту-154», обнял, расцеловал в обе щеки, долго тряс за плечи и оглядывал со всех сторон, только что не воскликнул: «А поворотись-ка, сынку!» Его спутники с трудом сохраняли на каменных лицах какое-то подобие явно непривычного выражения приветливости.

Мы погрузились в черный квадратный «Гелиндваген», и я настроился на долгую горную дорогу, но через несколько минут джип остановился у большого белого вертолета с российским флагом и буквами ТГОК на борту. Внутри он был отделан по варианту «VIP-салон»: мягкие кресла и диваны из белой кожи, дубовые панели, шелковые драпировки. Довершал интерьер чернокожий стюард в белом смокинге. Я впервые летел в такой обстановке и впервые пил голубой «Джонни Уокер» под бутерброды с толстым слоем белужьей икры. И то и другое мне понравилось, хотя мнения о дурном вкусе хозяина не изменило.

Встреча с Асланом Патроковым только укрепила заочное впечатление. Ему было немногим более тридцати, хотя, как и большинство кавказцев, выглядел он гораздо старше. Рост ниже среднего, широкая грудная клетка, огромный живот, навязчивый запах одеколона. Тысячедолларовый костюм от «Хьюго Босс», несвежая сорочка с распахнутым воротником и разношенные кроссовки, будто из секонд-хенда.

— Ноги отекают, — пожаловался он, перехватив мой взгляд, и протянул большую влажную ладонь. Золотой «Патек Филипп», массивный перстень с бриллиантом, на шее цепь толщиной с палец. В левой руке зажаты сразу два мобильника. Оба звонили, но Патроков не обращал на них внимания. — Извините, что сам не встретил, — совсем не извиняющимся тоном произнес он. — У меня дел навалом: все чего-то просят. Мэру дай, министерству помоги, правительство поддержи... Вот сейчас премьер звонил, вопросы поставил... Кручусь, короче. Вот, брат помогает. Познакомьтесь...

Брат имел более адекватный вид: мрачный небритый абрек в спортивном костюме — он жевал резинку и не пытался из себя что-то изображать.

— Арсен. — Твердая рука с набитыми мозолями на костяшках, жесткое рукопожатие, короткий, испытующий взгляд. На уровне пояса, слева, куртка красноречиво топорщилась. За ним полукругом стояли еще четыре столь же откровенных бандита с небрежно скрытым оружием.

— Полянский. Дмитрий Артемович, — скромно отрекомендовался я.

— Да-а? Без понта-а-а? — по-блатному растягивая слова, процедил он и криво усмехнулся. Если угроза и подозрительность входят в понятие кавказского гостеприимства, то я был встречен по его высшему разряду. Но, затевая большие дела, не стоит обижаться на подобные мелочи.

31

— Даже не сомневайся, центурион! — дружески подмигнул я. Слово оказалось слишком мудреным и ответной реакции не вызвало, как камешек, беззвучно сгинувший в глубоком колодце. — Так называли начальника охраны в Древнем Риме.

Массивные челюсти на мгновение замерли, но тут же возобновили свою нескончаемую работу. Короткий взгляд на старшего брата.

Аслан важно надулся:

— Чего удивился? Знаешь, где человек работал? У него, может, сто фамилий. И все с ходу понимает, вон тебя сразу просек! Специалист! Не обманул наш генерал...

Так хвастают только что купленной породистой собакой. Я польщенно улыбнулся.

— А когда я вас обманывал? — без обиды спросил Иванников.

Патроков-старший уже не слушал.

— Займи гостя, Валера! — отдуваясь, скомандовал он. — Короче, чтоб всё как положено...

— Не беспокойтесь, Аслан Муаедович, программа уже готова!

Мир перевернулся. Какой-никакой человек Иван, но он окончил специальный институт и академию, много лет работал в разведке и дослужился до генерала, он входил в высшие номенклатурные круги, принимал важные для страны решения, его знали многие руководители государства. Теперь это ничего не стоит. Неотесанный сопляк, который наверняка пишет с ошибками, излучает властную уверенность и помыкает им, как своим адъютантом. Только потому, что каким-то непостижимым образом завладел горно-обогатительным комбинатом, примыкающим к нему городом, работающими и живущими там людьми, окружающими горами, ущельями — всем!

Меня поселили на шикарной высокогорной вилле. Добраться туда можно было вертолетом, по асфальтовой дороге, построенной Патроковым и им же перекрытой внизу и вверху шлагбаумами, либо по крутым горным тропам. Там были шашлыки, коньяки, баня, девочки, охота — все, что Иван пообещал, причем наилучшего качества. Огромный красавец архар оказался под стать великолепному «ремингтону», на мушку которого я поймал его украшенную коллекционными рогами голову... Только охотник не соответствовал ни тому, ни другому, поэтому я отвел ствол, пуля со свистом унеслась в синее небо, и животное скрылось среди скал раньше, чем смолкло эхо выстрела.

— Неужели потерял форму? — встревожился Иван. — Не может быть! Знаешь, зачем мы тебя пригласили?

Он доверительно взял меня под локоть. Я высвободился.

— Конечно. Заказать сложное убийство. Настолько сложное, что оно не по зубам вашим гориллам.

Иван остановился:

— Ты что, с ума сошел? Как ты мог такое подумать?! Речь идет об экономической безопасности государства!

— Насколько я знаю, вы уже год на пенсии. При чем здесь государство?

— Все взаимосвязано. Появилась информация, что в Андорре открыто крупное месторождение молибдена. Если это действительно так и его начнут разрабатывать с европейской интенсивностью, нашему комбинату конец. Оборудование изношено, нормальной рабочей силы нет — он просто не выдержит конкуренции. Конечно, в первую очередь разорится Патроков, но потом погибнет город, ослабнет регион, страна потеряет ряд позиций на мировом рынке!

— Это ужасно. Но при чем здесь я?

— Ты единственный подходящий специалист. Надо выехать на место и все лично проверить. А если информация подтвердится, устранить угрозу для страны. Тебе ведь это не впервой. Только раньше все делалось бесплатно, а теперь Аслан Муаедович заплатит любую цену!

— Любую?! — Я вытаращил глаза. — А миллион заплатит? Вы же знаете, чем это пахнет. Меньше чем за миллион рисковать шкурой резона нет!

Когда мы вернулись на виллу, Иван поспешил звонить боссу, а я прошел к себе в комнату и достал маленький японский приемник со встроенным сканером, который прекрасно ловил волну, особенно на небольшом расстоянии.

«Он попросил миллион, Аслан Муаедович», — донесся из динамика взволнованный голос Ивана.

«Всего? — удивился Патроков. — Очень дешево. Способ передачи, гарантии?»

«Он все продумал. Такой виртуозной страховки я в жизни не встречал! Хитрая скотина...»

7

Светящийся экран «Нокии-9290» все отчетливее выделялся в сгущающихся сумерках, отбрасывая блики на матовый цилиндр с цифрами 212 на боку. Точно такой, как купленный в парфюмерном магазине не-

34

сколько часов назад, только потяжелее и из настоящего титана. Кроме того, здесь магнит удерживает не пробку на флаконе, а всю конструкцию на любой металлической поверхности. Есть и еще одно отличие: если напившийся пива любопытный глупец попытается снять пробку, то огненный веер разрежет пополам его, а заодно и все, что попадется на расстоянии до трех метров. Щелевой кумулятивный фугас — вот как это называется. Я почти воочию увидел широкий, зловеще блестящий меч андоррского палача и ощутил отвратительный запах напоенной кровью стали.

Эту штучку не слепишь кустарно в пещере Кавказских гор. Здесь чувствуются высокие технологии специального военного назначения. Она сделана там же, где и спутниковые фотографии, которые Патроков пачками вынимал из внутреннего кармана. В век Великой Измены возможно все.

Но я был большим хитрецом и гораздо меньшей скотиной, чем думал Иван.

«Потери будут единичны: это ведь дно озера, там нет жилья. И ночь... Может, случайная машина...»

«Ну, тогда другое дело!»

Скотиной часто приходится притворяться, чтобы выжить. Ответь я по-другому — и с не успевшими перевариться деликатесами в желудке отправился бы в ледяной мрак какой-нибудь бездонной расщелины. Поэтому я взялся за грязную работу, но, как всегда, составил два параллельных плана. Теперь пора переключиться с одного на другой. А значит, без звонка в змеиное гнездо и связанного с этим риска не обойтись.

По личному номеру Патроков отозвался сразу.

— Это я, Аслан. Все подтвердилось. Пробы просто отличные. Действую по плану.

— Как так... Мне сказали, что тебя... это... Короче, убили! — Изумление было ненаигранным.

После подчеркнутой почтительности это «тебя» покоробило. Впрочем, я и не обольщался насчет скоробогачика в раздолбанных кроссовках. Он не разрешил везти по своей дороге беременную жену провинившегося чем-то повара и при мне покрыл трехэтажным матом делегацию рабочих, униженно просивших выплатить хоть какой-нибудь аванс. «Работайте, козлы, тогда у вас все будет!» Хам есть хам, деньги его не исправляют.

— Кто-то сильно играет против тебя, Аслан. Путает все карты. Я чудом уцелел, мой друг погиб. Осмотрись вокруг — это кто-то из своих, из близких.

— Я найду эту зимию! — жутким голосом пообещал он. — А семью друга озолочу, клянусь!

Цена таким клятвам известна. К тому же у Марка не было семьи.

— Сделай все как надо, брат! Как договорились, так сделай! Я тебя не забуду...

— Посмотри ночные снимки. И торопись с игрой, как бы тебя не обошли!

— Спасибо, брат! Они все будут в жопе!

Я отключился и бросил взгляд на часы. Девять. Мадлен добралась до места и сейчас заступает на дежурство. Без отдыха, разве что успела принять душ и выпить чашечку кофе. А ведь у нее были напряженные дни, да еще я испортил бедняжке настроение! Пора бы ей бросить работу и пожить в свое удовольствие, девочка это заслужила. Если найдется солидный, порядочный и обеспеченный человек... Ладно, в сторону сантименты!

Я вновь вошел в Интернет и сосредоточенно застучал по миниатюрным клавишам. «В Западноевропейское региональное отделение Мирового центра предупреждения катастроф и чрезвычайных ситуаций...» Отправив сообщение и дождавшись подтверждения приема, я перевел дух.

Потом стал собираться. В задний карман брюк сунул «беретту», в правый положил складной нож. Цилиндр «212» несколько раз с сомнением подбросил на ладони и все же спрятал в портфель, туда же определил коммуникатор. Выходя из квартиры, прихватил бумажный пакет с камнями.

8

— Вы ему родственник? — Вышколенный служащий в черном фраке изображал искреннюю скорбь.

— Брат. Значит, по самому высшему разряду.

— Даже не сомневайтесь!

Он почтительно проводил меня до выхода. Самая лучшая погребальная контора Андорры займется беднягой Марком. Но это не освобождает меня от обязанности заняться теми, кто отправил его на тот свет. Хотя пока я совершенно не представлял, с какого конца подходить к этой проблеме.

Пробирки я выбросил в разные мусорные контейнеры, как и положено — в отсеки для белого стекла. Избавиться естественным образом от камней было сложнее: кругом асфальт, цветники, газоны. Пришлось незаметно, по-одному топить их в Валире. Все время я проверялся, но не заметил ничего подозрительного. Тем не менее ощущение опасности не проходило. Возможно, оттого, что я знал: охота возобновлена, причем целенаправленно и очень активно. Утешало лишь то, что отыскать меня среди десятков тысяч горожан — задача сродни поиску иголки в стоге сена. Правда, квадратно-сетевой метод очень эффективен, но он требует значительного количества людей. А похоже, что ресурсов у моих преследователей и не хватает, иначе центральные улицы и ключевые перекрестки были бы перекрыты. Странно. Если «третья сила» — это владельцы андоррского молибдена, богатые и могущественные хозяева этой земли, то нехватки в людях они испытывать не должны...

Ладно, что толку гадать! Лучше усилить маскировку... Узнать меня практически невозможно. Но кроме физических примет, существуют и социальные. Одинокий мужчина, иностранец, примерно пятидесяти лет. Я попадаю в эту категорию. Чтобы выйти из нее, достаточно найти спутника, а лучше спутницу. Последнее реальней: сойдет любая проститутка... Что ж, поищем. Но вначале надо заправиться — я люблю, чтобы бак был полон, а сейчас стрелка стоит почти на нуле. Сколько учу Мадлен — все бесполезно!

Залив в «Фокус» сорок литров бензина, я почувствовал, что и собственный организм требует заправки. На одном из шести углов площади Кабальерос пылал очаг ресторана «Эль Гриль», на крутящихся вертелах румянились упитанные цыплята и сочные свиные рульки. Если прокусить хрустящую поджаренную корочку, рот наполнится горячим ароматным жиром... Желудок сжал нервный спазм, я с трудом сдержал рвотный рефлекс и нажал на газ, чтобы быстрее проскочить мимо. Подъехав к автостанции, я все же купил два бутерброда с ветчиной и банку кока-колы. Против столь примитивной пищи организм не бунтовал, и я спокойно понес пакет к машине.

— Вы едете вниз? — Молодая блондинка с длинными распущенными волосами и сумкой через плечо смотрела на меня в упор и улыбалась. — Не подвезете?

Она говорила на плохом испанском и была не похожа на проститутку, но я тоже вряд ли похож на шпиона и диверсанта. К тому же плевать, кто она, хорошо хоть одна проблема разрешилась сама собой.

— Поехали! Хотите бутерброд?

— Потом, — неопределенно ответила она, привычно устраиваясь на соседнем сиденье. Салон стал медленно наполняться тяжелым ароматом дорогих духов. Сегодня у меня какой-то парфюмерный день! — Машина сломалась, а я живу в Сан-Джулии, — пояснила блондинка. — Это совсем рядом. А автобус только через полчаса.

Объяснение было вполне правдоподобным. Другое дело — насколько правдивым...

Мы без проблем выехали из города, не встретив ни одного полицейского поста и ни одной подозрительной машины. Я все время смотрел в зеркало заднего обзора, но никаких признаков «хвоста» не заметил. Да и спутница держалась безукоризненно: не пыталась завести разговор, не задавала вопросов, не старалась расположить к себе. Так ведут себя абсолютно непричастные к нашему делу люди. Или профессиональные агенты.

Всего двенадцать часов назад я ехал по этой дороге в обратном направлении. А кажется, что прошла вечность. Ярко светила луна, справа высились черные громады скал, слева поблескивала река. Через несколько километров она вольется в новое водохранилище. Пожалуй, я выехал слишком рано. Придется ждать около часа.

— Сейчас будет паркинг, там можно съесть ваш бутерброд, — спокойно сказала блондинка, как будто за этой невинной фразой не скрывалась явная двусмысленность. Зачем спешащей домой, порядочной женщине уединяться с незнакомцем на загородном шоссе? Ради бутерброда с ветчиной?

Паркинг оказался необорудованным: просто заасфальтированная площадка, стол со скамьями вокруг да небольшой туалет. Фонарь освещал центр площадки, края тонули в темноте.

— Остановитесь во-о-он там. — Изящный пальчик указал в непроглядную тень. Это уже было совсем недвусмысленное предложение. Но дельное, если абстрагироваться от ситуации: из мрака гораздо лучше контролировать обстановку вокруг.

— В темноте неудобно есть, — сказал добропорядочный доктор Крюгер, выключая двигатель.

— Я не голодна...

Девушка развернулась, облокотившись спиной на дверь, и положила ноги мне на колени. Гладкие икры, босоножки на высокой шпильке, прямой, откровен-

40

ный взгляд... На миг сердце дрогнуло. Конечно, второе сердце мужчины — простата. Но накативший дурманящий запах «Бушерона» стал сигналом тревоги. Чары развеялись бесследно.

— Иди ко мне...

Она призывно протянула руки. В правой ничего не было, и я схватил ее за запястье левой. В напряженных пальцах зажат шприц-тюбик, еще мгновение — и игла вонзилась бы мне в шею.

Бац! Я не джентльмен. Джентльмены не бьют женщин ни при каких обстоятельствах. Голова попутчицы запрокинулась, парик слетел, теперь узнать брюнетку из парфюмерного магазина не составляло труда, хотя она и переодела полупрозрачную блузу.

— Кто тебя послал? — Я выкрутил узкую кисть и отнял шприц. — Как ты на меня вышла? Где твое прикрытие? Говори!

Лжеблондинка молчала, довольно правдоподобно имитируя обморок. Впрочем, может, она и не притворялась. Женщины не должны встревать в такие дела — рассчитывать на снисходительность тут не приходится: око за око, зуб за зуб, укол за укол...

Раз! Тонкая игла проколола белую кожу, содержимое шприц-тюбика толчками выдавилось в предплечье. Теперь ее тело обмякло по-настоящему. Что там было — наркотик или яд? Хотя профессионалу и стыдно в этом признаваться, но мне дьявольски не хотелось больше никого убивать...

Два! Содержимое сумочки высыпалось на сиденье. Помада, сигареты, маленький красный телефон, авторучка, сигареты, зажигалка, ключи, пудреница, чем-то знакомый черный кожаный футляр... Неужели «Длинное ухо»? Я заглянул внутрь: так и есть — набор дистанционного аудиоконтроля, применявшийся Комитетом в конце восьмидесятых годов. Пресловутый «русский след» уже набил оскомину, но от фактов не отмахнешься. Официальное название «ДАК-500». В комплект входят чувствительный приемник и две радиозакладки размером с таблетку анальгина. Сейчас на месте была только одна, под номером 2. Я активировал ее и положил в сумочку — в потайной карманчик для денег, кредитных карточек или презервативов. В общее отделение сгреб все остальное, оставив себе телефон и плоский миниатюрный приемник. «Хорст, Марк, расставьте людей и приготовьте оружие!» — крикнул я в темноту. Вреда от этого крика никакого, а польза могла быть, особенно если любители «Длинных ушей» контролируют происходящее в «Форде».

Три! Я выволок девушку из машины и положил прямо на землю. Опять не по-джентльменски, но ни пледа, ни одеяла под рукой не было. Погладил теплую шею, пощупал пульс — немного учащенный, но ровный. Значит, обошлось — и ей, и мне повезло. Последний штрих — одернуть бессовестно задранную юбку и быстро убираться отсюда. Парни, с которыми она работает, соблюдали осторожность и не висели на хвосте, но это ничего не значит: в любую минуту из темноты могут вынырнуть огни их фар.

9

Проехав еще полтора километра, я свернул вправо, на уходящую вверх узкую дорогу, и вскоре нашел прекрасный наблюдательный пункт: нависающую над ущельем смотровую террасу. Наискосок от нее внизу находилась плотина — по прямой не больше трехсот метров. Я достал подзорную трубу. Мощные фонари ярко освещали весь комплекс: белое административное здание, чисто выметенную асфальтированную площадку с несколькими машинами дежурного персонала, темную массу воды, намертво сомкнувшиеся створы водосброса. Дальше расстилалась совершенно черная, без единого огонька долина. Сегодня ночью в нее придет вода.

В моем портфеле дожидался своего часа щелевой кумулятивный фугас. В памяти коммуникатора хранился текст отправленного недавно электронного письма: «В Западноевропейское региональное отделение Мирового центра предупреждения катастроф и чрезвычайных ситуаций. По данным метеорологических тестов и спутниковой фотосъемки, таяние ледников в Пиренеях создает угрозу затопления для ряда регионов, в том числе находящейся в зоне вашей ответственности Андоррской долины. Для обеспечения возможности приема излишнего объема Валиры рекомендуется профилактический сброс ста тысяч кубометров из Андоррского водохранилища не позднее двадцати четырех часов сегодняшнего числа. Директор центра *Хаммершильд*». Интересно, какое орудие окажется сильнее? Я склонялся в пользу письма.

Региональное отделение располагалось в Лионе. Предупреждение поступило туда два с половиной часа назад. Оно снабжено сегодняшним паролем, имеет необходимые реквизиты и подписано надлежащим должностным лицом. Дежурный диспетчер может проверить информацию у Хаммершильда по прямому телефону, но не станет этого делать. Потому что дежурного диспетчера зовут Мадлен и это она сообщила мне пароли и реквизиты. Не испытывая сомнений в подлинности документа, диспетчер передаст его по специальным каналам связи местным властям и в дирекцию плотины. Официальное сообщение, комар носа не подточит. Его обязаны выполнить — точно, безоговорочно и в срок.

Однако уже двадцать три пятьдесят, а никакого оживления внизу не наблюдается. Что-то не сработало? Может, Мадлен отстранили от дежурства? Или вообще уволили... Она говорила, что начальство недовольно ее «отпусками по семейным обстоятельствам». А может, она переметнулась на другую сторону? Или ее убили?!

Когда важное событие не наступает, в голову приходят наихудшие варианты объяснений. Минутная стрелка моей «Омеги» коснулась цифры «двенадцать», и тут ситуация резко изменилась. Три черных автомобиля, свернув с шоссе, подкатили к дирекции, из первого вышел солидный господин с портфелем, из двух других — не менее солидные, но без портфелей. На крыльце их почтительно встретили двое клерков из дежурной смены, и все скрылись в административном здании.

Мигая сигнальными огнями, из темноты вынырнули две полицейские машины. Одна развернулась поперек дороги, вторая понеслась вниз по ущелью. Ее громкоговорители работали на полную мощность, даже до смотровой площадки доносились обрывки фраз: «Поки... долину! ... запрещено! Опасность затопле...!»

Я опять оказался прав: письмо сработало эффективней бомбы. Теперь оставалось ждать.

Чтобы не терять времени, я достал маленький красный телефон и нажал несколько кнопок. На зеленоватом дисплее высветились цифры последних наборов. Владелица аппарата поддерживала связь с узким кругом абонентов: в памяти повторялись только четыре номера. Три относились к мобильной телефонной сети Испании, четвертый начинался со знакомых символов «+7», а значит, находился в России. Снова «русский след»? Контакты с ним имели место всего два раза: в пятнадцать десять исходящий звонок, в двадцать один тридцать — входящий. Первый — сразу после убийства Марка, второй — через полчаса после того, как Патроков узнал, что я жив... Значит, это и есть змеиное гнездо, гадючий клубок, центр управления, где заказчики варят свою кровавую кашу! А изящный красный телефончик принадлежал координатору — посреднице между центром и тремя местными головорезами.

Один проявился только два раза — ему адресован исходящий звонок в двенадцать тридцать, и от него поступил входящий в пятнадцать ноль пять. Если предположить, что это снайпер, то первым ему сообщили, где забрать мою фотокарточку, а вторым он отчитался о проделанной работе. Второй номер четыре раза встречался в исходящих звонках, это односторонняя связь, характеризующая малозначительную подсобную фигуру, скорей всего водителя. Зато третий занимал больше половины памяти: семь входящих и пять исходящих. Столь интенсивный диалог с координатором мог вести только руководитель местной сети.

45

Включив плафон, я аккуратно выписал все телефоны на клочок бумаги. Не терпелось выяснить, кто же заказал эту канитель, но действовать следовало аккуратно, чтобы не разворошить змеиное гнездо раньше времени. Мой смартфон имел антиопределитель номера, и я не торопясь набрал нужные цифры. Они показались смутно знакомыми.

— Да-а! — сразу же отозвалась трубка. Голос был самоуверенным и развязным. И тоже как будто знакомым.— Ну, кто это-о? Чо молчишь?!

Я узнал манеру растягивать слова и блатные интонации. Арсен Патроков! Его номер отличался от номера Аслана Патрокова только тремя последними цифрами.

Нажав кнопку отключения, я откинулся на спинку сиденья и вытер вспотевший лоб. Вот сволочь — играет против родного брата! Но что у него за интерес?

Впрочем, размышлять над этим сейчас не было времени. Я поднес к правому глазу подзорную трубу. Перед развернутым поперек шоссе автомобилем с мигающими красно-синими огнями выстроилась колонна остановленных на пути в долину машин. Двое полицейских в желтых накидках размахивали светящимися жезлами, разворачивая их обратно.

На плотине зажглись яркие прожектора, отчего вода под ними стала еще темнее. Тем отчетливее выделялись белые буруны, закручивающиеся в водоворот над отверстием аварийного сброса. Мне показалось, что я слышу гул несущегося по отводному тоннелю бурного потока. Сто тысяч кубов выплеснутся из нижнего среза тоннеля и растекутся по долине. Максимальная отметка — до полуметра. Через несколько дней вода сойдет, впитается в землю и от происшествия останутся только воспоминания. Если бы взрыв фугаса снес основные створы и все содержимое водохранилища обрушилось вниз, последствия оказались бы совсем другими. Но на большом расстоянии эта разница нивелируется. Через полтора часа на высоте двухсот километров пройдет спутник, и к утру Аслан Патроков получит фотографии залитой водой долины. Что он на них рассмотрит? Только одно: деньги за породистую собаку заплачены не зря — купленный с потрохами Дмитрий Полянский выполнил свой контракт.

А для полноты впечатления надо добавить к снимкам еще несколько убедительных штрихов. Я вновь взялся за верную «Нокию»...

10

За годы службы мне нередко приходилось выдавать себя за того, кем на самом деле не являлся: хирурга, физика-ядерщика, американского гражданина. Последний обман помог выжить в Борсхане — аборигены точно знали: если съесть американца, придут солдаты и всех убьют. Если бы эти легенды тщательно проверялись, я бы давно сидел в тюрьме или, превратившись в каннибальский навоз, удобрял почву африканских джунглей.

Но когда я работал под видом журналиста, самая дотошная профессиональная проверка не смогла бы меня разоблачить. Сотни публикаций в газетах и журналах мира, постоянное авторство в ведущих информационных агентствах, умение быстро подготовить статью на любую тему делали такое прикрытие железным. В мире журналистики имя Дмитрия Полянского было хорошо известно — «Известия», «Фигаро», «Вашингтон пост», агентства Рейтер и ИТАР-ТАСС даже числили меня среди нештатных авторов. Им я и разослал двадцатистрочные информации о затоплении Андоррской долины. С несколькими вариантами версий: аварийный сброс, ошибка диспетчера, диверсия. В газетах все смешается, и каждый извлечет из получившегося винегрета то, что ему больше нравится.

Час ночи. Насвистывая сквозь зубы какой-то привязавшийся мотив, я в очередной раз включил приемный блок «ДАК-500». Тишина. Радиус действия прибора пятьсот метров. Значит, микрофон № 2, сумочка, в которой он спрятан, девушка, при которой находится эта сумочка, и ее друзья с бесшумными пистолетами в карманах обретаются дальше, чем в полукилометре. Что ж, это хорошо. Хотя я совершенно не представлял, как смогу их миновать, возвращаясь по единственной дороге на засветившемся «Фокусе».

Палец машинально нажал кнопку переключения диапазонов, и решеточка динамика на серой матовой панели засвистела мне в унисон. Я перестал свистеть — приемник замолк.

— Черт!

Приемник четко повторил ругательство.

Значит, кратковременная попутчица времени зря не теряла! Куда же она всадила этот проклятый микрофон № 1? Да куда угодно: под панель, обшивку двери или ковролин пола, в подушку или спинку сиденья... Принимают ли приемники «ДАК-500» сигналы микрофонов из других комплектов? Я напрягся, вспоминая. Черт их знает! А что я говорил? Ничего. Набирал и передавал тексты, разбирался с телефонными номерами, кряхтел, сопел, возможно, матерился. Уже легче.

Но включенный радиомикрофон легко запеленговать! Острое чувство опасности холодком прошлось вдоль позвоночника, волосинки на спине встали дыбом. Быстро выбросить эту гадость!

Я лихорадочно ощупал сиденье пассажира, пошарил под ним, сунул руку под панель. Пусто. Надо снимать кресло, поднимать пол, разбирать дверь. Поиски могут затянуться, а к увлеченному человеку легко подобраться! Ощущение опасности усиливалось. Я вновь включил второй диапазон.

— Он где-то рядом, — раздался мужской голос. — Тут неподалеку есть смотровая площадка...

Приподнявшись, я извлек из заднего кармана «беретту» и быстро дослал патрон в ствол. Чувство опасности прошло, осталась просто опасность.

— Надо было брать его на паркинге, как договорились! — раздраженно сказала женщина.

Я прицепил к поясу коммуникатор и с пистолетом в правой руке и приемником в левой выскочил в прохладную андоррскую ночь.

— Тебе же объяснили, — вмешался другой мужчина. — Вначале у нас спустило колесо, а потом оказалось, что с ним целая банда! Мы вернулись за автоматами...

Пригибаясь, я выбежал с площадки, пересек асфальтовую дорогу и стал продираться сквозь зловеще темнеющие заросли. Водятся ли здесь змеи?

— Один он! И откуда у него оружие? Из-за вашей глупости я получила дозу отключки, до сих пор голова болит!

В слабом свете луны я карабкался вверх по крутому горному склону. Камешки из-под ног с шумом сыпались вниз, несколько раз я упал на локти, но не выпустил ни «беретту», ни приемник.

— Тихо, подъезжаем... — раздался из динамика напряженный шепот. Одновременно послышался характерный лязг передергиваемого затвора.

Я облокотился на криво торчащее из склона дерево и замер. Сердце колотилось, ноги дрожали, сильно пересохло в горле. Стар я уже для таких дел...

Послышался приглушенный гул мотора. По дороге ночным хищником на одних подфарниках кралась машина. Внезапно двигатель взревел на форсаже, ослепительно вспыхнули ксеноновые фары, хищник стремительно вылетел на смотровую площадку, безжалостно слепя белым до синевы светом беззащитный «Форд Фокус».

— Вперед! — рявкнул приемник.

Две тени с короткими автоматами в руках подбежали к «Форду», рывком распахнули дверцы, обшарили стволами салон, потом принялись нервозно оглядываться по сторонам.

— Он ушел! — сказал динамик женским голосом, в котором отчетливо слышались нотки неподдельного сожаления. И что я ей такого сделал?

— Никуда не денется. — Уверенный мужской голос озадачил: я считал, что преследователей всего трое. Впрочем, где трое, там и четверо... — Обыщите машину! Сегодня мы его сольем!

Ах ты, сливальщик яйцев! Никому не дано знать свое будущее, особенно когда имеешь дело с такой хитрой скотиной, как Полянский! Посмотрим, кто кого сольет...

Парни с автоматами залезли в «Фокус». Женская

фигура приблизилась к ним и оперлась на открытую дверь. Сумку она не взяла, и слышно ничего не было до тех пор, пока я не догадался переключиться на первый микрофон.

— В ящике пусто... Подзорная труба... О Мари, вот твой телефон, забирай... Что за пакет, проверь... Бутерброды? Дай сюда, у меня аж живот подвело...

— Один тебе, один мне, я тоже голоден...

— Нашли время жрать — каждая минута на счету!

— Не ругайся, Мари, это делу не мешает...

Теперь парни разговаривали с набитыми ртами. Девушку это явно раздражало.

— Не мешает... Разуйте лучше глаза: вон портфель за сиденьем!

— Точно... Ну-ка, посмотрим... Что это?

— Одеколон. Он его при мне покупал. Самый модный аромат года. Сорок восемь евро...

У Мари оказалась хорошая память.

— Гля, какой пижон! Давай и мы спрыснемся...

— У вас совсем крыша съехала... Не хотите работать! Пойду скажу Жаку...

Женщина в сердцах захлопнула дверь.

— Злюка. Видно, недотрахалась. Как он открывается, не пойму...

— Поверни крышку. Теперь в другую сторону... Потяни... Ну-ка, дай я!

Приемник на миг замолчал. От предчувствия того, что сейчас произойдет, захолодело внутри, сознание с компьютерной скоростью просчитывало плюсы и минусы такой развязки. Спутник как раз висел над долиной, значит, вспышка попадет в кадр и добавит моей фальсификации убедительности.

Кузов «Фокуса» лопнул по хребту, неровный красно-голубой веер вырвался наружу, как зубчатый гребень стегозавра. Пронизывающий свет адского пламени затопил площадку, тьма рассеялась, тени сгустились. В черном «Ситроене» медленно вдавливались растрескавшиеся стекла, расставив руки, парила над землей хрупкая женская фигурка, кляксами зависли над ней бесформенные лохмотья. Удар звуковой волны по барабанным перепонкам, толчок в лицо пахнущего гарью горячего ветра, и ад закрылся. В полной тишине клубился огонь в растерзанном «Фокусе».

Отбросив в сторону ненужный приемник, я заскользил вниз по склону. Если руководствоваться холодным разумом, то мне здесь больше нечего делать, надо уносить ноги. Но они убили Марка, а это перечеркивает любые логические построения. Скользя, падая и вскакивая вновь, я спустился к дороге, выбежал на площадку, распахнул дверь «Ситроена» и ткнул стволом «беретты» в лысину оглушенного пассажира. Он не шевельнулся, и я за подбородок вскинул безвольно обвисшую голову. Это был неулыбчивый «француз» из парфюмерного магазина. С тех пор он не стал веселее: крошки лобового стекла изранили лицо, плавающие зрачки свидетельствовали о сильной контузии. Я не верю любым свидетельствам, поэтому рывком выдернул его из машины и, бросив на асфальт, тщательно обыскал. Чисто. Я приткнул обмякшее тело к колесу.

— Кто стрелял? — Пара хороших пощечин приводит в чувство лучше, чем нашатырный спирт. А наставленный в лицо ствол располагает к искренности. — Отвечай, кто стрелял?!

На окровавленном лице появилось осмысленное выражение.

— Хуан. Не я. Хуан.

— Где он?

— Там... Они оба там...

Дрожащая рука указала на пылающий «Фокус». Чад горелого мяса чуть не вывернул меня наизнанку.

В нескольких метрах распростерлось на земле тело Мари. Я подошел ближе. Взрыв сорвал с нее кофточку и сильно опалил спину: багрово-черная кожа вспучилась пузырями. Но она была в сознании.

— Кто стрелял у термаля?

Девушка застонала.

— Хуан. Он сгорел в машине. — Слабый голос прерывался.

— Кто тебя послал? — внезапно, подчиняясь интуиции, я перешел на русский.

— Этот бандит... Арсен Патроков...

— Зачем?

Она снова застонала.

— Хочет скупить акции подешевке. И отнять комбинат у брата...

Что ж, картина предельно прояснилась. Я задумчиво взвесил «беретту» на ладони. Правила конспиративной работы и логика завершения специальных операций требовали только одного решения. Но оно мне не нравилось. Не спуская глаз с поверженных противников, я отошел на несколько десятков метров и, протерев платком, зашвырнул оружие в темноту. Снизу донесся вой полицейской сирены. Пришлось прыгнуть с дороги и снова ломиться сквозь кустарник вниз по крутому склону.

11

Проснулся я около полудня в мягкой постели, еще пахнущей духами Мадлен. Включив подзарядившийся за ночь коммуникатор, проверил котировки молибденовых акций. Ситуация резко изменилась — падение закончилось, цены шли вверх: Франкфурт — плюс шесть, Лондон — плюс пять, Нью-Йорк — плюс два. Сработало! Теперь главное — банк «Лео»... Торопясь, я ввел пароль. Так, сейчас... Вот оно! В восемь часов тридцать семь минут, через полчаса после начала биржевого дня, котировки молибдена повысились на один пункт. В полном соответствии с контрактом резервный счет разблокировали и миллион долларов немедленно был переведен на счет доктора Крюгера. Отлично! Так и хочется похвалить легендарную швейцарскую пунктуальность, но «Лео» — еврейский банк. Хвалить знаменитое хитроумие и умение обвести конкурента вокруг пальца? Но эти качества проявили отнюдь не банкиры, а скромный Дмитрий Артемович.

Аслан Патроков имел в виду повышение курса акций до прежнего уровня. А я заложил в контракт просто повышение цены. И ни сам неряшливый скоробогач, ни его придворный генерал, ни высокооплачиваемые юристы не рассмотрели подвоха. Что ж, это урок номер один. Деньги ума не прибавляют!

При всем уважении и симпатии к Мадлен хорошей хозяйкой ее не назовешь. В шкафчике на кухне я нашел немного кофе, а в холодильнике три сырых яйца, поэтому завтрак получился спартанским. Зато я насмотрелся телевизионных новостей. Французский репортер рассказал о затоплении Андоррской долины вследствие резкого таяния пиренейских снегов. Испанская информационная служба в качестве причины назвала трещину плотины. Местный канал намекнул на диверсию. В подтверждение показали взорванный «Форд Фокус» с обугленными трупами внутри, контуженного Жака и обгоревшую Мари. Искореженные огнем автоматы и шпионский радиомикрофон добавляли репортажу убедительности.

— Полиция изъяла с места происшествия два телефонных аппарата предполагаемых террористов, — сказал напоследок журналист. — Проверка контактных номеров позволит выяснить их связи и возможных сообщников.

Я в очередной раз вошел в Интернет и, просмотрев газетные хроники, убедился, что все издания смакуют версию терроризма. Чего и следовало ожидать. На биржах котировки молибдена продолжали медленно расти. Объяснялось это не столько наводнением, сколько резкой игрой на повышение: два анонимных покупателя скупали все акции подряд, искусственно взвинчивая цену. Долго это продолжаться не могло в любом случае, а известие о полной сохранности андоррского месторождения и подавно обрушит весь рынок. Те, кто гонится за сверхприбылью, рискуют стать банкротами.

Купленный с потрохами наемник обязан регулярно отчитываться перед хозяином, и Дмитрий Артемович позвонил Аслану Муаедовичу.

— Слушай, хорошая работа! — радостно завопил тот. Он, естественно, еще ничего не понял. — Я видел фотографии, самый важный момент, ты меня понимаешь? Когда ты сделал «бум»! И теперь, пока низкая цена, я хочу скупить все, что смогу! Ты понял? Но маклер говорит, что мне кто-то мешает...

— Тебе мешает Арсен, твой брат, — сказал я, и трубка засорилась тишиной. — Давно мешает, с самого начала. Хочет «кинуть» тебя и забрать комбинат. Мне сказал его человек.

Тишина в трубке стала звенящей.

— Проверь его телефон, и найдешь эти номера. — Я продиктовал цифры. — Спроси, кому он звонил и зачем ему звонили. Если он все стер — не беда: сегодня в вечерних газетах опубликуют его номер, поднимется большой скандал, он не отвертится! Алло, Аслан, ты меня слышишь? Алло?

— Слышу, — каменным голосом отозвался Патроков. — Я и раньше кое-что слышал, но не верил... Теперь ты дал доказательства, и я раздавлю гадину! И выгоню этого долбаного генерала — от него нет никакой пользы. Ты будешь вместо него! Куда прислать самолет?

— Я пока не собираюсь возвращаться. И наниматься на работу не собираюсь.

— Это не работа, это доля. Получишь пай вместо этой зимии. Будешь моим компаньоном, совладельцем будешь. По сравнению с этим то, что ты получил, — десять копеек! Куда прислать самолет?

— У меня еще много дел. Освобожусь — позвоню.

Целый день я просидел в квартире. Хотелось есть, но благоразумие требовало не выходить из дома, пока все не уляжется. Дышал воздухом на балконе, любовался прекрасным пейзажем, смотрел телевизионные новости, шарил в Интернете. К счастью, про доктора Крюгера никакой информации так и не всплыло. Вечером в информационных выпусках сенсацией прошел российский номер телефона, с которым связывались

Жак и Мари. Замелькал излюбленный термин «русский след». В полуночном выпуске Интернет-новостей появилось короткое сообщение: «На Северном Кавказе группа вооруженных лиц напала на известного бизнесмена и брата влиятельного политика Арсена Патрокова. В перестрелке он и четверо его телохранителей были убиты. Предприниматель получил более двадцати пуль». Слышишь, Марк, более двадцати! На свете все-таки есть справедливость, хотя до нее бывает трудно достучаться. А вот вам урок номер два: деньги не спасают от пуль.

Поздней ночью тональность репортажей изменилась. Взрыв машины и профилактический сброс из водохранилища разложили на разные полки, невнятно покритиковали бюрократическую путаницу в подразделениях Мирового центра предупреждения катастроф, а главное — заверили, что последствия сброса будут полностью ликвидированы через два дня.

Обрадованный столь оптимистическим сообщением, я лег спать. Но уже в восемь часов был разбужен тревожными трелями «Нокии». Этот номер знал только Марк, и, нажимая зеленую кнопку, я был готов даже к соединению с загробным миром.

— Ты кинул меня, как последнего лоха!

Услышав истерический крик Патрокова, я сразу успокоился. Удивляло только, как он преодолел блокировку.

— Акции обесценились! Это ты меня разорил! Я разрежу тебя на куски, как зимию...

— Попробуй. Но сперва спроси у Ивана, кто кого разрежет.

Патроков осекся, но только на мгновение.

— Отдай мои деньги! Хотя бы половину! У меня ничего не осталось! — В голосе появились просительные нотки.

— Работай, козел, и у тебя все будет!

Возможность дать этот третий, последний урок доставила мне не меньшее удовольствие, чем полученный миллион долларов.

12

Сборы заняли немного времени: все вещи были на мне. Помыл посуду, по привычке протер стакан и ручки дверей, сдал ключи консьержке. В разведанной накануне прокатной конторе арендовал новенький «Мерседес С» — вполне подходящую машину для респектабельного и патриотичного доктора Крюгера.

Дьявольски хотелось есть, но позавтракаю я уже на французской стороне. До Лиона пятьсот километров. Мадлен, конечно, не ждет, а зря — я всегда выполняю свои обещания. Почти всегда. Иногда, правда, с опозданием. Через пять часов я ее обниму: «Здравствуй, милая! Помнишь, что я обещал тебе десять лет назад?»

В такой ситуации без подарка не обойтись, поэтому единственную остановку я сделаю у парфюмерного магазина. Все-таки в Андорре большой выбор дешевого парфюма, глупо было бы этим не воспользоваться. Только «Бушерон» и «212» я покупать не стану. Наверное, до конца жизни.

Андорра-ла-Велья — Камбриллс — Ростов-на-Дону
Август—октябрь 2002

Адрес командировки – тюрьма

Повесть

Глава 1

ПОБЕГ ИЗ-ПОД СТРАЖИ

Колесо у автозака отвалилось в самый неподходящий момент — при повороте на крутом обрыве к глубокому синему озеру, дающему название небольшому городку, раскинувшемуся на противоположном берегу. Шестьдесят тысяч жителей, механический завод и макаронная фабрика, густые леса вокруг, чистый воздух, живописные озера... На крупномасштабных картах общего назначения он не значился, но в специфических сферах был хорошо известен.

Известность захолустному городишке придавала Синеозерская транзитно-пересыльная тюрьма, построенная еще в прошлом веке: через нее шли все этапы на уральский куст исправительно-трудовых колоний строгого и особого режимов.

Потерпевший аварию спецавтомобиль вез от железнодорожной станции очередную партию особо опасных осужденных, и, когда он круто повернул по неровной грунтовой дороге, раздался противный хруст лопнувшего железа, удар, машину резко занесло, вынося прямо на обрыв... Медленно, как при замедленной съемке, она накренилась на правый борт, миновала критическую точку и перевернулась, после чего уже быстро покатилась под откос, вздымая облако пыли и противоестественно мелькая тремя колесами и ржавым облупившимся днищем с прогорелой в нескольких местах выхлопной трубой.

Внизу холодно блестела ровная синяя гладь, под которой ждала добычу семиметровая водная толща. Болтавшийся в кабине рядом с водителем начкар сквозь мелькание серого неба и поросшей сочной зеленой травой земли разобрался в ситуации, умудрился открыть дверь и выпрыгнул, но тут же был раздавлен грубо склепанным стальным кузовом. Автозак врезался в тоненькую березку, с треском сломал ее, наткнулся на несколько деревьев потолще, которые, спружинив, погасили инерцию, и, лежа на боку, остановился у самой кромки каменистого берега.

В наступившей тишине слышались шорох сползающих камешков, бульканье выливающейся жидкости да чьи-то стоны. Остро запахло бензином.

— Открывай, слышь, открывай, щас рванет! — приглушенно прорвался сквозь стальной борт истошный крик.

— В натуре, вы чего, оборзели? Выпускайте, а то сгорим на х...!

— Менты поганые, рожи мусорские!

Контуженый сержант-водитель с трудом выбрался из кабины и, держась за голову, закружился на одном месте.

— Товарищ лейтенант! — хрипло выкрикнул он. — Где вы?

— Открывай! Открывай! — Мосластые кулаки замолотили изнутри по глухо загудевшей железной обшивке.

— Товарищ лейтенант! — Водитель остановился и осмотрелся. Взгляд его постепенно обретал осмысленность, он увидел беспомощно перевернутую форменную фуражку, а потом и самого начальника конвоя.— Товарищ лейтенант! Я сейчас!

Хромая и морщась, сержант подковылял к командиру и беспомощно уронил руки: сквозь черный от крови мундир торчали белые обломки ребер.

Автозак издал скребущий звук и съехал на двадцать сантиметров ближе к воде.

— Сидеть тихо там, потопнете, как щенки! — Сержанту показалось, что он, как обычно, рыкнул на бунтующих зэков, но на самом деле получился не рык, а тихий сип.

— Открывай быстрей, Федун, — вдруг подал голос внутренний конвоир, и сержант запоздало вспомнил о товарищах, запертых в вонючем чреве арестантского фургона.

— Ща, ребятки, ща. — Он суетливо зазвенел ключами. — Вы как там, целы?

— Володька сильно зашибся, — ответил тот же голос. — Его в больницу надо. Чего ты там возишься?

— Да вот, тут одна штука не выходит...

Водитель пытался застопорить застывший в неустойчивом равновесии автозак стволом сломанного дерева, но сил не хватало, и он, махнув рукой, вскарабкался на исцарапанный борт, отпер замок и с трудом поднял дверь, как когда-то в родной деревне поднимал люк, ведущий в прохладный подпол. Только сейчас из черного прямоугольника пахнуло не приятной сыроватой прохладой и запахами заготовленной на зиму снеди, а вонью немытых человеческих тел, блевотиной и кровью.

— Дай руку!

Лицо ефрейтора Щеглова было бледным, из рассеченного лба текла кровь. Он с трудом выбрался наружу, осмотрелся и выругался.

— Вот влипли! Сейчас эта колымага утопнет! Надо Володьку вытаскивать!

— А с этими что делать?

— А чего с ними делать... Пусть сидят. Наше дело их охранять. Отпирать камеры на маршруте запрещено...

— Так нельзя, товарищ ефрейтор, — послышался из темноты рассудительный голос. — Мы же люди, а не звери. И вы люди. А люди в беде должны помогать друг другу. Раз такое дело, надо нас спасать. А мы вам поможем.

— И правда, сами мы Володьку не вытащим, — громко зашептал водитель. — Я совсем квелый, голова кругом идет, все нутро болит. Открой этого, пусть пособит...

— Шпиона?! Ты что, совсем... Лучше Каталу... Давай ключи...

Тяжело вздохнув, Щеглов нехотя сунулся обратно в смрадную темноту. Стараясь держать тяжелые сапоги подальше от мертво белеющего лица распростертого внизу Володьки Стрепетова, он кулем свалился на ставшую полом левую стенку фургона и, с трудом распрямившись, полез в опрокинутый, низкий, как звериный лаз, коридор между блоками камер. В восьми крохотных стальных отсеках притаились горячие тела арестантов, сквозь просверленные кругами мелкие дырочки доносились тяжелое дыхание, биоволны страха и животной жажды свободы.

— Ты, это, осторожней, — спохватившись, прохрипел водитель. Голова стала болеть меньше, и он осознал, что они допустили две очень серьезные ошибки.

Во-первых, открывать камеру можно лишь при явном физическом и численном превосходстве конвоя: для особо опасного контингента это соотношение равно трем к одному. Во-вторых, конвоиры никогда не заходят к зэкам с оружием, да и тот, кто принимает их при высадке, обязательно отдает свой пистолет товарищам. Но сейчас все правила и инструкции летели к черту.

— Слышь, осторожней...

Автозак опасно заскрипел и вновь сдвинулся с места, мысли сержанта мгновенно переключились. Очень осторожно он сполз на землю и двумя руками уперся в стальной борт, как будто мог удержать трехтонную махину.

— Давай быстрей, Сашок... Быстрей...

Ефрейтор Щеглов отпер вторую камеру. Катала был щуплым малым, на станции он щедро угостил конвой сигаретами и рассказал пару смешных анекдотов. Казалось, неприятностей от него ожидать не приходится.

— Вылазь, помоги...

Щеглов не успел окончить фразу. Костлявые пальцы с нечеловеческой силой вцепились ему в горло, вминая кадык в гортань и перекрывая доступ воздуха в легкие. Рывок — и затылок ефрейтора глухо ударился о железо. Жадные руки быстро обшарили обмякшее тело, завладели пистолетом и ключами.

Лихорадочно защелкали замки, потные тела в серых пропотевших робах, как очнувшиеся от спячки змеи, рвались из тесных железных ящиков, сталкивались, сплетаясь в неловкий клубок, зло отталкивали друг друга, отчаянно стремясь к брезжущему впереди призрачному свету нежданной свободы.

— Ну, все? — не поднимая глаз, спросил сержант, когда кто-то вылез на борт фургона.

— Все! — со зловещими интонациями отозвался незнакомый голос.

— Кто это?! — Сержант вскинул голову и замер: сутулый широкоплечий зэк наводил на него пистолет.

Их взгляды встретились. Левый глаз стриженого рецидивиста был полузакрыт, вместо правого чернел девятимиллиметровый зрачок ствола. В следующую секунду он блеснул испепеляющей вспышкой, и острый удар грома разнес лобовую кость сержанта вдребезги.

— Все нормально, Зубач?

Из люка упруго выпрыгнул Утконос, потом показалась напряженная физиономия Груши, следом вылез весело скалящийся Катала.

— Это все я, я! Без меня вы бы хер выбрались!

Нервно пританцовывая, так что руки болтались как на шарнирах, он осмотрелся.

— Менты готовы? Давай, Груша, забери у них пушки!

— А с теми что? — Зубач кивнул на темный проем, откуда доносились вязкие удары, как будто рифленым молотком отбивали кусок сырой говядины.

— Ими Хорек занимается...

— Дорвался, мудила! Теперь его до вечера не оторвешь!

На свет божий показалась треугольная голова Скелета. Запавшие глаза, выступающие скулы, скошенный подбородок. Обычно он был бесцветный, как бельевая вошь. Редкая щетина светлых волос, невидимые брови, водянистые глаза, пористая серая кожа. Но сейчас красные брызги расцвечивали лоб, щеки, шею...

— Гля, что делает. — Скелет ужом выскользнул на борт фургона и стал тереть рукавом лицо. — Сука буду, полный псих! Они давно кончились, а он мочит и мочит...

— Пух! Пух! — Груша надел фуражку лейтенанта и целился в дружков сразу из двух пистолетов. — Конвой стреляет без предупреждения!

— Правильно, надо форму надеть! — Зубач сплюнул. — И дергаем по-быстрому, не хер здесь высиживать...

— Эй, а мы?! Вы чего, в натуре?! — Две пары кулаков застучали по кузову. — Отоприте!

Автозак дернулся в очередной раз. Утконос и Скелет поспешно спрыгнули вниз и отбежали в сторону. Зубач презрительно плюнул им вслед.

— Давай, Катала, выпусти Челюсть и Расписного. И Хорька забери. А не пойдет — хер с ним!

Через несколько минут из люка вылезли еще трое. Остролицый, весь в кровавых потеках Хорек лихорадочно сжимал красную, словно лакированную монтировку и безумно озирался по сторонам. Высокий, атлетически сложенный Расписной поддерживал похожего на питекантропа сорокалетнего цыгана с выступающей вперед массивной челюстью. Тот осторожно баюкал неестественно искривленную правую руку.

— Зараза, наверно, кость сломал! — Губы цыгана болезненно кривились.

— Нам еще повезло, что камеры маленькие, — ощупывая плечи, сказал Катала. — Менты до полусмерти побились!

— А Хорек их до самой смерти задолбил, — оскалился Скелет.

— Хватит болтать! — мрачно сказал Зубач, переводя взгляд со сломанной руки Челюсти на зажатый в ладони пистолет. — Как ты пойдешь-то с такой клешней?

Цыган перестал кривиться, глянул недобро, провел здоровой рукой по щеке, густо заросшей черной щетиной.

— Очень просто. Я ж не на руках хожу!

— Ну ладно, поглядим...

Зубач сунул оружие за пояс.

— Тогда концы в воду, и рвем когти! Груша, отдай одну пушку Катале!

Тюремный фургон, подняв фонтаны брызг, тяжело плюхнулся в озеро и мгновенно скрылся в глубине. На поверхность вырвался огромный воздушный пузырь, прозрачная вода замутилась...

Когда через полчаса на место происшествия прибыла поисковая группа, она обнаружила только сломанные деревья да следы крови на зеленой траве.

* * *

Побег, особенно с нападением на конвой, это всегда ЧП. Мигают лампочки на пультах дежурных частей, нервно звонят телефоны, трещат телетайпы, рассылая

68

во все города и веси ориентировки с приметами беглецов. Громко лязгают дверцы раздолбанных милицейских «уазиков», матерятся поднятые по тревоге участковые, оперативники и розыскники конвойных подразделений, угрожающе рычат серьезные, натасканные на людей псы. Донесения с мест стекаются в областное УВД, оттуда уходит зашифрованное спецсообщение в Москву, и высокопоставленные чиновники МВД, кляня периферийных долбаков, подшивают его в папку особого контроля.

Информация о синеозерском побеге шла в Центр обычным путем, но на каком-то этапе она раздвоилась и копия совершенно неожиданно поступила в КГБ СССР, который никогда не интересовался обычной уголовщиной. На этот раз к милицейской информации был проявлен самый живой интерес, она легла на стол самого председателя, а потом с резолюцией: «Принять срочные и эффективные меры для доведения операции «Старый друг» до конца» — спустилась к начальнику Главного управления контрразведки.

Генерал-майор Вострецов тут же вызвал непосредственно руководившего «Старым другом» подполковника Петрунова и недовольно сунул ему перечеркнутый красной полосой бланк шифротелеграммы.

— Вот вести о вашем кадре! Полюбуйтесь!

Несколько раз пробежав глазами казенный текст, подполковник осторожно положил документ на стол.

— А что он мог сделать... Расшифроваться и провалить операцию? К тому же его сразу бы и убили!

Перечить начальству — все равно что мочиться против ветра.

— Да к черту такую операцию! — Генерал грохнул кулаком по злополучной шифровке. — Затеяли какие-то игры с раскрашиванием, переодеванием, а теперь еще и побегами! Послать оперработника в Потьму на неделю и получить результат! К чему усложнять?! У нас немало сотрудников, которые справились бы с этим делом — быстро, без цирковых эффектов и головной боли для руководства! А насколько теперь все это затянется?

— Разрешите мне выехать в Синеозерск? — привычно сдерживая кипящее в груди раздражение, спросил Петрунов.

— Именно это я вам и приказываю! Примите все меры, чтобы его по крайней мере не застрелили при захвате!

— Есть! — сказал Петрунов, совершенно не представляя, какие меры тут можно принять. Ситуация вышла из-под контроля, и жизнь Волка находилась в его собственных руках.

* * *

Вечерний лес зловеще шелестел вокруг, прихватывал зелеными лапами за одежду, норовил подставить под ногу корягу или ткнуть острой веткой в лицо. Будто глумливый леший играл с заблукавшими в его владениях путниками, но делал это нерешительно, исподтишка, опасаясь подходить вплотную.

И действительно, продиравшаяся сквозь кустарник компания могла распугать всю лесную нечисть. Впереди, то и дело оглядываясь, как вышедший на маршрут карманник, ломился Скелет в порванной на груди лейтенантской форме — мокрой и покрытой бурыми пятнами. За ним с решительностью танка пер Груша, по его следам осторожно ступал Утконос в плохо застиранном мундире с сержантскими погонами, за ним Хорек зло рубил цепкие ветки отмытой монтировкой, Зубач выдерживал двухметровую дистанцию, за ним держался Катала в истрепанной форме ефрейтора, Челюсть и Расписной замыкали процессию. Цыган придерживал сломанную руку и время от времени сдавленно стонал, а Расписной двигался молча, контролируя походку, чтобы не перейти по привычке на лесной шаг разведчика. В голове лихорадочно роились тревожные мысли.

«Ломятся, как слоны, за километр слышно... Не понимают, что живыми, скорей всего, нас брать не будут? Зубач-то понимает, недаром прячется в середке... Еще не хватало получить пулю вместе с этими скотами! Да и сколько мне с ними бегать? Может, перемочить гадов по одному? Так слишком много трупов выйдет... Или отстать и затеряться в лесу? Но хабар по всем зонам и пересылкам пойдет, там каждую деталь обмусолят. Куда я пропал, как опять объявился... Нет, тут не дернешься... Ладно, посмотрим. Скоро они остановятся — дыхалка-то в тюрьме пропадает и мускулы в вату превращаются...»

— Слышь, Зубач, у меня уже копыта отваливаются! — отдуваясь, сказал Утконос.

— Точняк! Покемарить надо! — поддержал его Катала.

Груша с готовностью остановился, Утконос ткнулся ему в спину. Размахивающий монтировкой Хорек чуть не размозжил Утконосу голову, механически шагнул в сторону и пошел дальше.

— Доходяги, я могу два дня гнать без остановки! — похвастался главарь и тут же опустился на корточки. — Давайте, раз сдохли, садитесь на спину!

Все повалились на землю, только Хорек продолжил прорубаться сквозь кустарник.

— Гля! Куда он? — Груша полез за пазуху. — Может, шмальнуть?

Он растерянно шарил за пазухой, выворачивал карманы.

— Пусть идет...

Зубач зевнул и огляделся по сторонам.

— Давай, Груша, наломай веток вместо шконки. А Челюсть со Скелетом костер запалят. Чего ты себя шмонаешь?

— Да... Это... Пушку потерял... Вот сука! Только что на месте была...

— А яйца не потерял? Мудак ты! Быстро шконку ложи, совсем темно будет!

Расписной потер небритую щеку и отвернулся, чтобы скрыть непроизвольную ухмылку. Место совершенно не подходило для ночевки. Кругом впритык густой кустарник, высокая трава — к утру одежда будет насквозь мокрой от росы. Вдобавок к спящим легко подобраться вплотную. К тому же нет воды. Слева деревья редели, там наверняка можно найти удобную сухую поляну, возможно, ручей или озерко. Одно слово — дебилы... Ничего не умеют! Как они делают свои воровские делишки? Один теряет оружие, другой не может выбрать стоянку, а вот Скелет зажигает костер — спички тухнут одна за другой, ломаются, полкоробка извел! Да любой командир специальной разведки — от сержанта Шмелева до майора Шарова или полковника Чучканова затоптали бы таких разгильдяев коваными каблуками тяжелых десантных сапог!

— Слышь, брателла, перевяжи, сил нет терпеть, аж голова кружится, — тихо попросил Челюсть, когда по хворосту заплясало набирающее силу пламя. — Он нарочно, сука, меня ветки таскать заставил! Знаешь зачем?

— Ну?

— Чтобы я отказался. Или выступил на него. Пришить меня хочет, не понял еще?

— Чего там не понял. Сам слышал, как он Скелету шептал...

Расписной обернул распухшую руку цыгана листьями и травой, сверху обмотал лоскутом арестантской робы, рывком совместил обломки костей и зафиксировал шиной из прочных веток.

— Что... шептал?.. — Челюсть стойко перенес болезненную процедуру, только на лице выступили крупные капли пота.

— Что надо тебя завалить. На хер нам обуза с одной клешней... Только тихо, чтоб никто не видел. Так что держись ближе ко мне... Готово. Теперь вставляй в перевязь, пусть висит на шее — быстрей заживет.

Все это Расписной придумал. Но в жестоком уголовном мире любое семя подозрения находит благоприятную почву.

— Ну паскуда... Я его первый сделаю!

Цыган недобро ощерился, обнажив большие неровные зубы.

Темнота сгустилась окончательно, и красноватые блики разгоревшегося костра придавали зловещий вид лицам окружавших его людей. Осматривающий растертые ноги Груша наклонил голову, пухлые щеки лоснились, как у насосавшегося упыря. Привалившийся к дереву Скелет напоминал истлевшего мертвеца. Изломанные тенями Зубач, Утконос и Катала казались вынырнувшими из преисподней чертями с тлеющими угольками в черных глазницах.

— Надо бы порыскать вокруг, жратву поискать, — сказал Груша.

— Тут вокруг волки рыщут, как бы ты сам жратвой не оказался, — реготнул Утконос.

— Так часто бывает — пошел за харевом, а самого отхарили. — Зубач длинно плюнул в костер.

— Мы раз рванули с пересылки и «корову» прихватили. Здоровый такой фраер, молодой, из деревни. Забили баки: мол, нам сила твоя в пути нужна, потом всю жизнь в авторитете ходить будешь...

— И что? — заинтересовался Катала.

— Через плечо. Двести километров по тундре, три дня он сам шел, а потом мы его разделали. Тем и продержались всю дорогу.

— И как она, человечинка? — не унимался Катала.

— Ништяк. Сладковатая, сытная...

— Тихо! — Утконос привстал, вглядываясь в темноту.— Слышьте, кажись, ходит кто-то...

У костра наступила настороженная тишина. Вокруг шелестел ночной лес, но в обычном шумовом фоне Расписной разобрал лишний звук.

— Чего хипешишься, — процедил Зубач. — Вроде без кайфа, а глюки ловишь!

— Кому здесь ходить... Только зверям, — поддержал его Катала.

— Сука буду, слышал...

— Я вкуса не разобрал, — сказал Катала.

— Чего?

— Раз дрался с одним рогометом, ухо ему и отгрыз. Только сразу выплюнул, не распробовал. Соленое вроде...

— Ша! — вскинул ладонь Расписной.

Снова все смолкли, и вновь донесся запоздавший хруст. Расписной понял, что к ним подбирается человек и сейчас он замер на месте с поднятой ногой.

— У кого пушка? Быстро!

Зубач заерзал, сунул под себя руку и суетливо достал пистолет, неловко поворачивая ствол то в одну, то в другую сторону. Он явно ничего подозрительного не слышал.

— Ну?! Чо волну гонишь?

— Ха-ха-ха! — раздался из кустов визгливый, какой-то нечеловеческий смех.

Что-то темное, с хвостом, пролетело над костром и упало Груше на колени. Тот истошно заорал, рванулся в сторону и повалился на Скелета. Охваченные ужасом беглецы вскочили на ноги, шарахаясь в разные стороны. Зубач выстрелил наугад — раз, другой, третий... С другой стороны костра дважды пальнул Катала.

— Обосрались, ха-ха-ха, все обосрались! — Прямо там, куда ушли пули, материализовался криво усмехающийся Хорек с топором в руке. — А я вам хавку принес. Тут деревня близко...

Рядом с костром лежала крупная беспородная собака с разрубленной головой.

— Уф... — Зубач перевел дух. — Пришили бы тебя, узнал бы, кто обосрался... Ну ладно, давай, жрать охота!

Собаку разделали, зажарили и съели. Хорек держался героем и косноязычно рассказывал о своих приключениях.

— Секу в окно, гля — баба раздевается, сиськи — во, до пупа... Белые... И ляжки белые, мягкие...

— Ну?! Чего ж ты не бабу, а кобеля приволок? — спросил Груша, обсасывая красную то ли от бликов костра, то ли от крови косточку.

— Он мне, паскуда, чуть яйца не отгрыз! И выл потом... Шухер поднялся, мужики набежали... Еле сделал ноги. Ну да можно завтра пойти...

— Завтра, завтра! — Груша швырнул кость в огонь, сноп искр брызнул на ногу Утконосу, тот выругался.

— Ты чо? Или крыша едет от суходрочки?

— Баба небось слаще кобеля? — поддразнил Катала. — Чего ее не притащил?

— Тяжелая... Я б ее лучше там отхарил, а сюда ляжку на хавку...

— А Расписной бабий фляш[1] хавать бы не стал, — внезапно сказал Зубач. — Точняк не стал бы?

— Нет. — Расписной качнул головой.

— В падлу, да? Пса голимого[2] жрать не в падлу, а бабу чистую — в падлу? Как так выходит?

— Вот если мы с тобой недели две в пустыне прокантуемся, тогда узнаешь, как выходит!

---

[1] Фляш — мясо (блатной жаргон).
[2] Голимый — презираемый, противный.

— Так ты меня что, за пса держишь? — Зубач угрожающе скривился и наклонился вперед, шаря ладонью за поясом.

— Ты сам себя за хобот держишь. — Расписной рассмеялся, показал пальцем. — Сейчас кайф словишь?

Усмехнулся Катала, прыснул Скелет, визгливо хихикнул Утконос, в открытую захохотали Челюсть и Хорек. Зубач поспешно вынул руку из штанов.

— Пушка провалилась, — буркнул он. — Ну ладно, метла у тебя чисто метет[1]. А шухер ты в цвет поднял, вертухаи поучиться могут! И лепила[2] классный — вон как Челюсти руку подвесил. И где тебя этому учили?

Улыбка у него была нехорошая: подозревающая, даже того хуже — догадывающаяся. Именно такой улыбкой он встретил Расписного при первом знакомстве.

Глава 2

ПО КРУГАМ АДА

Камера Бутырки напоминала преисподнюю: густо затянутое проволочной сеткой и вдобавок закрытое ржавым намордником окно под потолком, шконки в три яруса, развешанные на просушку простыни, белье, носки, непереносимая духота и влажность, специфическая вонь немытых тел, параши и карболки.

За спиной резко хлопнула обитая железом, обшарпанная дверь с кривыми цифрами 76, грубо намалеван-

---

[1] Метла чисто метет — язык хорошо подвешен.
[2] Лепила — врач.

ными серой масляной краской. Со скрипом провернулся огромный вертухайский ключ, противно лязгнул засов. О специальной миссии Вольфа не знал ни начальник учреждения, ни его заместители, ни оперативный состав. Он вошел в общую камеру как обычный зэк, и только от него самого зависело, как его встретят в этом мире и как сложится здесь его жизнь.

— Кто — это — к нам — заехал? — На корточках напротив двери сидели двое, один из них резко поднялся навстречу — высокий стройный парень в красных плавках, резко контрастировавших со смуглой гладкой кожей, обильно покрытой потом. Он многозначительно кривил губы и по-блатному растягивал слова. — В гостинице «Бутюр»[1] свободных мест нет!

Развязной походкой парень направился к Вольфу, явно намереваясь подойти вплотную и гипнотизируя намеченную жертву большими, широко поставленными глазами.

— Ну ладно, так и быть... Пущу спать под свою шконку... Только вначале заплатишь мне за прописку...

Гипноз не удался. То ли что-то во взгляде Вольфа сыграло свою роль, то ли виднеющийся в расстегнутом вороте многокупольный храм, то ли исходящее от могучей фигуры ощущение уверенности и силы, но планы гладкого красавчика мгновенно изменились: вошедший перестал для него существовать.

— Санаторий «Незабудка» — побываешь, не забудешь! — сообщил он, уже ни к кому конкретно не обращаясь, и, пританцовывая, направился к облупленной

---

[1] Бутюр — сокращение от «Бутырская тюрьма». Такой штамп раньше ставили на постельном белье.

раковине, открыл кран и принялся плескать воду в лицо и на безволосую грудь.

Больше на Вольфа никто не обращал внимания. Арестанты безучастно переговаривались, за простынями стучали костяшки домино, кто-то заунывно повторял неразборчивые фразы — то ли молился, то ли пел. Справа от двери на железном толчке орлом сидел человек с мятой газетой в руке. Тусклые глаза ничего не выражали, как у мертвеца.

— Здорово, бродяги, привет, мужики! — громко произнес Расписной. И так же громко спросил:— Люди есть?

В камере, которую никто из арестантов так не называет, а называет исключительно хатой, томилось не менее сорока полуголых потных людей. Но и приветствие, и вопрос Расписного не показались странными, напротив, они демонстрировали, что вошедший далеко не новичок и прекрасно знает о делении обитателей тюремного мира на две категории — блатных, то есть собственно людей, и остальное камерное быдло.

— Иди сюда, корефан! — раздалось откуда-то из глубины преисподней, и Расписной двинулся на голос, причем местные черти сноровисто освобождали ему дорогу.

Торцом к окну стоял длинный, разрисованный неприличными картинками дощатый стол. На ближнем к двери конце несколько мужиков азартно припечатывали костяшки домино. На дальнем четверо блатных играли в карты. Хотя камера была переполнена, вокруг них было свободно, как будто существовала линия, пересекать которую посторонним запрещалось. Расписной перешагнул невидимую границу и, не дожидаясь особого приглашения, подсел к играющим.

Казалось, на подошедшего не обратили внимания, но Вольф почувствовал, как мелькнули в прищуренных глазах восемь быстрых зрачков, мгновенно «срисовав» облик чужака. Так мелькали в белых песках Рохи-Сафед стремительные, смертельно ядовитые скорпионы.

Играли двое, и двое наблюдали за игрой. Все были обнажены по пояс, татуированные тела покрывал клейкий пот.

— Еще, — бесстрастно сказал высохший урка с перевитыми венами жилистыми руками. Шишковатую голову неряшливо покрывала редкая седая щетина. На плечах выколоты синие эполеты — символ высокого положения в зоне. На груди орел с плохо расправленными крыльями нес в когтях безвольно обвисшую голую женщину. Держался урка властно и уверенно, как хозяин.

— На! — Небольшого роста, дерганый, будто собранный из пружинок, банкир ловко бросил очередную карту. Не какую-то склеенную из газеты стиру, а настоящую, атласную, из новой, не успевшей истрепаться колоды. На тыльной стороне ладони у него красовалась стрела, на которую как на шампур были нанизаны несколько карт — знак профессионального игрока. — Еще?

— Хорош, Катала, себе. — Седой перекатил папиросу из одного угла большого рта в другой и постучал ребром сложенных карт по кривобокой русалке с гипертрофированным половым органом. Черты его лица оставались твердыми и холодными, будто складки и трещины в сером булыжнике.

На круглой физиономии Каталы, напротив, отражалось кипение азарта.

— Посмотрим, как повезет...

Приподнятые домиком брови придавали ему вид простоватый и наивный. Расписной знал, что впечатление обманчиво: на строгом режиме наивных простаков не бывает — только те, кто уже прошел зону или залетел впервые, но по особо тяжкой статье. Двое наблюдающих за игрой угрюмых коренастых малых — явные душегубы. И татуировки на мускулистых телах — оскаленные тигры, кинжалы, топоры, могилы — говорили о насильственных наклонностях.

— Раз! — Рука Каталы дернулась, будто на шарнире, и на стол упала бубновая десятка.

— Два! — Сверху шлепнулась еще десятка — пиковая.

— Две доски! — перевел дух банкир и озабоченно спросил: — А у тебя, Калик, сколько?

Расписной усмехнулся. Катала играл спектакль и явно переигрывал. Он набрал двадцать очков, если бы у Калика было двадцать одно, тот бы объявил сразу. При одинаковой же сумме всегда выигрывает банкир. Тогда к чему эта деланая озабоченность?

— Восемнадцать.

Седой бросил карты. Девятка, шестерка и дама веером рассыпались поверх выигрышных десяток.

— Выходит, повезло тебе? — Тяжелый взгляд пригвоздил банкира к лавке.

— Выходит так, — кивнул тот и демонстративно

положил перед Каликом колоду: мол, если хочешь — проверяй.

— Если я тебя на вольтах или зехере[1] заловлю — клешню отрублю, — спокойно произнес Калик, даже не посмотрев на колоду.

Угрюмые переглянулись. Они были похожи, только у одного правая бровь разделялась надвое белым рубцом и на щеке багровел длинный шрам, а глаз между ними почти не открывался.

Приподнятые брови опали, будто в домиках подпилили стропила.

— Да что я — волчара позорный, дьявол зачуханный? — обиделся Катала. — Не врубаюсь, с кем финтами шпилить?

— Ладно. Я сказал, ты слышал. Ероха!

У невидимой границы тут же появился толстый мужик в черных сатиновых трусах до колена. Вид у него был обреченный, мокрая грудь тяжело вздымалась.

— Жарко? — вроде как сочувственно спросил Калик.

— Дышать... нечем... — с трудом проговорил тот, глядя в пол.

— Ты свой костюм спортивный Катале-то отдай. Куда он тебе в такую жару?

— Зачем зайцу жилетка, он ее о кусты порвет! — хохотнул Катала. — Не бзди, Ероха, до зимы снова шерстью обрастешь...

— Я не доживу до зимы. У меня сердце выскакивает...

---

[1] Вольты, зехер — шулерские приемы.

82

Калик недобро прищурил глаза.

— А как ты думал народное добро разграблять? Тащи костюм, хищник! И не коси, тут твои мастырки не канают![1]

Вор повернулся к Расписному:

— Икряной[2] нас жалобить хочет! Мы шкурой рискуем за пару соток, а он, гумозник, в кабинете сидел и без напряга тыщи тырил!

— А тут и впрямь жарковато! — Расписной стянул через голову взопревшую рубаху, стащил брюки, оставшись в белых облегающих плавках.

Калик и Катала переглянулись, угрюмые впились взглядами в открывшуюся картинную галерею на могучем теле культуриста.

Трехкупольный храм во всю грудь говорил о трех судимостях, а размер и расположение татуировки вкупе с витыми погонами на плечах и звездами вокруг сосков свидетельствовали, что по рангу он не уступает Калику. Под ключицами вытатуированы широко открытые глаза, жестокий и беспощадный взгляд которых постоянно ищет сук и стукачей. На левом плече скалил зубы кот в цилиндре и бабочке — символ фарта и воровской удачи. На правом одноглазый пират в косынке и с серьгой, зажимал в зубах финку с надписью: «ИРА» — иду резать актив. На животе массивный воровской крест с распятой голой женщиной — глумление над христианской символикой и знак служения воровской идее. На левом предплечье сидящий на полумесяце черт с гитарой, под ним надпись: «Ах, почему

---

[1] Не притворяйся, тут симуляция не проходит.

[2] Икряной — богатый человек.

нет водки на Луне», рядом — непристойного вида русалка — показатели любви к красивой жизни. На правом предплечье обвитый змеей кинжал сообщал, что его носитель судим за разбой, убийство или бандитизм, чуть ниже разорванные цепи выдавали стремление к свободе. Парусник под локтевым сгибом тоже отражал желание любым путем вырваться на волю. На бедре перечеркнутая колючей проволокой роза показывала, что совершеннолетие он встретил за решеткой. Восьмиконечные звезды на коленях — знак несгибаемости: «Никогда не стану на колени».

Крепыш с полузакрытым глазом поднялся и будто невзначай обошел нового обитателя хаты.

На треугольной спине упитанный монах в развевающейся рясе усердно бил в большой и маленький колокола, показывая, что его хозяин не отмалчивается, когда надо восстановить справедливость. На левой лопатке скалился свирепый тигр. Это означало, что новичок свиреп, агрессивен, никого не боится и может дать отпор кому угодно. На правой был изображен рыцарь на коне с копьем и щитом — в обычном варианте символ борьбы за жизнь, но на щите красовалась фашистская свастика — знак анархиста, плюющего на всех и вся. Только отпетый сорвиголова мог наколоть себе такую штуку, наверняка провоцирующую оперов и надзирателей на палки, карцер и пониженную норму питания.

Покрутив головой, полутораглазый вернулся на место.

— Я Расписной, — представился Вольф. — Как жизнь в хате?

Возникло секундное замешательство. Новичок, нулевик, так себя не ведет. Он сидит смирненько и ждет, пока его расспросят, определят — кто он есть такой, и укажут, где спать и кем жить. А татуированный здоровяк сразу по-хозяйски брал быка за рога, так может поступать только привыкший командовать авторитет, уверенный в том, что его погремуха[1] хорошо известна всему арестантскому миру.

— Я Калик, — после некоторой заминки назвался вор. — Это Катала, это Меченый, а это Зубач. Я смотрю за хатой, пацаны мне помогают, у нас все в порядке.

— Дорога[2], я гляжу, у вас протоптана. — Расписной кивнул на новую колоду. — Грев[3] идет нормальный?

— Все есть, — кивнул Калик. — Я нарочно тормознулся, на этап не иду, чтоб порядок был. Хочешь — кайфа подгоним, хочешь — малевку передадим.

— Да нет, мне ничего не надо, все есть. — Вольф полез в свой тощий мешок, вытащил плитку прессованного чая, кусок колбасы, пачку порезанных пополам сигарет «Прима» и упаковку анальгина.— Это мой взнос на общество.

Он подвинул немалое по камерным меркам богатство смотрящему.

— За душевную щедрость братский поклон, — кивнул Калик. — Сейчас поужинаем.

И, не поворачивая головы, бросил в сторону:

— Савка, ужин. И чифир на всех.

---

[1] Погремуха, погоняло — прозвище.
[2] Дорога — связь с волей.
[3] Грев — материальная поддержка заключенных деньгами, продуктами, наркотиками, лекарствами.

— Хорошо бы литр водки приговорить, — мечтательно сказал Меченый.

— А мне бы кофе с булочкой да постебаться с дурочкой! — засмеялся Катала и подмигнул. Он находился в хорошем настроении.

— Как абвер[1] стойку держит? Наседок[2] много? — спросил Расписной.

— Пересыльная хата, брателла, сам понимаешь, все время движение идет, разобраться трудно. Но вроде нету.

— Теперь будут. Меня на крючке держат, дыхнуть не дают. Кто за домом[3] смотрит?

— Пинтос был, на Владимир ушел. Сейчас пока Краевой.

Худой юркий Савка разложил на листах чистой белой бумаги сало, копченую колбасу, хлеб, помидоры, огурцы, редиску, открыл консервы — шпроты, сайру, сгущенное молоко, поставил коробку шоколадных конфет и наконец принес чифирбак — большую алюминиевую кружку, наполненную дымящейся черной жидкостью. Кружку он поставил перед Каликом, а тот протянул Расписному.

— Пей, братишка...

Расписной, не выказав отвращения, отхлебнул горький, до ломоты в зубах настой, перевел дух и вроде бы даже с жадностью глотнул еще. Недаром Потапыч старательно приучал его к этой гадости. Калик вроде бы безучастно наблюдал, но на самом деле внимательно рассматривал перстни на пальцах: синий

---

[1] Абвер — оперчасть.
[2] Наседка — осведомитель.
[3] Дом — тюрьма.

86

ромб со светлой серединой и тремя лучами означал срок в три года, начатый в детской зоне и законченный на взросляке, второй ромб с двумя заштрихованными треугольниками внутри и четырьмя лучами — оттянул четыре года за тяжкое преступление, в зоне был отрицалой[1], прямоугольник с крестом внутри и четырьмя лучами — судимость за грабеж к четырем годам, три луча перечеркнуты — они не отбывались из-за побега.

— Ништяк, захорошело. — Расписной отдал кружку, и к ней по очереди приложились Калик, Меченый и Зубач.

Это было не просто угощение, но и проверка. Если вновь прибывший опущенный — гребень, петух, пидор, то он обязан сразу же объявиться, в противном случае «зашкваренными» окажутся все, кто с ним общался. Но любому человеку свойственно откладывать момент объявки, поэтому угощение из общей кружки есть своеобразный тест, понуждающий к этому: зашкварить авторитетных людей может только самоубийца.

Расписной знал: здесь никто никому и никогда не верит, все постоянно проверяют друг друга. И его, несмотря на козырные регалки[2], проверяют с первых слов и первых поступков. Недаром Калик внимательно изучил его роспись, особо осмотрел розу за колючей проволокой, потом пять точек на косточке у правого запястья, а потом глянул на ромбовидный перстень со

---

[1] Отрицала — осужденный, нарушающий режим и не поддающийся исправлению.

[2] Регалки — татуировки, показывающие заслуги их обладателя, его ранг. Другое дело «порчушки» — примитивные рисунки украшательского или информационного характера.

светлой полосой. Эти знаки дополняли друг друга, подтверждая, что он действительно мотал срок на малолетке.

Придраться пока не к чему, главное, он правильно вошел в хату, как авторитет: поинтересовался общественными делами, сделал щедрый взнос в общак, задал вопросы, которые не приходят в голову обычному босяку. В общем, сделал все по «закону».

А кстати, сам Калик, обирая Ероху, нарушил закон справедливости, что недопустимо для честняги[1], тем более для смотрящего. Если бы у Расписного имелись две-три торпеды[2], можно было устроить разбор и занять место пахана самому. Но торпед пока нет...

Расписной круто посолил розовую влажную мякоть надкушенного помидора. Пикантный острый вкус копченой колбасы идеально сочетался с мягким ароматом белого батона и сладко-соленым соком напоенного южным солнцем плода. В жизни ему не часто перепадали деликатесы. Да и вообще мало кто на воле садится за столь богатый стол... И вряд ли Зубач с Меченым так едят на свободе: вон как мечут в щербатые пасти все подряд — сало, конфеты, шпроты, сгущенку...

От наглухо законопаченного окна вблизи слегка тянуло свежим воздухом, он разбавлял густой смрад камеры и давал возможность дышать. Подальше кислорода уже не хватало, даже спички не зажигались, и зэки осторожно подходили прикуривать к запретной

---

[1] Честняга — блатной, соблюдающий нормы воровского «закона».

[2] Торпеды — физически сильные зэки, выполняющие приказы старшего.

черте. Некоторые не прикуривали, а просто глубоко вздыхали, вентилируя легкие. Расписному показалось, что за двадцать минут все обитатели камеры перебывали здесь, причем ни Калик не обращал на них внимания, ни Меченый с Зубачом, которые, похоже, держали всех в страхе. Может, мужикам разрешалось иногда подышать у окна?

Когда еда была съедена, а чифир выпит, Калик оперся руками на стол и в упор глянул на Расписного. От показного радушия не осталось и следа — взгляд был холодным и жестким.

— Поел?

— Да, благодарствую, — ответил тот в традициях опытных арестантов, избегающих употреблять неодобряемое в зоне слово «спасибо».

— Сыт?

— Сыт.

— Тогда расскажи о себе, братишка. Да поподробней. А то непонятки вылезают: по росписи судя, ты много домов объехал, во многих хатах перебывал, а только никто тебя не знает. Никто. Всей камере показали — ноль. И вот ребята посовещались — тоже ноль.

К первому столу[1] подошли вплотную еще несколько зэков, теперь Расписного рассматривали в упор семь человек, очевидно блаткомитет[2]. Вид у них был хмурый и явно недружелюбный.

— Даже не слыхал никто о тебе. Так не бывает!

— В жизни всяко бывает, — равнодушно отозвался

---

[1] П е р в ы й с т о л — отдельный стол или часть общего стола, за которым сидят только авторитеты.

[2] Б л а т к о м и т е т — теневой коллегиальный орган управления камерой или зоной, состоит при воре зоны или замещающем его лице.

Расписной, скрывая вмиг накатившее напряжение. Теперь он понял, почему все арестанты побывали у их стола. — Кто здесь по шестьдесят четвертой, пункт «а» чалится? Кто в Лефортове сидел? Кого трибунал судил?

Калик наморщил лоб.

— Политик, что ли? У нас, ясный хер, таких и нет! А что за шестьдесят четвертая?

— Измена Родине, шпионаж.

— Погодь, погодь... Так это тебе червонец с двойкой навесили? А ты психанул, бой быков устроил, судью хотел стулом грохнуть?

Расписной усмехнулся.

— А говоришь — не слыхали!

Внимательно впитывающие каждое слово Катала и Меченый переглянулись. И напряженно слушающие разговор члены блаткомитета переглянулись тоже. Только Зубач сохранял на лице презрительное и недоверчивое выражение.

— Погодь, погодь. — Калик напрягся. Настроение у него изменилось — напор пропал, уверенность сменилась некоторой растерянностью. Потому что первый раунд новичок выиграл.

В ограниченном пространстве тюремного мира чрезвычайно важны слова, которые очень часто заменяют привычные, но запрещенные здесь и строго наказуемые поступки. Люди, мужики и даже козлы[1] вынуждены в разговоре показывать, кто чего стоит. Хорошо подвешенный язык иногда значит не меньше, чем накачанные мышцы. А иногда и больше, потому

---

[1] Козлы — активисты, общественники из числа заключенных.

что накачанных мышц здесь хватает, а с ловкими языками наблюдается явная недостача. Умение «вести базар» находится в ряду наиболее ценимых достоинств. Сейчас Расписной двумя фразами опрокинул серьезные подозрения, высказанные Каликом, поймал его на противоречиях и поставил в дурацкое положение. Если это повторится несколько раз, смотрящий может потерять лицо.

— Что-то я первый раз вижу шпиона с такой росписью!

— А вообще ты много шпионов видел? — Расписной усмехнулся еще раз. Он явно набирал очки. Но ссориться с авторитетом пока не входило в его планы, и он смягчил ответ:

— Какой я шпион... Взял фуцана на гоп-стоп, не успел лопатник спулить — меня вяжут![1] Не менты, а чекисты! Оказалось, фуцан не наш, шпион, греб его мать, а в лопатнике пленка шпионская!

Расписной вскочил и изо всей силы ударил кулаком по столу так, что треснула доска. Ему даже не пришлось изображать возмущение и гнев, все получилось само собой и выглядело очень естественно, что было крайне важно, ибо зэки внимательные наблюдатели и прекрасные психологи.

— Постой, постой... Так ты, выходит, не при делах, зазря под шпионский хомут попал? — Калик рассмеялся, обнажив желтые десны с изрядно поредевшими, испорченными зубами: в тюрьме их не лечат — только удаляют. Но лицо его сохраняло прежнее выражение,

---

[1] Ограбил хорошо одетого человека, не успел выкинуть бумажник — меня задержали.

и от этого непривычному человеку становилось жутко: не так часто видишь смеющийся булыжник. Блаткомитет тоже усмехался: получить срок по чужой статье считается фраерской глупостью.

— Хули зубы скалить... Двенадцать лет на одной ноге не отстоять!

Расписной глянул так, что булыжник перестал смеяться.

— Ну ладно... Родом откуда?

— Из Тиходонска.

— Кого там знаешь?

— Кого... Пацаном еще был. Крутился вокруг Зуба, с Кентом малость водился... Скворца... Филька... В шестнадцать уже залетел, ушел на зону.

При подготовке операции всех его тиходонских знакомых проверяли. Зуб с тяжелым сотрясением мозга лежал в городской больнице, Кент отбывал семилетний срок в Степнянской тюрьме, Скворцов лечился от наркомании, Фильков слесарил на той же автобазе. На всякий случай Кента изолировали в одиночке особорежимного корпуса, Филька послали в командировку за Урал, двух других не стоило принимать в расчет.

Калик покачал головой:

— Про Кента слышал, про других нет. А за что попал на малолетку?

— За пушку самодельную. Пару краж не доказали, а самопал нашли. Вот и воткнули трешник.

— А вторая ходка?

— По дурке... Махались с одним, я ему глаз пикой и выстеклил[1].

---

[1] Ножом выбил глаз.

— Ты что ж, все дела сам делал? — ехидно спросил Зубач, улыбаясь опасной, догадывающейся улыбкой. — Без корешей, без помощников?

— Почему? Третья ходка за сберкассу, мы ее набздюм ставили[1].

— С кем?! — встрепенулся Калик. Так вскидывается из песка гюрза, когда десантный сапог наступает ей на хвост.

— С косым Керимом. Его-то ты знать должен.

— Какой такой Керим? — Из глубины булыжника выскользнул покрытый белым налетом язык, облизнул бледные губы.

— Косого Керима я знаю, — сказал один из блаткомитетчиков — здоровенный громила с блестящей лысой башкой. — Мы с ним раз ссали под батайский семафор[2].

Катала кивнул:

— Я с ним в Каменном Броду зону топтал. Авторитетный вор. Законник.

— Почему я про него не слышал? — недоверчиво спросил Калик, переводя взгляд с Каталы на лысого и обратно, будто подозревая их в сговоре.

— Он то ли узбек, то ли таджик. Короче, оттуда, — пояснил Катала. — У нас редко бывал. И в Каменном Броду меньше года кантовался — закосил астму и ушел к себе в пески. Ему и правда здесь не климатило.

— Ладно. — Калик кивнул и вновь повернулся к Расписному. — А где ты, братишка, чалился?[3]

---

[1] Вдвоем грабили.

[2] Грузились при этапировании на станции Батайск под Ростовом-на-Дону.

[3] Чалиться, топтать зону — отбывать срок наказания.

— Про «белый лебедь»[1] в Рохи-Сафед слыхал?

— Слыхал чего-то...

— Керим про эту зону рассказывал, — вмешался Катала.

— И мне тоже, — подтвердил лысый громила. — Говорил, там даже законника опетушить[2] могут.

Расписной кивнул.

— Точно. В «белом лебеде» ни шестерок, ни петухов, ни козлов, ни мужиков нет. Вообще нет перхоти. Один блат — воры и жулики, вся отрицаловка[3]. А вместо вертухаев — спецназ с дубинками. Только не с резиновыми, а деревянными: врежет раз — мозги наружу, сам видел. И сактируют без проблем — или тепловой удар напишут, или инфаркт, или еще что... Через месяц из воров да жуликов и мужики получаются, и шестерки, и петухи... А кто не выдерживает такого беспредела, пишет начальнику заяву, мол, прошу перевести в обычную колонию...

— Если воры гнутся, у них уши мнутся[4], — бойко произнес Катала, но его шутка повисла в воздухе. Все помрачнели. Ни Калику, ни блаткомитету не хотелось бы оказаться в «белом лебеде».

— А он, братва, все в цвет говорит, — обратился к остальным лысый. — Керим точно так рассказывал. Я думаю, пацан правильный.

— Кажись, так, — поддержал его еще один блатко-

---

[1] «Белый лебедь» — колония с очень жестким режимом для рецидивистов.

[2] Опетушить — сделать пассивным педерастом.

[3] Воры, жулики, отрицаловка — высокие ранги в криминальной иерархии, злостные нарушители режима.

[4] Обратившись к администрации, вор нарушает «закон», «гнется» и подлежит раскоронованию. Эта процедура сводится к удару по ушам.

митетчик со сморщенным, как печеное яблоко, лицом и белесыми ресницами. — Наш он. Я сук за километр чую.

— Свойский, сразу видать... — слегка улыбнулся высокий мускулистый парень. На правом плече у него красовалась каллиграфическая надпись: «Я сполна уплатил за дорогу». На левом она продолжалась: «Дайте в юность обратный билет». Обе надписи окружали виньетки из колючей проволоки и рисунки — нынешней беспутной и прежней — чистой и непорочной жизни.

— Закон знает, общество уважает, надо принять как человека...

— Наш...

— Деловой...

Большая часть блаткомитета высказалась в пользу новичка.

— А мне он не нравится. — Зубач заглянул Расписному в глаза, усмехаясь настолько знающе, будто читал совершенно секретный план инфильтрации Вольфа в мордовскую ИТК-18 и даже знал кодовое обозначение операции «Старый друг».

— Если он шпион, почему его в общую хату кинули? Почему у него все отмазки на такой дальняк? Пока малевки[1] в пустыню дойдут, пока ответ придет, нас уже всех растасуют по зонам!

— А зоны где? На Луне или на Земле? — спросил зэк, мечтающий вернуться в юность.

— Ладно, — веско сказал Калик, и все замолчали: последнее слово оставалось за смотрящим. А он дол-

---

[1] М а л е в к а (малявка, малява) — письмо, нелегально передаваемое на волю или в другую зону.

жен был продемонстрировать мудрость и справедливость. — Расписной нам свою жизнь обсказал. Мы его выслушали, слова вроде правильные. На фуфле мы его не поймали. Пусть пока живет как блатной, будем за одним столом корянку ломать[1]. И спит пусть на нижней шконке...

— А если он сука?! — оскалился Зубач.

Расписной вскочил:

— Фильтруй базар[2], кадык вырву!

В данной ситуации у него был только один путь: если Зубач не включит заднюю передачу, его придется искалечить или убить. Вольф мог сделать и то и другое, причем ничем не рискуя: выступая от своего имени, Зубач сам и обязан отвечать за слова, камера мазу за него держать не станет[3]. Если же оскорбление останется безнаказанным, то повиснет на вороте сучьим ярлыком. Но настрой Расписного почувствовали все. Зубач отвел взгляд и сбавил тон.

— Я тебя сукой не назвал, брателла, я сказал «если». Менты — гады хитрые, на любые подлянки идут... Нам нужно ухо востро держать!

— Ладно, — повторил Калик. — Волну гнать не надо. Мы Керима спросим, он нам все и обскажет.

«Это вряд ли», — подумал Вольф.

Керим погиб два месяца назад, именно поэтому он и был выбран на роль главного свидетеля в пользу Расписного.

— Конечно, спросите, братаны. Можете еще Сивого спросить. Когда меня за лопатник шпионский упа-

---

[1] Буквально: есть хлеб, отламывая от одной буханки. Знак дружбы.
[2] Контролируй, что говоришь.
[3] Мазу держать — поддерживать, заступаться.

ковали, я с ним три месяца в одной хате парился. Там же, в Рохи-Сафед, в следственном блоке. Пока в Москву не отвезли.

— О! Чего ж ты сразу не сказал? — На сером булыжнике появилось подобие улыбки. — Это ж мой кореш, мы пять лет на соседних шконках валялись! Я знаю, что он там за наркоту влетел.

— Ему еще двойной мокряк шьют, — сказал Расписной. — Менты прессовали по-черному, у него ж, знаешь, язва, экзема...

— Знаю. — Калик кивнул.

— Они его так дуплили, что язва по-новой открылась и струпьями весь покрылся, как прокаженный... Неделю кровью блевал, не жрал ничего, думал — коньки отбросит...

С Сивым сидел двойник Расписного. Не точная копия, конечно, просто светловолосый мускулистый парень, подобранный из младших офицеров Системы. Офицера покрыли схожими рисунками из трудносмываемой краски, снабдили документами на имя Вольдемара Генриха Вольфа. Двойник наделал шуму в следственном корпусе: дважды пытался бежать, отобрал пистолет у дежурного, объявлял голодовку, подбивал зэков на бунт. «Ввиду крайней опасности» его держали в одиночке и даже выводили на прогулку отдельно. Таким образом, все слышали об отчаянном татуированном немце, многие видели его издалека, а с Сивым он действительно просидел несколько недель в одной камере. Потом Вольф прослушал все магнитофонные записи их разговоров и изучил письменные отчеты офицера, удивляясь его стойкости и долготерпению. Сивый был гнойным полутрупом, крайне подозрительным, жестоким и агрессивным, ожидать от него можно было чего угодно.

Потом двойника вроде бы повезли в Москву на дальнейшее следствие и вывели из разработки, он давно смыл с тела краску и, может быть, забыл об этом непродолжительном эпизоде своей службы. А слухи о поставившем на уши следственный корпус и круто насолившем рохи-сафедским вертухаям Вольфе стали распространяться по уголовному миру со скоростью тюремных этапов. То, что Калик оказался другом Сивого, было чистой случайностью, но эта случайность оказалась полезной. А от возможных неприятных последствий такой случайности следовало застраховаться.

— У него даже крыша потекла: то мать свою в камере увидел, то меня по утрянке не узнал... Каждую неделю к психиатру водили!

— Жаль другана. Мы с ним вдвоем, считай, усольскую зону перекрасили. Была красная, стала черная[1]. Нас вначале всего два человека и было, все остальные перхоть, баклан ье и петушня[2]. Раз мы спина к спине против двадцати козлов махались! А потом Сашка Черный на зону зарулил, Хохол, Сеня Хохотун...

— И Алик Глинозем! — продолжил за Калика Расписной. — Алик этого козла Балабанова из СВП[3] насквозь арматурным прутом проткнул, а Щелявого в бетономешалку засунули!

_____

[1] В красной зоне управляет администрация и актив, в черной — пахан и блаткомитет.

[2] Неавторитетные, презираемые осужденные, хулиганы и гомосексуалисты.

[3] СВП — секция внутреннего порядка, нечто вроде ДНД в колонии.

— Точно, так все и было! Я его и засунул!

На лице Калика впервые появилось человеческое выражение.

— Тогда эта шелупня прикинула муде к бороде и выступать перестала. Поняли, сучня, чем пахнет!

Калик встал и улыбнулся непривычными губами.

— Знаете, братва, я ведь вначале сомневался. Не люблю непоняток, на них всегда можно вляпаться вблудную[1]. Но теперь сам вижу — Расписной из наших...

— Я думаю, проверить все равно надо! — перебил Смотрящего Зубач.

Калик вспылил.

— Что ты думаешь, я то давно высрал! — окрысился он. — Ты на кого балан катишь?![2] Я здесь решаю, кто чего стоит! Потому освобождай свою шконку — на ней Расписной спать будет!

Зубач бросил на Вольфа откровенно ненавидящий взгляд и собрал постель с третьей от окна шконки. Через минуту он сильными пинками согнал мостящихся на одной кровати Савку и Ероху.

* * *

Спать на нижней койке в блатном кутке — совсем не то, что на третьем ярусе у двери. Ночная прохлада просачивалась сквозь затянутое проволочной сеткой окно, кислород почти нормально насыщал воздух, позволяя свободно дышать. Занимать шконки второго и

---

[1] Попасть в неприятное положение.
[2] Кого задираешь, на кого прешь?

третьего ярусов над местами людей запрещалось, поэтому плотность населения здесь была невысокой.

Зато дальше от окна она возрастала в геометрической прогрессии. Слабое движение воздуха здесь не ощущалось вовсе, потому что Катала отгородил блатной угол простынями, перекрыв кислород остальной части камеры. Парашная вонь, испарения немытых тел, храп, миазмы тяжелого дыхания и бурления кишечников поднимались к потолку, и на третьем ярусе нормальное человеческое существо не смогло бы выдержать больше десяти минут. Поэтому многие спускались, присаживались на краешек нижней койки, пытались пристроиться вторым на кровати. Иногда это не встречало сопротивления, чаще вызывало озлобленное противодействие.

— Лезь назад, сучара! Тут и без тебя дышать нечем!

В глубине хаты раздались две увесистые оплеухи. Оттуда то и дело доносились хрипы, стоны, какая-то возня, приглушенные вскрики. Кто-то отчаянно чесался, кто-то звонко хлестал ладонью по голому телу, кто-то всхлипывал во сне или наяву. Вольф понимал: происходить там может все, что угодно. Кого-то могут оформшмачить[1], опетушить или вовсе заделать вчистую[2]: задушить подушкой или вогнать в ухо тонкую острую заточку. Потапыч говорил, что зэков актируют без вскрытия и обычных формальностей.

И с ним тоже могут сделать что угодно — или оскорбленный Зубач по своей инициативе, или кто-то из

---

[1] Унизить, опозорить, переведя таким образом в ранг отверженных. Для этого достаточно вылить спящему на лицо воду из унитаза или провести членом по губам.

[2] Заделать вчистую — убить.

торпед по приказу смотрящего. Ибо демонстративное признание Каликом Расписного и явно выраженное расположение к нему ничего не значат — очень часто именно так усыпляют бдительность намеченной жертвы... С этой мыслью Вольф провалился в тяжелое, тревожное забытье.

* * *

— Встать! — Резкая команда ворвалась в одурманенное сознание, и Вольф мгновенно вскочил, не дожидаясь второй ее части, какой бы она ни была: «Смирно!», «Становись!», «Боевая тревога!».

— К стене! Живо к стене, я сказал!

Таких команд он отродясь не слышал. Мерзкий сон продолжался и наяву, преисподняя никуда не делась, только, кроме постоянных обитателей, в ней появились коренастые прапорщики с резиновыми палками на изготовку.

— К стене! — Литая резина смачно влипла в чью-то спину.

— Зря ты так, начальник, — прерывисто откашлялся пострадавший зэк. — Где тут стена? К ней из-за шконок не подойдешь!

— Значит, к шконке становись! И закрой варежку, а то еще врежу!

Четверо прапорщиков были безоружны, навались вся хата — задавят вмиг. Но они об этом не думали, обращаясь с зэками, как привыкшие к хищникам дрессировщики. Возможно, уверенность в своем превосходстве и придавала им силу. Но у Вольфа мелькнула мысль, что сторожить загнанных в клетку зверей — это одно, а ловить их на воле — совсем другое. Да и здесь нельзя расслабляться, если хевра взбунтуется...

Но бунтовать никто не думал. Серая арестантская масса покорно выстроилась вдоль кроватей. И Меченый стал, и Катала, и Калик... В камеру зашел невысокий, кряжистый подполковник в форменной зеленой рубахе с распахнутым воротом и закатанными по локоть рукавами. Державшиеся чуть сзади капитан и старший лейтенант парились в полной форме — с галстуками и длинными рукавами.

— Бля, щас Дубол даст просраться! — угрюмо процедил Зубач.

— Ну, кто его заделал? — обыденно спросил подполковник. У него была красная физиономия выпивохи, однако от коренастой фигуры веяло уверенностью и животной силой. Биологическая волна была так сильна, что даже Волк ощутил чувство беспокойства.

— Сам он, гражданин начальник. — Маленький лупоглазый Лубок для убедительности прижал одну руку к груди, а второй показал куда-то в сторону параши. — Захрипел и помер. Тут же кислорода совсем нет...

Высунувшись из строя и проследив за пальцем Лубка, Вольф увидел распростертого на полу Ероху.

— Карцер, пять суток! — прежним обыденным тоном распорядился начальник. — Кому тут еще кислорода не хватает?

Прапорщик сноровисто выволок Лубка в коридор. Больше желающих жаловаться не находилось.

— Убрать! — подполковник брезгливо взмахнул рукой. Два прапора за руки и за ноги потащили мертвеца к двери. Провисающий зад Ерохи волочился по полу и потому зацепился за порог камеры. Так, экономя силы, солдаты-первогодки таскают на кухне мешки с картошкой.

— Где его вещи? — поинтересовался капитан.

— Какие там вещи — хер да клещи! — отозвался Меченый. — Пустой он был, как турецкий барабан.

— Поговори мне! — рявкнул Дуболом. Меченый замолчал. — Кто отвечает за хату? — спросил Дуболом, проходя вдоль строя почтительно окаменевших зэков.

— Ну, я, — после короткой паузы отозвался Калик.

— Как положено отвечай! — рявкнул подполковник. — Или научить?!

— Осужденный Калитин, статья 146, часть вторая[1], срок шесть лет!

— Так вот, гусь лапчатый... — Дуболом подошел к смотрящему вплотную и впился в него гипнотизирующим взглядом. — Если эксперт скажет, что его замочили, я с тебя шкуру спущу и голым в карцер запущу! Там ты у меня и сгниешь! Ты понял?

— Понятно говоришь, хозяин. Только не трогал его никто. Сам копыта отбросил.

Калик хотя и старался вести себя как обычно — высокомерно и властно, это у него плохо получалось. Когда он и Дуболом стояли лицом к лицу, сразу было ясно, кто здесь держит масть[2].

— Что-то ты у меня задержался, все под больного косишь, — недобро улыбнулся начальник. — Следующим этапом пойдешь на Владимир! А пока наведи по-

---

[1] Разбой при отягчающих обстоятельствах.
[2] Д е р ж а т ь   м а с т ь — обладать реальной властью.

рядок в хате! Завтра проверю, если свинюшник останется — дам веник и самого мести заставлю!

У Калика вздулись желваки, но он смолчал. А значит, проявил слабость. Поняли это не все — только опытные арестанты. Расписной, которому Потапыч несколько месяцев вбивал в голову законы зоны, тоже понял. Они обменялись взглядами с Мордой — парнем, который просил обратный билет в юность. Тот едва заметно презрительно усмехнулся, и Расписной согласно кивнул.

За завтраком они оказались рядом. Блаткомитет неторопливо жевал сало и колбасу, все остальные звенели алюминиевыми мисками с жидкой пшенкой. Миски имели такой отвратительный, жирный и липкий вид, что об их содержимом не хотелось даже думать. Места за столом не хватало, многим приходилось устраиваться на шконках или быстро лакать еду стоя.

— Машке с Веркой хату вымыть! — бросил в пространство Калик. Он был мрачен и очень озабочен. — А Шкет пусть коней прогонит. И Хорька ко мне!

— Щас сделаем, — кивнул Меченый.

— Слышь, Расписной, а как там, где перхоти нет? — спросил Морда, расчесывая волдырь на руке. — Кто по хате дежурит, кто убирает, кто чифир готовит?

Вольф усмехнулся.

— Дошло? В том-то и весь расчет! Паханы без шестерок не могут. Когда в хате собираются одни бугры, они начинают друг друга за глотку брать. Кто круче — тот наверху остается, остальные — в осадок...

Морда покрутил головой:

— Да-а-а... Менты всякое придумывали. В Коми,

на волчьей зоне, брали человек десять из отрицаловки, пятерых сажали в железную цистерну, а пятерых оставляли снаружи с кувалдами. Мороз за сорок, теплой одежды нет. Одни греются, долбят кувалдами изо всех сил, другие от холода и грохота с ума сходят... Потом меняются, а через два часа все десять лежат пластом. Но это гадство еще похлеще...

Морда достал пачку «Беломора», вытряхнул папиросу, привычно размял табак и закурил.

— Представляю, какой получился дурдом... Не-е-ет, так жить не можно. Всегда должны быть старшие, те, кто помладше, самые младшие. Только пахан обязан быть путевым. Если он пляшет под ментовскую дудку...

Морда указал на двух пидоров, старательно убирающих в камере. Веркой звали того самого гладкого красавчика в красных плавках. Он старался руководить, то и дело покрикивая на Машку — совсем молодого парня с бакланскими[1] наколками.

— Видишь, у гребней тоже одни командуют, другие подчиняются. На зоне Верка, может, в главпетухи пробьется.

Но Расписной смотрел в другую сторону, на окно. Шкет стоял на плечах у Зубача и через дырку в проволочной сетке пропускал между стеной и «намордником» привязанную к толстой нитке записку. Сто процентов, что это был запрос про него.

Малевки поступят в соседние камеры — слева и справа, а может быть, еще в нижнюю и верхнюю. Оттуда записки передадут дальше, или продублируют их

---

[1] Бакланские наколки — татуировка хулиганов.

105

содержание через прижатую к стене кружку, или криком во время прогулки, на худой конец простучат по водопроводным трубам... Через несколько часов многочисленные обитатели тюрьмы смогут высказать все, что они знают или слышали о Вольфе-Расписном... Страхующий операцию лейтенант Медведев обеспечивает отсутствие в камере тех, с кем Вольфа могла сводить судьба, — земляков, бойцов специальной разведки, соучеников и знакомых. Но черт его знает, кто может оказаться среди полутора тысяч собранных со всей страны босяков...

— Нашего пахана рассматриваешь? — хмыкнул Морда и ожесточенно почесал под мышкой. — На что это он Хорька фалует?

Калик сидел под окном и, доверительно наклонившись, что-то говорил низкорослому зэку, острые, мелкие черты которого действительно делали его похожим на отвратительного грызуна. Грызун завороженно слушал и чуть заметно кивал. Бессмысленный взгляд, идиотски приоткрытый рот... Вид у него был жуткий.

— У Хорька крыша течет. Настоящий бельмондо[1]. Иначе ему бы за два мокряка в натуре зеленкой лоб намазали...[2]

Морда глубоко затянулся и окурил едким дымом лоснящееся тело.

— Блядь, искусали всего! Вшей хоть прожарками немного гробим, а клопов вообще не переведешь! А тебя сильно нагрызли?

---

[1] Бельмондо — сумасшедший, ненормальный.
[2] Его бы за два убийства обязательно расстреляли.

— Да нет, — рассеянно отозвался Волк. Он вообще не почувствовал присутствия насекомых.

— Гля, везет! Видно, кровь такая...

Звенел ведром Машка, громко командовал им Верка.

Волк впился взглядом в шевелящиеся губы Калика. Верхняя то и дело вытягивалась хоботком, нижняя попеременно отквашивалась и подбиралась, будто подхватывая невидимую жвачку. Боец специальной разведки умеет читать таким образом даже иностранную речь.

«Завтра... Дуболома... заделаешь... Заточи... весло...»[1]

— Совсем ни хера не соображает: под блатного работает, думает, что его вот-вот коронуют! — рассмеялся Морда.

«Я... базар... отвлеку... ты... быстро... бочину... или... шею...»

— Потому пахана слушает, что он скажет, то Хорек и делает.

«Справка... ничего... не... сделают... Зато... потом... сразу... покрестим...»[2]

— Ну, с психа спроса нет, а с Калика? Хорек по жизни дурак, как его руками дела делать? Все равно что с чушкарем из одной миски хавать. Если ты настоящий пахан, то себя марать не должен. Я знаешь как таких мудозвонов не терплю, зубами грызть готов!

Грызун послушно кивнул и исчез. Калик полез за сигаретой.

— С чего ты так? — поинтересовался Расписной.

---

[1] Весло — ложка.

[2] Короновать, покрестить — присвоить ранг «вора в законе».

— Из-за брата младшого. Молодой, знаешь, — в поле ветер, в жопе дым... Один хер из малолетки откинулся[1], ребятня вокруг него и скучковалась — как же, зону топтал! А у него передних зубов нету, говорит — авторитетным пацанам доминошкой выбивают, вроде как знак доблести... Мой и подписался! Тот ему сам два зуба выставил — теперь, говорит, ты самый правильный пацан в квартале. Ну братуха и гарцевал... Только они-то, дураки, не знали, что это вафлерский знак! А через полгода братан ларек бомбанул и загремел на два года. Тут-то и узнал, что это значит!

— Чего ж ты родной душе не подсказал?

— Не было меня тогда. Я через полтора года объявился, чего сделаешь, поздно уже... Ну тому гаду пику засунул, а моему не легче!

— Так ты по «мокрой» чалишься?

Морда покачал головой:

— Не, то дело на меня даже не мерили. Менты прохлопали. За карман попал...

Жизнь в хате текла размеренно и вяло. Пидоры закончили уборку, лысого громилу и его дружка — белесого, со сморщенной, как печеное яблоко, физиономией — выдернули с вещами на этап. Хорек сидел на корточках в углу и как заведенный чиркал о бетон черенком ложки. Вжик-вжик-вжик! Время от времени он корявым пальцем проверял остроту получающегося лезвия и продолжал свою работу. Вжик-вжик-вжик...

Волка это не касалось. По инструкции он имел право расшифроваться только для предотвращения особо опасного государственного преступления или

---

[1] Освободился из колонии для несовершеннолетних.

посягательства на ответственного партийно-советского работника. Предписанное приказом бездействие вызывало в душе протест, но не слишком сильный. Может, оттого, что он уже нарушал инструкцию, чтобы спасти мальчика от кровавого маньяка, и хорошо запомнил урок полковника Троепольского, едва не растоптавшего его за это. Может, потому, что сам ходил по краю и в любой момент мог расстаться с жизнью. Может, из-за того, что в тюремном мире не было особей, вызывающих сочувствие, и спасать никого не хотелось. Может, срабатывал эффект отстраненности, с каким пассажир поезда смотрит через мутное окно на ночной полустанок со своим, не касающимся его житьем-бытьем. А скорее всего, действовали все перечисленные причины, вместе взятые...

Вжик-вжик-вжик!

После обеда обитателей хаты повели на прогулку. Тускло освещенные слабыми желтыми лампочками коридоры, обшарпанные, побитые грибком стены, бесконечные ряды облупленных железных дверей, грубо приклепанные засовы, висячие амбарные замки, ржавые решетки в конце каждого коридора и пропитывающая все тошнотворная тюремная вонь — смесь дезинфекции, параши, табака и потных, давно не мытых тел... Этот мир убожества и нищеты был враждебен человеку, может, он подходил, чтобы держать здесь свиней, да и то — только перепачканных навозом, недокормленных хавроний из захудалого колхоза «Рассвет», потому что дядя Иоганн рассказывал: в Германии свинарники не уступают по чистоте многим российским квартирам. Наверняка и эти его рассказы учтены в пятнадцатилетнем приговоре...

Прогулочный дворик тоже был убогим: бетонный квадрат пять на пять метров, цементная «шуба» на стенах, чтобы не писали, и надписи, оставленные вопреки правилам и физической невозможности. Сверху натянута крупноячеистая проволочная сетка, сквозь которую виднелось ясное синее небо, желтое солнце и легкие перистые облака.

Волк жадно вдыхал свежий воздух, подставлял тело солнечным лучам и радовался, что исчезла непереносимая камерная вонь. Но она, оказывается, не исчезла, только отступила: камерой провонялись его волосы, руки, камерой разило от Морды, Голубя, Лешего, от всех вокруг...

— Раз в омской киче мы вертухаев подогрели, они нас пустили во дворик к трем бабам, — мечтательно улыбаясь, рассказывал Морда, а Голубь и Леший с интересом слушали. — Зима, мороз, снег идет, а мы их скрутили, бросили голыми жопами на лед — и погнали! Бабы визжат, менты сверху смотрят и ржут... Нас семеро, кто сразу не залез, боится не поспеть, толкается, к пасти мостится... Умат!

— Ты-то успел? — жадно облизываясь, спросил Голубь.

— Я всегда успеваю! — надменно ответил Морда и сплюнул.

— Эй, вы! Какого хера шушукаетесь? — крикнул сверху вертухай. Лица его против солнца видно не было, только угловатый силуэт на фоне ячеистого неба.— Хотите обратно в камеру?! Щас загоню!

110

— Все в порядке, начальник, уже гуляем, — подчеркнуто смирно ответил Леший, и вся троица степенно двинулась по кругу.

К вечеру в хату заехал новый пассажир — обтрепанный, сельского вида человечек неопределенного возраста. В руках он держал тощий мешок и настороженно озирался.

— Здравствуйте, люди добрые. — Голос у него был тихий и испуганный.

— Здравствуй, здравствуй, хер мордастый! — Верка со своей вихляющейся походкой и блатными ужимками был тут как тут. — Ты куда зарулил, чмо болотное?! — Пидор подошел к новичку вплотную.

Тот попятился, но сразу же уперся спиной в дверь.

— Дык... Привели вот...

— А у нас ты спросил: есть тут для тебя место? На фуй ты нам тут нужен? И без тебя дышать нечем!

— Дык... Не по своей-то воле...

— А кто тут по своей?! — напирал Верка. — Один вон тоже не по своей попал без спросу, место занимал да наш воздух переводил... Знаешь, где он? Деревянный клифт примеряет! Я сам его заделал! Вот как бывает!

Он замахнулся. Новичок, не пытаясь защититься, втянул голову в плечи.

Волк не мог понять, что происходит. Творился неслыханный беспредел. Петух — самое презираемое в арестантском мире существо. Он должен сидеть в своем кутке у параши и рта не открывать, чтобы не получить по рогам! Наехать на честного зэка для него все равно что броситься под поезд!

111

Верка обернулся и посмотрел на сокамерников. Угрожающая гримаса сменилась глумливой усмешкой. Он не боялся немедленной расправы, напротив, приглашал всех полюбоваться спектаклем. Значит, спектакль санкционирован.

— Ну что, гнидняк, платить за место будешь? — Кулак пидора несильно ткнулся в небритую скулу селянина.

— Дык нету ничего... Вот только колбасы шматок, носки да шесть сигарет...

Человечек распахнул мешок и протянул Верке. Но тот спрятал руки за спину.

— Ложи на стол!

Медленно приблизившись к столу, новичок выложил на краешек содержимое мешка.

— Вот теперь молоток! Сразу видно, нашенский! — смягчил тон Верка и погладил новенького по спине, похлопал по заду.— Нашенский ведь? Честно говори, не бзди!

— Дык я уже два раза чалился, — приободрился тот.

— Ух ты! А за что? — Верка продолжал оглаживать свою жертву и норовил прижаться к ней сзади. Мужик растерянно отодвигался.

— За кражи... Раз комбикорм, потом свинью с поросенком. А теперь зерно... Полбункера оставил, только высыпал под сарай, а тут участковый... Ты чего приставляешься?!

— Дык полюбил я тебя! — передразнил пидор. Теперь мы с тобой кореша на всю жисть, точняк? Спать на моей шконке станешь, хлеб делить будем... Чего ты

112

дергаешься, как неродной, ты же из нашенских, сам вижу... Дай я тебя поцелую!

Верка обхватил новичка, прижался к нему всем телом и быстро задвигал тазом. Его губы впились в небритую щеку.

— Да ты чо! — селянин вырвался. — Ты это, не балуй... Я не первый раз...

— Ах, не первый! Я же говорю — нашего племени!

Верка издевательски засмеялся. Его поддержал хохот сокамерников. Калика и членов блаткомитета видно не было, зато остальные веселились от души.

— Ты это... Кончай!

Хохот усилился.

— Пойдем на шконарь, там и кончу!

Верка потянул мужичонку за руку, тот опять вырвался и отскочил в сторону.

— Вяжи базар! — раздался уверенный голос Меченого, и Волк понял, что со всякой малозначительной перхотью разбирается именно он.— Ну-ка, иди сюда! Ты кто?

— Семен... Горшков я, Семен!

Тяжело переступая на негнущихся ногах, Семен Горшков подошел ближе к монументально усевшемуся в середине стола Меченому. Потные арестанты пропустили его к месту судилища и вновь сомкнулись вокруг.

— Кликуха есть?

— Дык... Когда-то давно Драным звали...

— Петух? — Полтора глаза презрительно рассматривали незадачливого пассажира.

— Чего? — Драный посмотрел блатному в лицо, и

113

тут до него дошло, к чему катит дело. — Боже упаси! Я всегда честным мужиком был! Ни с козлами, ни с гребнями не водился!

— А чего тогда ты к честным людям не идешь, а с проткнутым пидором лижешься?

— Дык я-то не знал! Я думал, он тут масть держит!

В камере раздался новый взрыв хохота.

— Кто масть держит? Верка? Ты глянь на него!

Пидор дразнился высунутым языком и делал непристойные жесты.

— Я-то ничо не сделал... — обреченно сказал Драный.

— Как ничо? Кто ему докладывался, вещи показывал, обнимался да целовался? Это ничо?

— Дык он ведь сам... И вся хата молчала... Я ведь хате верю...

— Он сам, хата молчала! — передразнил Меченый. — Все тебе виноваты, только ты целка! Это ты молчал, потому и зашкварился! Значит, ты теперь кто?

Драный опустил голову. Руки его мелко дрожали.

— Значит, ты теперь пидор непроткнутый! — безжалостно подвел итог Меченый. — А проткнуть — дело нехитрое. Верка тебе и воткнет в гудок, а ты опять будешь ни в чем не виноватый!

— Да я его... Я его! — задыхаясь от ненависти, Драный обернулся к Верке.

— Ну давай! — подбодрил Меченый. — Давай!

Драный бросился на обидчика. Зэки мгновенно отхлынули в стороны, освобождая пространство для схватки. Два тела сцепились и покатились по полу. Мелькали кулаки, барабанной дробью сыпались удары. Верка

114

был помоложе и покрепче, зато Драным руководили ярость и отчаяние. Он расцарапал пидору физиономию, вывихнул палец и укусил за плечо так, что почти выгрыз полукруглый кусок мяса. Из раны обильно потекла кровь. Верка, в свою очередь, подбил ему глаз, разбил нос и в лепешку расквасил губы.

— Сука, петух сраный, убью!

— Сам петух! Я тебя схаваю без соли!

Оба противника были плохими бойцами и не могли голыми руками выполнить свои угрозы. Если бы у кого-то оказалось бритвенное лезвие, заточенный супинатор или кусочек стекла, не говоря уже о полноценной финке... Но ничего такого у них не было, и Драный пустил в ход естественное оружие — зубы и ногти. Он кусал врага, царапал его, норовил добраться до глаз и в конце концов подмял Верку под себя и принялся бить головой о пол. Через несколько минут схватка завершилась: окровавленный пидор остался неподвижно лежать на бетоне, а Драный с трудом поднялся на ноги и, шатаясь, подошел к крану.

Пока он смывал кровь и пот с разгоряченного тела, к Меченому подсел Зубач. Они пошушукались между собой, потом подозвали измученного дракой новичка.

— Хоть и не по своей вине, но зашкварился ты капитально, — мрачно объявил Меченый. — По всем нашим законам тебя надо либо в гребни определять, либо, по крайности, в чушкари...

Разбитое лицо Драного вначале посерело, потом на нем мелькнула тень надежды. В отличие от гребня чушкарь может восстановить свое доброе имя.

— Но махался ты смело и навешал ему от души, сразу видно, что духарик![1] Поэтому...

Наступила звонкая тишина, стало слышно, как журчит в толчке струйка воды. Драный вытянул шею и напряженно впился взглядом в изуродованную харю Меченого. Наверняка она будет сниться ему до конца жизни. Меченый выдержал паузу, неспешно огляделся по сторонам.

— Поэтому мы тебя прощаем. Живи мужиком!

В камере вновь повис привычный монотонный гул. Потеряв интерес к происходящему, арестанты стали расходиться по своим местам.

Только истекающий кровью Верка валялся на полу в прежней позе да застыл столбом возвращенный к жизни Драный.

— Спасибо вам сердечное за доброту, — выговорил наконец он и поклонился.

— Спасибо, чтоб тебя скосило! Спасибо куму скажешь, когда он тебя салом угостит! — зло отрезал Зубач. — А в общак положишь пятьсот рупий да хорошего кайфа!

— Дык откуда?! Я ж показал все, что есть!

— Ты чо, не догоняешь? — Меченый угрожающе прищурил здоровый глаз.

— Дык догоняю... Спасибо, что в петушиный куток не загнали... То есть, извиняйте, благодарствую... Но если впрямь нету? Жена с тремя детьми концов не сведет, дачек от нее и не жду... Так что мне теперь делать? Я не против общества, но кожу-то с себя не стянешь...

Меченый и Зубач переглянулись.

---

[1]Духарик — смелый, отчаянный, сорвиголова.

— Ладно, будешь в обязаловке. Что скажем, то и сделаешь! Понял?

— Чего ж не понять...

Драный опустил голову.

— Забирай свои крохи, да лезь вон туда, на третью шконку, — сказал Меченый.

Кряхтя и вздыхая, мужик выполнил приказ.

Морда наклонился к сидящему рядом Расписному.

— Совсем охерели, беспредел творят! Разве в правильной хате так делают? Надо им предъяву кинуть, а то и нам отвечать придется! Ты в подписке?

Волк секунду подумал:

— Да.

Верка повернулся, попытался встать и застонал.

— Машка, перевяжи эту падаль да убери с глаз долой! — крикнул Меченый.

Изуродованную физиономию искривила зловещая улыбка.

— Клевая мясня[1] вышла, кайф в жилу! Точняк?

Но веселился с ним только Зубач. Остальные разошлись, а подошедший вплотную Морда был мрачен и явно не собирался шутить. Он смотрел прямо в здоровый глаз Меченого.

— Слышь, пацаны, а с чего это вы нулевика принимаете? Или смотрящего в хате нет?

Расписной тоже подошел и стал рядом с Мордой.

— Калик спит, брателла, — невозмутимо пояснил Меченый. — Он сказал мне разбираться. Тут все правильно.

---

[1] Мясня — кровавая драка.

117

— А что пидора на мужика напустили? Это тоже правильно?

— Так для смеха! Опять же обществу польза: мужик завис в обязаловке, что надо будет — то и сделает!

— А ты знаешь, что за такой смех бывает?

Меченый перестал улыбаться и настороженно оглянулся.

— Об чем базар, Морда? — раздался сзади недовольный голос. — Любую предъяву Смотрящему делают, значит, мне ответ держать. Ты-то чего волну гонишь?

Калик появился внезапно, будто ненадолго выходил погулять и вернулся, проверяя — сохранился ли порядок за время его отсутствия. Похоже, результаты проверки ему не понравились. Обойдя Морду и Расписного, он смерил их оценивающим взглядом и нахмурился. Губы у смотрящего совсем исчезли. Только узкая щель рассекала каменное лицо между массивной челюстью и мясистым, в красных прожилках, носом. Колюче поблескивали маленькие злые глаза, даже огромные, похожие на плохо слепленные вареники уши топорщились грозно и непримиримо.

Но на Морду угрожающий вид смотрящего впечатления не произвел.

— За беспредел в хате со всей блатпятерки спросят! А могут и целую хату сминусовать![1]

— И к чему ты базар ведешь? — надменно спросил Калик.

---

[1] Если тюремные авторитеты поставят камере «минус», все ее обитатели подлежат репрессиям.

118

— К разбору по закону! Вот сейчас соберем всех и разберемся по справедливости!

По камере прошло шевеление. Острый разговор и слово «справедливость» слышали все, кто хотел услышать. И сейчас десятки арестантов принялись спускаться со шконок, выходить из завешенных углов, подниматься с лавок. Через несколько минут масса горячей, потной, татуированной плоти сомкнется вокруг, и предсказать исход разбора заранее будет нелегко.

— А кто ты такой, чтобы толковище устраивать?! — загнанным в угол волком взревел Калик и ощерился. Казалось, что из углов большого рта сейчас выглянут клыки.

Его выкрик стал сигналом для торпед.

— Мочи гадов! — крикнул Меченый и прыгнул. В вытянутой руке он держал длинный гвоздь — «сотку», остро заточенный конец целился Морде в глаз. Но удар Расписного перехватил его на лету: кулак врезался в левый бок, ребра хрустнули, бесчувственное тело тяжело обрушилось на стол, а гвоздь зазвенел о бетон возле параши.

Зубач тоже бросился вперед, но не так резво, и Морда без труда сшиб его с ног.

Быстрая и эффективная расправа с торпедами оказалась хорошим уроком для остальных. Напрягшийся было Катала расслабился, Савка и Шкет резко затормозились и отступили. Расписной поискал взглядом Хорька, но того видно не было. Только из дальнего угла доносилось надоедливое: вжик-вжик-вжик! Бельмондо готовился выполнить поручение смотрящего, а переключаться он явно не умел.

— Ну что, Калик? — спросил Морда, победно осматриваясь по сторонам. — Давай разберемся по нашим законам, как ты за хатой смотрел...

— Давай разберемся! — спокойно кивнул тот, достал пачку «Беломора», закурил, несколько папирос отдал стоящим рядом арестантам, те тоже радостно задымили.

— Говори, Морда, я тебя слушаю. И честные бродяги ждут!

Калик невозмутимо выпустил струю сизого дыма в лицо обвинителю. От вспышки волнения не осталось и следа. Казалось, что минуту назад на его месте был другой человек.

— Что ты мне предъявить хочешь?

Эта непоколебимая уверенность начисто перечеркнула тот минутный успех, который Морда уже посчитал своей победой. Но он не собирался давать задний ход.

— В путевой хате нулевого смотрящий встречает, разбирается, место определяет. А чтобы пидор над честным мужиком изгалялся — такого отродясь не бывает! Меченый тоже мужика гнул, в обязаловку поставил! Говорит, ты ему разрешил...

— Савка, штырь! — не глядя бросил Калик. И повернулся к арестантам: — Кого тут без меня обидели?

— Дык вот он я... — нехотя отозвался Драный.

— Так все и было, как Морда сказал?

— Дык точно так...

Савка отыскал и принес смотрящему заточенный гвоздь.

— Кто пидору волю дал? Кто тебя в обязаловку ставил?

— Дык вот энтот. — Драный указал на лежащего без чувств Меченого. Чувствовал нулевик себя неуютно и явно не знал, чем для него обернется все происходящее.

Не выпуская папиросы изо рта, Калик нагнулся к Меченому, вставил гвоздь ему в ухо и резко ударил ладонью по шляпке. «Сотка» легко провалилась в ушную раковину. Раздался утробный стон, могучее тело выгнулось в агонии, из хрипящего рта вылилась струйка крови. Через несколько секунд все было кончено.

Калик выдернул окровавленный гвоздь и протянул Драному:

— А пидора сам кончи.

Тот попятился, отчаянно мотая головой. Он хотел что-то сказать, но горло перехватил спазм.

— Да не... Не! — наконец выдавил из себя Драный.

Калик кивнул:

— Твое право. И знай — ты никому ничего не должен. Понял?

Теперь Драный так же отчаянно кивал.

— Ты прав, Морда, это беспредел!

Калик отдал гвоздь Савке, и тот немедленно бросил его в парашу.

— Я заснул и не знал, что творит эта сука! За беспредел и спросили с него, как с гада! — Смотрящий пнул ногой мертвое тело и обвел взглядом стоящих вокруг арестантов. Все отводили глаза. И даже Морда не знал, что сказать.— Еще предъявы к смотрящему есть?

— Нет! Всеништяк! Порядок в хате! Это Меченый, сука, тут баламутил!

Громче всех кричали одаренные папиросами и заново рожденный Драный. Арестанты получили наглядный урок суровой и быстрой справедливости.

— Харэ. — Калик затянулся последний раз и сунул окурок Савке. — Тогда скиньте эту падаль башкой вниз с третьей шконки. Будто он сам себе шею свернул. И зовите ментов...

Убедившись, что его приказ начали выполнять, смотрящий неторопливо пошел к своему месту.

* * *

Эта ночь оказалась еще хуже предыдущей. К обычной камерной вони добавились запахи крови и смерти. Громко стонал в бреду Верка, то и дело доносились чьи-то вскрики: в ночных кошмарах выплывали из подсознания неотпущенные грехи. Морда перебрался на освободившуюся шконку лысого рядом с Расписным, и они спали по очереди. Ясно было, что Калик не оставит попытку бунта без последствий. В душном, спертом воздухе витало тревожное ожидание новых убийств.

Волк переворачивался со спины на бок, потом на живот, на другой бок... Сон не приходил. Даже сквозь плотно сжатые веки и заткнутые пальцами уши просачивалась липкая, вонючая, противоестественная реальность тюрьмы. Она проникала в мозг, просачивалась в душу, пропитывала плоть и свинцово наполняла кости. Волк пытался противиться, но ничего не получалось: тюрьма медленно, но верно лепила из него какое-то другое существо. Надо было за что-то зацепиться, однако вокруг не было ничего светлого и хорошего.

Зашелестели страницы памяти, но и там мелькали прыжки, атаки, выстрелы, взрывы и смерть.

Но между безжалостным огнем автоматических пулеметов «дождь» и жестоким избиением сержанта Чувака вдруг мелькнуло сдобное женское тело — Волк остановил кадр. Короткая стрижка густых черных волос, зеленые глаза, точеный носик и четко очерченный рот, длинная шея, чуть отвисающая грудь, мягкий живот с глубоким пупком, развитые бедра, густые волосы на лобке, тяжелые ляжки и изящные икры... Будто солнце залило затхлый вонючий мирок, тюрьма перестала мять душу и тело, владевшее напряжение отчаяния стало постепенно ослабевать. Когда он вырвется отсюда и вернется в нормальную жизнь, Софья должна быть рядом с ним. Хотя как может прапорщик забрать жену у генерала, он совершенно не представлял.

— Чо вертишься, как мыло под жопой? — отчетливо услышал он тонкий, нечеловеческий голос.— Кемарить надо! Мы ведь тебе тут санаторий устроили: ни вшей, ни клопов, — дрыхни и радуйся! Шухер начнется — разбудим!

Это говорил кот с левого плеча. Татуировки не могут разговаривать. И избавить от кровососущих паразитов тоже не могут. Значит, у него едет крыша. Но ведь вши и клопы ему действительно не досаждают!

— А чего ты с клопами-то делаешь? — тихо спросил Волк.

— Что?! — вскинулся Морда, сунув руку под мятую ватную подушку, где таился осколок стекла.

— Не ори, побудишь корешей! — раздраженно сказал кот. — Мы им, падлам, облавы ментовские устраиваем. Я когтями ловлю и щелкаю, как семечки... А орел выклевывает из всех щелей. Да и чертяка дает просраться!

— Слышь, Расписной, ты чего базарил? — не успокаивался Морда.

— Спать хочу. Моя очередь...

— А... Ну давай.

Кот замолчал. Волк попытался заснуть. Чтобы вырваться из липкого вонючего кошмара камеры, нужен был какой-то приятный расслабляющий образ, символ нормального, человеческого мира. Он напрягся, и в памяти появилась раскачивающаяся под столом изящная женская ступня, всплыл терпкий запах пыли и обувной кожи... Волк погрузился в спокойный, без кошмаров, освежающий сон.

Глава 3
БОЛЬШАЯ ПОЛИТИКА

Яркое солнце отражалось в окнах двухэтажного дома на восемь спален, расположенного в престижном пригороде в двадцати милях от Вашингтона. Свежий ветерок шевелил изумрудную траву газона, подметал и без того безупречно чистые дорожки, морщил голубую гладь пятидесятифутового бассейна, раздувал угли в круглом титановом барбекю и пузырем надувал легкую белую рубаху, которую Майкл Сокольски узлом завязал на животе — на русский манер. В русском стиле был и этот прием — не в ресторане или баре, как принято у американцев, а у себя дома, причем сам Майкл называл его не привычным словом party, а экзотическим и непереводимым gosti.

Гостей было трое: подтянутый моложавый сенатор Спайс, тучный краснолицый Генри Коллинз из группы советников Белого дома и Роберт Дилон — быстрый и верткий владелец крупного издательства. Спайс выглядел наиболее официально — в легком белом костюме и кремовой, с песочными пуговицами шведке. Коллинз надел просторные хлопчатобумажные штаны и свободную шелковую блузу, на Дилоне были джинсы и пестрая гавайская рубаха, расстегнутая до пояса и открывающая крепкий, обильно заросший волосами торс.

На самом деле Дилон работал в русском отделе ЦРУ, и присутствующие были прекрасно осведомлены об этом, поскольку все они специализировались на России. А главным экспертом по столь специфической и сложной стране являлся, безусловно, сам Майкл Сокольски, проработавший в посольстве в Москве около пятнадцати лет.

— О'кей, угли уже хороши, и я сказал Джиму, чтобы он ставил стейки, — оживленно сообщил хозяин, возвращаясь к сервированному на четверых столу и смешивая себе аперитив — темный «баккарди» с лимонным соком.

— Кстати, как называются эти русские стейки на стальных шпажках? — спросил Спайс, потягивая через соломинку джин с тоником.

— Шашлык, — улыбнулся Майкл. — А шпажки — шампурами. Мне доводилось видеть такие, на которые можно нанизать сразу двух человек. Конечно, не столь могучих, как Генри.

— Ты хочешь сказать — не таких толстых, — пробурчал Коллинз. Из-за высокого давления он пил только яблочный сок.

— Большаков тоже толстый, но мой шеф к нему расположился с первого взгляда.

Толстяк, о котором зашла речь, был советским послом, а своим шефом Генри Коллинз называл президента США. Это было приглашение к разговору, ради которого они и собрались.

Майкл попробовал свой коктейль и удовлетворенно кивнул.

— Он расположился к новой политике Москвы и лично к Грибачеву. Тот действительно внушает симпатию.

Спайс добавил себе еще джина.

— После тех, кто был раньше, у него действительно человеческое лицо, — задумчиво сказал он. — Но этого еще недостаточно, чтобы бросаться друг другу в объятия. Во всяком случае, отмена эмбарго на торговлю с русскими явно преждевременна.

— Это все понимают. Тем не менее мы готовимся к встрече на высшем уровне, — сказал Коллинз. — А если она произойдет, потепление отношений неизбежно.

Казалось, что Дилона эти разговоры не интересуют. Он сосредоточенно солил и перчил томатный сок, потом по стенке стакана стал вливать в него водку. Сокольски заинтересованно следил за этим процессом. Разговор заглох.

— Это правда, что русские добавляют сюда сырое яйцо? — спросил Дилон, подняв стакан к глазам и рассматривая, как граница между водкой и соком приобретает все более четкие очертания.

Сокольски кивнул:

— Не все яйцо — только желток. Но далеко не всегда. Я бы даже сказал — крайне редко. В основном обходятся без него.

— Тогда можно считать, что я все сделал правильно, — чуть заметно улыбнулся Дилон. — Терпеть не могу сырых яиц!

Он залпом выпил «Кровавую Мэри» и промокнул губы салфеткой.

— И если завтра я скажу, что обожаю сырые яйца, — мне никто не поверит. Так не бывает. И не бывает, чтобы страна, которая десятилетиями считалась империей зла, в один момент превратилась в оазис добра, справедливости и соблюдения прав человека. Поэтому и конгресс, и президент, и общественность должны знать, как на самом деле обстоят там дела. А самый компетентный и заслуживающий доверия свидетель — наш друг Майкл!

Перегнувшись через стол, Дилон похлопал Сокольски по плечу.

— Это не какой-то журналистишка или экзальтированный турист! Майкл полтора десятка лет работал атташе в нашем посольстве, он специалист по национально-освободительным движениям, хорошо знает диссидентов, а сейчас формирует нашу политику по отношению к России в Госдепе! Его правдивая книга, которую с удовольствием выпустит мое издательство, откроет многим глаза на истинное положение дел...

— Я берусь положить эту книгу на стол шефу и подарить ее наиболее влиятельным политикам, вхожим в Белый дом, — сказал Коллинз.

— А я прорекламирую ее на Капитолийском холме, — подхватил идею Спайс.

— Отлично! — кивнул Дилон и облизнулся, будто все еще смаковал вкус коктейля. — Телевизионные передачи, несколько пресс-конференций, статья-другая во влиятельных газетах... Наглядная правда способна перевесить доброе выражение лица Грибачева!

— Мой шеф очень внимателен к общественному мнению, — вставил Коллинз.

— Самое главное — безупречные факты. Один пример с борцами за немецкую автономию чего стоит! Правда, Майкл?

Сокольски, чуть помешкав, кивнул.

— Ваш близкий знакомый, можно сказать, друг, как там его?..

— Фогель. Иоганн Фогель.

— Он добивался восстановления немецкой области, а оказался за решеткой! На пятнадцать лет. У них меньше дают за убийство! Не правда ли, Майкл?

— Правда.

Сокольски утратил первоначальный энтузиазм, и это бросилось всем в глаза.

— Не будьте столь чувствительны, Майкл! — успокоил его Спайс. — Вы ведь не виноваты в таком печальном исходе!

В воздухе повеяло ароматом поджариваемого на углях мяса.

— Пойду погляжу, как там Джим справляется с делом. — Сокольски поднялся из-за стола. — Без контроля он может пересушить стейки.

* * *

Завтрак начинался как всегда: баландер по счету ставил на откинутый подоконник «кормушки» миски с разваренными макаронами, дежурный шнырь принимал их и передавал в подставленные руки сокамерников, повторяя счет:

— ...пятнадцать, шестнадцать, семнадцать... Не лезь, перекинешь! Семнадцать... Тьфу... Восемнадцать, девятнадцать...

Внезапно звяканье алюминия и счет прервались, в жадно распахнутый рот камеры просунулась голова в несвежем белом колпаке с многозначительно вытаращенными глазами.

— Сейчас для смотрящего! — Голова тут же исчезла. Смотрящий никогда не ест общую жратву, но никто не стал переспрашивать и задавать вопросов, просто следующую миску шнырь немедленно отнес на первый стол.

За ним теперь сидели всего пять человек: Калик, Катала, Зубач, Морда и Расписной. Они держались настороженно и почти не разговаривали друг с другом. Когда перед Каликом поставили миску с макаронами, он сразу же отлепил от донышка клочок бумаги и осмотрелся. По правилам, полученную малевку смотрящий не должен читать один. Чтобы не мог утаить сведения про самого себя. Сейчас в записке речь, скорей всего, шла о Расписном, но соблюдать формальности все равно было необходимо.

— Катала, Зубач, Морда, идите сюда!

Сердце у Волка заколотилось, несмотря на жару, по спине прошел холодок.

На глазах у свидетелей Калик развернул записку и принялся читать:

— «Про Расписного слыхали, в «белом лебеде» был в авторитете. Лично никто не знает. Надо присмотреться, проверить, спросить по другим домам...»

Калик закашлялся.

— Это не все, там еще есть, — сказал Морда и потянулся к смятой мокрой бумажке.

Смотрящий презрительно скривился и отвел руку:

— Не гони волну! Ты что, самый грамотный тут? Я и без тебя все вижу!

Прокашлявшись, он как ни в чем не бывало продолжил чтение:

— «Калику надо идти на Владимир, Пинтос ждет. Краевой».

Волк расслабился и перевел дух. Смотрящий, наоборот, — заметно помрачнел.

***

— Ну, в хате ты прибрался... Только почему у тебя народ дохнет пачками?

Подполковник осмотрел все углы камеры, прошелся вдоль строя арестантов, придирчиво осматривая каждого, и остановился перед Каликом.

— Первый жмурик действительно от сердца загнулся. А Теребилов?

— С третьей шконки слетел... — проговорил Калик. И неохотно добавил: — Гражданин начальник...

— Ты кому фуфло гонишь! — Дуболом подался вперед, впившись пронзительным взглядом в жестокие глаза вора. — Как авторитет на третьей шконке оказался?! Хера ему там делать?!

Сегодня начальника сопровождали трое, но все трое отвлеклись: прапорщики шмонали койки, капитан наблюдал за ними. Подполковника никто не страховал, он стоял вполоборота, спиной к двери. Из строя вышел Хорек и, держа руку сзади, на цыпочках стал подкрадываться к Дуболому.

— Так это только у вас погоны навсегда даются. А у нас он сегодня авторитет, а завтра упорол косяк — и полез на третью шконку...

Калик скосил глаза. Хорек улыбнулся ему и бросился вперед. Остро заточенный черенок ложки нацелился подполковнику под лопатку. Интуитивно почуяв опасность, он стал поворачиваться, но избежать удара уже не успевал. И тут Калик шагнул вперед, сделал быстрое движение, будто ловил муху. Тусклый металл пробил ладонь, брызнула кровь, судорожно сжавшиеся пальцы обхватили кулак Хорька. От неожиданности тот выпустил свое оружие и бессмысленно уставился на смотрящего. Здоровой рукой Калик ударил его в переносицу. Хорек упал на колени, зажимая разбитый нос. В следующую секунду на него обрушились могучие кулаки Дуболома.

— Ах ты, сука! На хозяина руку поднял! Да я тебя по стене размажу!

На помощь начальнику бросились прапорщики и капитан. Под градом ударов бельмондо корчился и стонал. Тяжелые сапоги с хрустом вминали грудную клетку, смачно влипали в бока, с треском били по рукам и ногам. Наконец Хорек замолчал и перестал шевелиться.

— Хватит с него! — тяжело дыша, сказал подполковник. — Он хоть и псих, но этот урок навсегда запомнит! Пошли!

Дверь с лязгом захлопнулась.

— Мудила! — морщась, сказал Калик, перевязывая ладонь настоящим стерильным бинтом. — У нас два жмурика подряд, а он взялся хозяина мочить! Всю хату под раскрутку подставить!

Шкет облил полумертвого Хорька водой. Неожиданно для всех тот открыл глаза.

— Как же так, Калик, ты же мне сам сказал Дуболома завалить, — простонал он, еле шевеля расплющенными губами.— Сам ведь сказал! А сам не дал... Как же так?!

— Я тебе разве так сказал делать? Надо выбрать момент и делать тихо, с умом... А ты всем людям хотел вилы поставить!

— Как же так, Калик... Ты же сам сказал!

Глаза Хорька закатились.

— Слышь, Калик, а чего ты руку-то подставил? — внезапно поинтересовался Морда. — Захотел перед Дуболомом выслужиться, оттолкнул бы Хорька — и все дела! Себе-то кровянку зачем пускать?

— Да он, сука, на этап идти не хочет! — раздался

тонкий голос кота. — Видно, знает, что во Владимире ему правилка будет!

Кроме Расписного, никто этого не слышал. Но в следующую секунду Расписной слово в слово повторил эту же фразу.

— Что?! — вскинулся Калик. И было видно, что кот с Расписным попали в точку. — Да я тебя без соли схаваю! А ну, пацаны!

Никто не двинулся с места. Даже Зубач сделал вид, что ничего не слышит.

— Кто ему верит? — спросил Морда. — Я с Расписным и Хорьком согласен: Калик ссучился. А ты, Леший, что скажешь?

— Сам Хорька научил, а потом вломил хозяину. Конечно, сука!

— Голубь?

— Сука!

— Катала?

Брови-домики опали, хитрые глаза картежника полуприкрылись, и он надолго задумался. Но бесконечно думать нельзя, надо что-то говорить. И отвечать за свое слово, если оно пойдет вразрез с мнением большинства.

— Согласен.

— Зубач?

— И я согласен.

— Каштан?

— За такой косяк на жало сажают!

— Утконос?

— Люди все видали и слыхали. Сука он!

Ни одного голоса в защиту теперь уже бывшего

смотрящего никто не подал. Калик менялся на глазах: каменные черты лица расслабились и поплыли, как воск свечи, от грозного вида ничего не осталось, он даже ростом меньше стал.

— Шкет?

— Продал он Хорька, что тут скажешь. Значит, сука!

— Савка?

— Сука и есть!

Все понимали, к чему идет дело. И Калик понимал. И Расписной наконец понял. Но его кровавая развязка не устраивала: еще один труп списать не удастся, начнется следствие — так можно затормозиться здесь до зимы.

— Что с ним делать будем? — спросил для проформы Морда.

— На нож!

— Задавить гада!

— В параше утопить!

— Я вот что думаю, бродяги, — степенно начал Расписной с теми рассудительными интонациями, которые так ценятся в арестантском мире.— Если мы с него спросим как с гада, это будет справедливо. Но неправильно...

— Как так?! — возмутился Леший.

— Да очень просто. Его Пинтос на правилку ждет во Владимире. Утром Краевой маляву пригнал. Так, Морда? Так, Катала?

— Так.

— Так.

Морда и Катала кивнули.

— Пинтос вор, законник, нам свое мнение против

его решения выставлять негоже. Поэтому я предлагаю: мы гада сейчас загоним под шконку, и пусть идет к Пинтосу на разбор. А смотрящим надо выбрать Морду. Я так думаю.

— А чего, правильно! — с готовностью крикнул Катала.

— Точняк!

— Молоток, Расписной, дело говорит!

Решение приняли единогласно. Зубач, Голубь и Каштан сбили Калика с ног и пинками загнали под шконку. Всемогущий пахан в один миг превратился в презираемого всеми изгоя.

— Ну и все! — подвел итог Морда, занимая место смотрящего. — А во Владимире пусть с него Пинтос спросит, как хочет...

Но Калик не стал дожидаться встречи с Пинтосом. В ту же ночь он привязал скрученный в три слоя бинт к отведенной ему третьей шконке и удавился.

Пришедшего утром начальника эта смерть не очень удивила.

— А ведь верно он давеча сказал: сегодня авторитет, а завтра полез на третью шконку, — задумчиво проговорил Дубол, рассматривая безвольно висящее тело. И, повернувшись к внушительной свите, которая теперь не отходила ни на шаг, добавил: — Сразу видно: клопы загрызли... Надо санобработку делать! Тогда у них дохнуть перестанут!

Два здоровенных прапорщика многозначительно переглянулись, третий зловеще усмехнулся.

— И запомните — у меня живут по моим порядкам!

135

Или вообще не живут! — на прощанье бросил подполковник.

— Влетели! — сказал Катала, когда дверь захлопнулась. — Вот чума!

— Да, Калик нам и напослед подосрал, — мрачно кивнул Леший.

Настроение у всех было подавленное.

— Вы чего? — спросил Расписной. — Ну пусть делают санобработку, от клопов-то житья нет!

— Т-ю-ю... — Леший хотел присвистнуть, но вспомнил, что в камере этого делать нельзя, и, растерянно пожевав губами, перевел взгляд на нового смотрящего. Тот смотрел на Расписного со странным выражением.

— Я не врубаюсь... Ты что, пассажир с экватора?[1] Придут десять мордоворотов с палками и разделают всю хату в пух и перья! Ты откуда, в натуре?

В воздухе повисло напряжение. Невидимая стена вмиг отгородила его от всех остальных. Потапыч предупреждал, что все мелочи зэковской жизни за несколько месяцев изучить нельзя, проколы неизбежны, и тогда надежда только на собственную изворотливость и находчивость.

Волк рассмеялся:

— Выходит я косяк упорол[2]. У нас это по-другому называлось — «банный день». Один раз меня так по кумполу смазали, два дня имени не помнил...

— А я после обработки неделю пластом валялся...

— Мне руку сломали...

---

[1] Пассажир с экватора — простак, ничего не знающий о тюремной жизни.

[2] Упорол косяк — совершил ошибку, нарушение установленных правил.

Опасное напряжение разрядилось, каждый вспоминал свой опыт «санобработок», и внимание переключилось с Расписного на очередного рассказчика. Только Зубач не отводил пристального, недоверчивого взгляда.

Однако Дуболом почему-то не выполнил своего обещания. «Санобработки» не последовало ни в этот день, ни в последующие. А в конце недели наконец сформировали этап на Владимир.

* * *

Семьдесят шестую камеру спас от тяжелых резиновых палок лейтенант Медведев. Он страховал Вольфа, выполняя роль ангела-хранителя, но делал это конспиративно, что существенно затрудняло дело.

— Сколько у вас заключенных с татуировками антисоветского характера? — занудливо выспрашивал он у подполковника Смирнова.

Начальник только кряхтел и задумчиво морщил лоб. Ничего хорошего активность комитетчика лично ему не сулила. Если неудачно попасть под очередную кампанию, можно лишиться должности и партийного билета, как будто не какой-то трижды судимый дебил Петя Задуйветер, а он, подполковник внутренней службы Смирнов, выколол у себя на лбу крамольные слова «Раб КПСС».

— Мы это дело пресекаем в корне, с кожей такую гадость срезаем! — не очень уверенно сказал Смирнов, отводя взгляд.

— А кто допускает антипартийные высказывания?

Кто пишет жалобы в ООН? Кто рассказывает анекдоты про руководство страны?

— Нет таких, — уже решительнее ответил подполковник, усердно изображая зрелого и деловитого руководителя исправительной системы, которому совершенно напрасно вверенный контингент дал обидное прозвище Дуболом. — Если попадались, мы их в психушку оформляли...

— Вот-вот, — неодобрительно пробурчал Медведев. — А потом ихние «голоса» про все это на весь мир рассказывают...

Подполковник Смирнов терялся в догадках. Лейтенант из Конторы объявился с неделю назад и проявил большой интерес к обитателям следственного изолятора. Кто из какого города, кто где служил, работал. Он перелопатил картотеку, что-то выписывал, что-то помечал в небольшом блокноте. Порекомендовал перетасовать несколько камер, и эти рекомендации были тут же выполнены.

И Смирнов, и его заместители, и оперчасть находились в напряжении. Интерес к изолятору у органов появился явно неспроста. Может, действительно попали во вражескую передачу? Или это камуфляж, а на самом деле копают под сотрудников, а еще хуже — под руководство? Или готовят какую-то комбинацию с диссидентами? Или здесь что-то другое, недоступное не искушенному в государственных делах разуму начальника СИЗО?

— Ладно. А как с националистами? Составьте-ка мне справочку на тех, у кого с пятым пунктом не в порядке!

Медведев приходил каждый день и требовал все новые справки, листал личные дела десятков осужденных, расспрашивал о каждом из них.

— Вот этот татарин, он правда мулла? И что, молится? А других вовлекает?..

— А эти двое евреев в одной камере... Они зачем вместе, чтоб сионистскую пропаганду легче вести?..

— А немец вообще шпион, да у него еще свастика выколота! Мутит воду?

Смирнов вертелся, как карась на сковородке:

— Никакой он не мулла, мошенник, под видом муллы деньги на мечеть собрал и на ипподроме проиграл...

— Евреи в пропаганде не замечены, но на всякий случай рассадим по разным хатам...

— Не знаю, какой он шпион — с ног до головы расписан, типичная босота... Но хата у них наглая, сегодня я их под палки поставлю!

Комитетчик насторожился.

— Вот этого не надо! От вас и так вонь наружу выходит, причем далеко улетает, за бугор! Никаких эксцессов! Лучше разгоняйте всех по зонам побыстрей! Чего они у вас киснут столько времени?

— Да этапы собираем... Чтоб вагонзаки порожняком не гонять... Но раз такое дело — разгоним...

— А этот латыш про отделение от Союза не заговаривает?

— А эти узбеки...

Когда настырный комитетчик вдруг перестал приходить в Бутырку, подполковник Смирнов испытал большое облегчение.

А лейтенант Медведев столь же неожиданно появился в кабинете начальника Владимирской тюрьмы и вновь принялся задавать те же вопросы, рыться в картотеке и перетасовывать камеры. Поскольку во Владимирском централе содержалось немало политических, то руководство это не удивило.

***

— Внимание, вы поступаете в распоряжение конвоя! Требования конвоиров выполнять немедленно и беспрекословно!

Сорванный голос приземистого старлея перекрывал свирепый лай двух рвущихся с поводков низкорослых черных овчарок, гудки маневрового тепловоза и шум компрессора на грузовом дворе.

— При этапировании резких движений не делать! При пересечении охраняемого периметра оружие применяется без предупреждения!

Яркие прожектора освещали застывших на корточках зэков, отбрасывающих длинные тени автоматчиков, блестящие рельсы и зловещий то ли грузовой, то ли пассажирский вагон с глухими окнами и темным зевом распахнутой двери. Вольф глубоко вдыхал пахнущий битумом и нагретым железом воздух, будто хотел надышаться впрок. Другие арестанты не пользовались такой возможностью — почти все курили и привычно глотали едкий табачный дым.

Этап был сборный — около пятидесяти человек из Бутырки, «Матросской тишины», Краснопресненской пересылки, Четвертого СИЗО... Угрюмые мужики в одинаковых серых робах с явным раздражением слушали начальника конвоя. Натянутая вокруг веревка с красными лоскутами выводила из равновесия, потому что не шла в сравнение с толстыми стенами, бесконечными решетками, высокими заборами, ржавыми рядами колючей проволоки.

Свобода была вокруг, совсем рядом, она дразнила, будоражила, провоцировала, как раздевшаяся на пьяной вечеринке и бесстыдно танцующая баба. Если резко рвануть в глубину станции, затеряться в непроглядной тьме между товарных составов, перемахнуть забор и раствориться в многомиллионном городе... Но злобные, натасканные на людей псы и тренированные стрелять навскидку автоматчики почти не оставляли надежды на успех. Обманчивая надежда сменялась жесточайшим разочарованием.

— При нападении на конвой оружие применяется без предупреждения! Посадка по команде, бегом по одному, руки держать на виду!

— Ори, ори, паскуда! — зло процедил сидящий справа от Расписного Катала. — Я одному мусору засадил жало под шкуру, тебе бы тоже загнал в кайф...

— Я их, сучар, еще порежу... — облизнулся Хорек. Он на редкость быстро оправился от побоев, только подолгу гулко кашлял, придерживая руками отбитые внутренности.

— Меньше базланьте, — одернул их Зубач. Морда остался в тюрьме, и он явно претендовал на лидерство. — Можешь делать — делай, а метлой мести не хер!

— Точняк, — поддержал его Драный, четко определивший, куда дует ветер.

141

Начальник конвоя взял у помощника первую папку с личным делом:

— Боков!

— Иван Николаевич, — донеслось из серой массы зэков. — Пятьдесят шестого года, село Колки Одинцовского района, статья сто сорок четвертая, часть вторая, срок четыре года.

— Пошел!

Долговязая фигура побежала по веревочному коридору, псы зашлись в лае, у темного проема конвоиры приняли арестанта и привычно забросили его в нутро вагонзака.

— Галкин! Пошел!

— Камнев!

— Зоткин!

— Шнитман! Пошел!

Маленький округлый человечек с объемистым мешком в руках неловко затрусил по проходу.

— Быстрей! Андрей, пошевели его!

Сержант отпустил поводок, черный комок ненависти молнией метнулся вперед, клацнули челюсти, раздался крик, поводок вновь натянулся, оттаскивая хрипящего пса на место.

Приволакивая ногу, человечек побежал быстрее и, с трудом вскарабкавшись по ступенькам, скрылся в вагоне.

— Вольф! Пошел!

Погрузка закончилась довольно быстро. Хотя этап был небольшим, набили как обычно — по пятнадцать человек в зарешеченное купе. Привычная тюремная вонь, теснота, исцарапанные неприличными надписями стенки... Знающая свое место перхоть привычно лезла наверх, Расписной, как подобает бывалому бродяге, уселся на нижнюю полку. Так же уверенно устроились внизу Катала и двое незнакомых, синих от наколок босяков. Ко всеобщему удивлению, здесь же расположился и полный, похожий на еще не подрумяненного в печи Колобка Шнитман. Устроившись у решетчатой двери, он закатал штанину и деловито осмотрел укушенную ногу.

— Вот гады, что делают — людей собаками травят! — ни к кому конкретно не обращаясь, сказал Колобок, промакивая несвежим платком слабо кровоточащую царапину. — Хорошо, что я успел отдернуться, а то бы до кости прокусила!

— Глохни, чмо базарное! — цыкнул босяк. — Какого хера ты тут расселся? Наверх давай!

— К нам лезь, Сидор Поликарпыч![1] — раздался сверху голос Драного. — Посмотрим, что у тебя в сидоре!

Но, к еще большему удивлению зэков, Колобок не сдвинулся с места и даже позы не изменил, пока не обмотал платок повыше щиколотки. Потом внимательно посмотрел на босяка и негромко спросил:

— Вы, извините, кто будете?

Босяк чуть не потерял дар речи. Шнитману было под пятьдесят. Круглая голова, торчащие уши, близоруко прищуренные глаза, тонкие, полукружьями брови, висячий, с горбинкой нос, пухлые и бледные, будто из сырого теста, щеки. На его физиономии было

_____
[1] Сидор Поликарпыч — неопытный, но богатый заключенный.

143

крупными буквами написано, что он первоход, пассажир с экватора, фуцан, лох. Но лохи так себя не ведут!

— Я?! Я Саня Самолет! А ты кто?!

— А я Яков Семенович Шнитман из Москвы...

— Семенович?! В рот тебе ноги! И дальше что?
Дальше что, я тебя спрашиваю?!

— Да ничего. Вот познакомились. А дальше — поедем, куда повезут.

— Я тебе щас башку отобью! Лезь наверх, сказали!

Колобок помотал головой:

— Мне здесь положено. С людьми.

Самолет заводился все больше и больше. Испитое
лицо покраснело.

— С катушек съехал, мудила хренов?! Ты что гонишь!

— Я повторяю то, что мне люди сказали.

— Какие люди?!

— Сеня Перепел, например. Он сказал, что меня
по понятиям примут, как человека.

Самолет осекся. Но только на мгновенье.

— Про Перепела все слыхали. Только он с тобой
не то что говорить не станет — на одном гектаре срать
не сядет! Знаешь, что за пустой базар бывает? Язык отрезают!

— Знаю. Только мои слова проверить легко.

— Когда проверим, тогда и видно будет. А сейчас — канай наверх. Ну!

Самолет вытянул длинную лапу с растопыренными
пальцами, чтобы сделать «смазь», но Расписной перехватил его запястье.

— Остынь, брателла! Раз он на Перепела сослался,
нельзя его чморить. Пока не проверим — нельзя!

Босяк зло ощерился и вырвал руку.

— А ты чего за фуцана подписку кидаешь? Ты кто такой?

— Я Расписной. Не согласен со мной — у людей спроси. А если хочешь разобраться — давай, хоть сейчас.

— Во Владимир придем, все ясно и станет, — поддержал Расписного Катала.

— Пусть внизу сидит, не жалко, место есть, — согласился второй босяк.

— Ну лады, — после небольшой паузы согласился Самолет. — Только разбор я конкретный проведу!

Резкий стук ключа о тамбурную решетку прервал разговор.

— Хватит базарить, отбой! — крикнул дежурный конвоир.

Вагон набирал скорость.

Глава 4

ПО ЗАКОНАМ ТЮРЬМЫ

Владимирский централ славится строгостью порядков на всю Россию. Это не обычный следственный изолятор, не пересылка, которые хотя в народе и зовутся тюрьмами, но на самом деле ими не являются, а служат для временного содержания следственно-заключенных и идущих по этапу транзитников.

Это настоящая тюрьма, «крытка», здесь мотают срок те, кто приговорен именно к тюремному заключению и обречен весь срок гнить в четырех стенах без вывода на работу. Особо опасные рецидивисты, пере-

145

веденные из колоний злостные нарушители порядка, наиболее известные и намозолившие глаза режиму диссиденты.

Во всем Союзе тюрем — раз, два, и обчелся: Ташкентская, Новочеркасская, Степнянская, всего тринадцать, чертова дюжина, и это недоброе число символично совпадает с их недоброй славой. Но Владимирский централ даст фору двенадцати остальным.

Это почувствовалось еще в вокзале[1]. Два здоровенных прапорщика встречали каждого выпрыгивающего из автозака хлестким «профилактическим» ударом резиновой палки. Расписному удалось повернуться, и удар пришелся вскользь. Потом начался шмон.

— Боков, Галкин, Старкин, Вольф, Шнитман — к стене! Руки в стену, ноги расставить! Шире! Дальше от стены! Стоять!

Разбитый на пятерки этап подвергся жесточайшему прессингу и тщательнейшему обыску. Немолодые, с невыразительными лицами обысчики в замурзанных белых халатах и резиновых перчатках на правой руке заглянули и залезли во все естественные отверстия человеческих тел, досконально осмотрели и перетряхнули всю одежду, прощупали каждый шов.

На пол со звоном посыпались надежно спрятанные булавки, иголки, бритвенные лезвия, заточенные ложки и супинаторы, беззвучно падали туго скатанные в крохотные шарики деньги, косячки «дури», микроскопические квадратики малевок. Волк подумал, что сейчас лишится своего амулета, но грубые пальцы не про-

---

[1] Вокзал — просторный зал, где осуществляется приемка и оформление поступивших в тюрьму арестантов.

щупали сквозь толстую ткань арестантской куртки нежный клочок ваты со следами губной помады.

— А это у тебя что? Торпеда? Ну-ка давай ее сюда...

Пожилой обысчик, словно опытный рыболов, натянул веревочку, торчащую между прыщавых ягодиц Галкина, подергал то в одну, то в другую сторону, определяя нужный угол, и резким рывком выдернул на свет божий полиэтиленовый цилиндр с палец толщиной.

— Гля, Петро, якой вумный, — буднично сказал он соседу. — Заховал в жопу, и усе — нихто не найдет...

— Они все... Не знают, куда пришли, — не отрываясь от своего дела, пробурчал тот.

— Давай, начальник, оформляй карцер! — тонким голосом потребовал Галкин. Лицо его пошло красными пятнами.

— Да уж не бойсь... Кондей от тебе не уйдет, — пообещал пожилой.

Галкин нервно кусал губы, со лба крупными каплями катился пот. Потеря торпеды, скорей всего с общаковыми бабками, — дело не шутейное. Оформят акт — все списывается на волчар-вертухаев, подловивших честного арестанта. А вот если менты занякают и втихую раздербанят общак между собой, тогда Галкину труба дело. Надо гонять малявы по камерам, искать свидетелей, а не найдет — запросто может оказаться в петушином кутке! Так что карцер ему — в радость и избавление.

— Ну ты, пошел сюда! Все остальные на коридор!

Шкафообразный прапор затолкал нарушителя ре-

147

жима в низкий дверной проем, его сотоварищи погнали остальных по длинному коридору, ведущему в режимный корпус.

* * *

— Я не понимаю, что плохого в идее сионизма? Евреи хотят собраться вместе и одной семьей жить в своем государстве. Кому от этого плохо? Почему их надо преследовать?

Лицо Шнитмана выражало крайнюю степень негодования, как у примерного семьянина, которому в присутствии жены предложила свои услуги уличная проститутка.

— Разве я работал не так, как другие? Любой директор оставляет себе дефицитный товар, нет, не себе — уважаемым людям. Любой директор должен находить общий язык с проверяющими — и с ОБХСС, и торгинспекцией, и санитарными врачами... Надо строить человеческие отношения: подарки, угощения, в ресторан сводить, к отпуску путевку достать... А где на все на это взять деньги? У меня оклад сто сорок рублей, хотя я был директором сразу двух магазинов!

— Как так? — удивился Расписной.

После того, как он заступился за Якова Семеновича в вагоне, тот проникся к нему симпатией и доверием. Вначале Волк думал, что расхититель социалистического имущества и изменник Родине кормит его салом и колбасой в надежде на дальнейшее покровительство. Но оказалось, что этот фуцан и лох, этот первоход с голимыми статьями и так пользуется в тюремном мире невидимой поддержкой. В хате ему выделили место

148

хотя и не самое козырное, но достаточно хорошее, рядом с углом людей.

Саня Самолет из соседней камеры орал на решке[1] и рассылал малявы, требуя разбора с фуфлометом, но, хотя он и был известным блатным, никто его не слушал и никаких разборов не затевал. А через пару дней Самолета до полусмерти избили в прогулочном дворике, и он вообще заткнулся. В тюремном Зазеркалье понятливость помогает сберечь здоровье и выжить, поэтому все правильно оценили происшедшее и к Якову Семеновичу стали относиться внимательно и уважительно, как на воле продавцы относились к своему директору.

— Вот так! — Яков Семенович молодецки улыбнулся. — Один магазин нормальный, на двенадцать торговых мест, а второй — филиал, маленький — всего три продавца. Его никто не проверял, а весь дефицит через него и уходил! Но это тоже непросто, не само по себе, все надо организовать, начальству лапу помазать, ну как обычно... Продавцы мне, я — в торг, из торга в управление и дальше по цепочке. Если бы я не собрался уезжать в Израиль, так бы все и шло как по маслу. А тут сразу ревизия, и налетели все кто мог... Так что я восемь лет строгого не за хищения и взятки получил, а за сионизм!

Вольф ничего не ответил. Это походило на правду. Но какое отношение к сионизму имеет известный «законник» Сеня Перепел, оказывающий в тюремном Зазеркалье могучую поддержку осужденному Шнитману?

— Так ты, выходит, политический? — усмехнулся

---

[1] Кричал через решетку, обращаясь ко всей тюрьме.

местный пахан — медлительный кривобокий грабитель Микула. Он не был авторитетом, и его поставили смотреть за хатой потому, что никого с более серьезной статьей здесь не оказалось. Недавно в корпусе началась покраска, камеры перетасовали и в сто восемнадцатую набили всякую шелупень. Грева, естественно, поступало меньше, зато жизнь шла тихо и спокойно. Сейчас Микула лечил ногу — жег бумагу и сыпал горячий пепел на безобразную красную сыпь между пальцами. Зэк, похожий на скелет, растирал черные хлопья по больному месту, второй — с тупым грушеобразным лицом — подставлял вместо сгоревших новые клочки бумаги. Третий из пристяжи — то ли бурят, то ли калмык — аккуратно скатывал в трубочку расстеленную на столе газету. У окна Резаный и Хорек резались в карты, Драный и Зубач стояли рядом, наблюдая за игрой.

— Выходит, так! — с достоинством ответил Шнитман. — Они меня нарочно политиком сделали. Только просчитались! Через пару лет всех политических выпускать начнут, да еще с извинениями...

— Ишь ты! — Микула отряхнул черные руки, отер ладони о сатиновые трусы.

— Да, да! Еще на должности хорошие начнут ставить...

— Вот чудеса! — искренне удивился Микула. — Я часы с фраера снял, получил шестерик и чалюсь, как положено. А ты всю жизнь пиздил у трудового народа, да политиком стал, теперь должностей ждешь... Может, тебя председателем горисполкома сделают?

— Может. — Яков Семенович громко зевнул и по-

150

чесал живот. — Только скорей всего — начальником торга. Мне это привычней.

— А если не туда все повернется, вдруг в другую сторону покатит? — недобро прищурился Микула. — Тогда приставят к стене да лоб зеленкой намажут...

— Типун тебе на язык! — замахал руками толстяк.

Пристяжь рассмеялась.

— Оп-ля, снова карта моя! — раздался радостный выкрик: Резаный опять выиграл. Это был здоровенный детина с наглой рожей, он заехал в хату только вчера, но сразу же стал затевать игры и уже в пух и прах обыграл троих. Все трое были предельно обозлены и между собой шептались, что новичок шулерничает. Но сделать предъяву в открытую никто не отважился.

— Как катаешь, гад?! — Хорек замахнулся, но Резаный оказался быстрее и сильным ударом сбил его с лавки.

— Все чисто. Давай, расплачивайся!

— Хрен тебе! Думаешь, я не видел, как ты передернул?

Хорек оскалился, вытирая разбитые губы, сквозь серые зубы протиснулся нечистый язык, глаза лихорадочно блестели.

— Меня за лоха держишь? Только я с тобой не полоховски расплачусь! Брюхо вспорю и кишки на шею намотаю!

— Глохни, гниль, башку сверну!

Хорек бросился вперед и вцепился противнику в горло, свалив его на пол. Они покатились между шконок.

— Растяните их! — крикнул Микула и вздохнул. —

На кой мне эти рамсы? Только зарулил к людям, а уже все перебаламутил. И вообще скользкий... Вчера полдня терли базар — много непоняток вылезло. Слышь, Катала, накажи его! Пусть заглохнет. А потом я его пробью по хатам, как-нибудь точняк подтвердится!

Несколько человек быстро разняли дерущихся. Хорек успел расцарапать противнику лицо и укусил за руку.

— Гля, он психованный! — Новичок показал всем прокушенную кисть.

— Ладно, заживет, — небрежно сказал Катала. — Давай с тобой картишки раскинем. Я никогда не базарю: выиграл, проиграл — без разницы.

— Давай раскинем, — неохотно ответил Резаный. — Только без интереса.

— Почему так? У меня и табак есть, и бабки, и хавка!

— Не, на интерес не буду. Я видел, как ты колоду держал.

— Да ладно. Не бзди!

— Сказал — нет! Без интереса — давай.

Катала задумался. Брови на лице картежника выгнулись домиками, выдывая напряженную работу изощренного ума.

— А хочешь, давай поспорим, что ты со мной на интерес сыграешь?

Резаный насторожился.

— Это как? Заставишь, что ли?

Катала усмехнулся:

— Да ты что! Ты же в путевой хате, тут беспределу не бывать... Кто тебя заставит? Сам сыграешь.

— Сказал же: я играть не буду!

— Вот и выиграешь спор! К тому же я против одного твоего рубля десять своих ставлю.

— Против одного моего десять своих? Так, что ли? Если я сотню поставлю, ты тысячу, что ли?

— Точно! Тысячу!

Резаный колебался. В тюрьме деньги имеют другую цену, чем на воле. И тысяча рублей — это целое состояние.

— Харэ. Только без подлянок. Давай смотрящих за спором, перетрем условия!

Смотрящими вызвались быть Зубач и Скелет.

— Значит, так... — Резаный загнул палец. — Первое: я на интерес с ним играть не сяду. Второе: ни он, ни кто-то другой меня заставлять не может.

Он загнул еще один палец.

— Третье: я ставлю сто рублей, а он тысячу. Так?

Катала кивнул:

— Так. Два уточнения. Ты добровольно сядешь со мной играть на интерес еще до ужина.

— Хрен. Вообще не сяду.

— До ужина...

Зубач и Скелет внимательно слушали.

— Расчет сразу, — сделал второе уточнение Катала.

Резаный оживился:

— Значит, после ужина ты мне отдаешь бабки!

— Отдаст тот, кто проиграет, — опять уточнил Катала. — Сразу, как проиграет, так и отдаст. Согласен спорить?

Новичок подумал.

— Смотрящим все ясно?

153

— Конечно, брателла, — сказал Зубач. — Ясней некуда.

Вольф не понимал, как Катала собирается надуть новичка, но не сомневался, что своей цели картежник добьется.

— Ладно, спорим!

Резаный и Катала пожали друг другу руки, Скелет разбил рукопожатие.

— Спор заключен, — объявил он.

Катала хищно улыбнулся:

— Давай, расплачивайся!

— Чего?! — возмутился новичок. — Я что, сел с тобой играть?

Катала кивнул:

— Да. Только что. Спор на интерес — это и есть интересная игра. Ты проиграл. Давай стольник.

— Что за херня! Мы спорили, что я в карты не сяду!

— Разве? Про карты разговора не было. Давай у смотрящих спросим!

— Это точно, про карты речи не было, — подтвердил Зубач. Скелет согласно кивнул.

— Был базар про игру на интерес, — буднично объяснил Катала. — Ты в нее сыграл. Мы договорились, что расчет сразу. Где мой стольник?

Лицо Резаного вспотело, он затравленно огляделся.

— Это лоховская. Я платить не буду!

Микула придвинулся ближе.

— Ты имеешь право на разбор. Пиши малевку старшим, как раз сейчас и погоним.

— Точно, у меня все готово. — Калмык, сверкая

раскосыми глазами, протянул пахану скатанную в узкую трубку газету, туго, виток к витку, обмотанную по всей длине резинкой от трусов.

— Давай сюда!

Микула привязал тонкую нейлоновую нитку из распущенного носка к сломанной спичке, а спичку вогнал в изготовленную из жеванного хлебного мякиша «пулю», вставил ее в трубку и передал калмыку. Расписной смотрел с интересом, встретив его взгляд, Микула пояснил:

— Менты здесь все время «дороги» рвут... Приходится стрелять... Пока попадешь так, чтоб прилипла, задолбишься совсем! Да и легкие надо иметь охеренные... Вон у него хорошо выходит.

— Шестая, принимай «коня»! — оглушительно заорал калмык в наглухо заплетенное проволочной сеткой окно. — Шестая, «коня»!

— Я так скажу, Володя, — доверительно обратился Шнитман к Расписному. — Уже то хорошо, что зона-то политическая в лесу!

— А чего хорошего? — мрачно отозвался Вольф, наблюдая, как калмык осторожно просовывает свою духовую трубку сквозь неровное отверстие в сетке. Кто знает, что написал смотрящий в очередной малевке да что пришлют в ответной...

— Воздух там хороший, свежий, лесной! Это очень для здоровья полезно...

— А-а-а...

В пересыльной камере Владимирской тюрьмы содержалось всего пятнадцать человек, и в отличие от

Бутырки здесь можно было дышать, но свежести в этой спертой, вонючей атмосфере явно недоставало.

Калмык сделал долгий вдох и, прижавшись губами к трубке, резко выдохнул. Резаный настороженно наблюдал со своей шконки. По лицу было видно, что он не ждет от ответа ничего хорошего.

С третьей попытки калмыку удалось прилепить хлебную пулю к решетке шестой камеры, а еще через несколько минут привязанная к нитке записка, трепыхаясь, как насаживаемая на булавку бабочка, протиснулась в щель и исчезла. Новая «дорога» просуществовала до вечера, и по ней успел вернуться ответ.

— Давай сюда, братва! — махнул все еще черноватой ладонью Микула.

Расписной, Катала и Зубач были приняты в сто восемнадцатой хате как авторитетные арестанты, их сразу включили в блаткомитет. Они неторопливо подошли, потеснили Грушу со Скелетом и стали за спиной смотрящего. Калмыку места не хватило, и он сопел в стороне, не видя малявы и не контролируя ее содержания. Настоящий, опытный бродяга так бы себя не вел. Значит, он просто тупой «бык».

Микула развернул маленькую, сильно измятую бумажку с косо оборванным краем, тщательно разгладил и принялся вслух читать корявые карандашные строчки.

— «Любой спор на интерес и есть игра на интерес».

Потом перевернул малевку и прочел текст с другой стороны листка:

— «Эту рыбу никто из честных бродяг не знает. На «четверке» он точняк не был. Пинтос про него не слыхал. Смотрите сами и решайте по нашим законам...»

156

Микула медленно свернул записку, подумал.

— Ну, Груша, чего делать будем? — спросил он, обернувшись к одному из своих подручных. Чувствовалось, что смотрящий не особенно разбирается в таких делах.

— Ну, эта... Давай малевку по хатам прогоним... Как решат...

— Скелет?

— Давай... Спросим...

— Чего вы фуфло гоните! — возмутился Зубач. — Кого еще спрашивать? Нам самим надо разборняк чинить. Расписной, тащи его сюда!

Зубач явно перехватывал инициативу, и ясно было как божий день, что он хочет схавать Микулу и стать на его место.

Вольф подошел к шконке спящего новичка и уже хотел нагнуться, чтобы похлопать по одутловатой харе.

— Притворяется, гнида, — предупредил кот. — Поберегись, у него мойка[1] в клешне.

Этого Расписной не ожидал. После тщательного шмона на приеме ему казалось, что ничего запретного пронести с собой в камеру невозможно. Но веки здоровяка действительно напряжены и чуть подрагивают, у спящих они расслаблены. И руки сжаты в пудовые кулаки...

Не приближаясь вплотную, Вольф уперся ногой в бок лежащему и резким толчком с усилием сбросил стокилограммовую тушу на бетонный пол. Раздался глухой удар, вскрик и тут же рев бешенства.

---

[1] Мойка — бритва.

— Паскуда, на Резаного тянешь! Распишу, как обезьяну!

С неожиданной ловкостью новичок вскочил и бросился на Расписного, целя зажатой между пальцами бритвой ему в лицо. Автоматическим движением тот поймал толстое запястье, левой несильно ударил в челюсть и, отжав откинувшуюся голову плечом, взял локтевой сгиб противника на излом.

— Бросай, сука! Ну!

Сустав противоестественно выгнулся, связки затрещали.

— Пусти... Сломаешь...

Бритва неслышно звякнула о бетон, Скелет поспешно схватил ее и отскочил в сторону.

— Вот так. Пошел!

Деваться было некуда. Чтобы ослабить боль, Резаный привстал на носки и послушно семенил туда, где его ждал готовый к разбору блаткомитет. Но похоже было, что настроение у первого стола переменилось.

— Гля, — забыв про запрет, присвистнул Груша, и ему никто не сделал замечания. Застыл, неестественно вытаращив глаза, Скелет.

С явной оторопью смотрели Катала и Микула. Смотрели не на Резаного, а на Расписного, будто он являлся виновником предстоящей разборки. А Зубач криво улыбался нехорошей, понимающей улыбкой.

Волк понял, что упорол косяк. И тут же сообразил — какой.

— Гля, братва, где это он таким финтам научился?! — обвиняющим тоном задал вопрос Груша. Он обращался к камере, и ее ответ мог вмиг бесповоротно определить дальнейшую судьбу Расписного. Если этот ответ не опередить...

— У ментов, где же еще! — сквозь зубы процедил Расписной, выпустил Резаного из захвата и толкнул вперед, прямо к Микуле. — Мы с пацанами в Аксайской КПЗ три месяца тренировались. Клевый приемчик, он мне не раз помог.

— Чему ты еще у ментов выучился? — медленно спросил Зубач, не переставая улыбаться.

— А вот гляди! — Не поворачивая головы, Расписной растопыренной ладонью наугад ударил Грушу. Раздался громкий хлопок, Груша пошатнулся и резко присел, двумя руками схватившись за ухо.

— За что?! — крикнул он. — Ты мне перепонку пробил! За что?

— Не знаешь?! — Ударом ноги Расписной опрокинул Грушу на спину. — А отвечать за базар надо?!

— Да что я сказал?

— Вот что! И вот! И вот! — Расписной остервенело бил лежащего ногами, лицо его превратилось в страшную оскаленную маску. Груша дергался всем телом и утробно стонал. Но это был урок не столько Груше, сколько всем остальным. — Что еще тебе показать? — спросил Расписной, наступив Груше на горло и пристально глядя Зубачу в глаза. — Показать, как шеи ломают?

— Ты не борзей! — Зубач наконец согнал с лица улыбку. — В дому по людским законам живут! Ты чего беспредел творишь?

— А по закону честного фраера[1] ментом называть

---

[1] Честный фраер — высокий ранг в преступной иерархии.

можно? Да за это на пику сажают! Щас я ему башку сверну, и любая сходка скажет, что я прав!

Груша пытался протестовать, но из перекошенного рта вырывался лишь сдавленный хрип.

— Тебя еще за честного фраера никто не признал! — пробурчал Зубач и отвел взгляд. — И ментом тут никого не называли. Отпусти его, потом разбор проведем. Сейчас речь об этой рыбе!

Он повернулся к Резаному. Остальные арестанты, молча наблюдавшие за развитием событий, с готовностью переключились на предполагаемую жертву. Расписной убрал ногу, Груша надсадно закашлялся, жадно хватая воздух, и быстро отполз в сторону.

— Давай для начала рассчитайся за спор, — сказал Микула потерявшему свою наглость Резаному.

— Где мой стольник? — Катала протянул руку, требовательно шевеля пальцами.

— Я... Я завтра отдам. — Новичок смотрел в сторону и бледнел на глазах.

— А, так ты фуфломет! — презрительно протянул Катала и безнадежно махнул рукой. — А мы с тобой как с честнягой...

— Со спором все ясно, — подвел итог Микула. — А что ты вчера мне сказал?

Новичок молчал.

— Ты мне сказал, что на «четверке» зону топтал. А оказалось — это фуфло!

Резаный громко сглотнул.

— Ты мне сказал, что Пинтос тебя знает? — продолжал Микула. — И это фуфло! Что ты теперь скажешь? Как перед людьми объяснишься?

— Ну чего особенного... На «четверке», на «шестерке»... Какая разница, они почти рядом... — неубедительно пробубнил Резаный. — А Пинтос просто забыл. Я же не по его уровню прохожу. Парились неделю вместе на пересылке, думал, он помнит...

— Честный бродяга зоны не путает, ему скрывать нечего! — вмешался Зубач.

— Погоди! — оборвал его Микула и снова обратился к Резаному: — Ты мне еще много фуфла прогнал! Что за гоп-стоп чалился обе ходки... И на плече тигр выколот! А откуда тогда наколка бакланская? Она постарее, вон выцвела уже...

— С пьяни накололи... Еще по воле — молодой был, дурной...

— Да? А над губой что за шрамик?

— Где? А-а-а... — Резаный потрогал лицо. — Махался со зверями, гвоздем ткнули...

— А может, ты что-то выводил? — снова заулыбался своей изобличающей улыбкой Зубач. — Может, там у тебя точка была вафлерская?

— Ах ты, сука!

Резаный стремительно бросился вперед, но калмык упал ему под ноги, и пудовый кулак не дотянулся до улыбки Зубача. Туша здоровяка второй раз грохнулась на пол, и тут же на него со всех сторон обрушился град ударов. Зубач, Микула и Катала с остервенением впечатывали каблуки в прогибающиеся ребра. Резаный попытался подняться, но Скелет запрыгнул сверху и принялся подпрыгивать, будто танцевал чечетку. Калмык, сбросив грубый ботинок, молотил по неровно остриженному затылку, словно заколачивал гвозди тяжелым молотком.

Еще несколько человек толпились вокруг, явно желая принять участие в расправе, но не могли подступиться к жертве.

— Пустите меня! Дайте я! — Еще не оправившийся от побоев Груша оттащил калмыка и несколько раз изо всех сил лупанул Резаного по голове, так что тот влип лицом в пол. По грязному бетону потекли струйки крови. Крупное тело безвольно обмякло.

Расписной стоял в стороне и безучастно наблюдал, как избитого новичка приводили в чувство. Нашатыря в камере не было, поэтому его вначале облили тепловатой водой из-под крана, а потом Скелет принялся со всего маху бить по окровавленным щекам и крутить уши так, что они хрустели.

Наконец Резаный пришел в себя и застонал. Нос был расплющен, все лицо покрыто кровью.

— Давай, сука, колись — кто ты в натуре есть?! — Скелет поднес бритву к приоткрывшимся глазам, и веки тут же снова накрепко сомкнулись, как будто тонкая кожа могла защитить от тусклой, замызганной стали.

— Чистый... я, — с трудом выдохнул Резаный. — А фуфло прогнал для понтов, для авторитета... За хулиганку чалился, а хотел за блатного проканать... Потому «четверку» назвал и кликуху новую придумал... Но ни с ментами, ни с петухами никогда не кентовался... Корешей не закладывал, у параши не спал... Проверьте по «шестерке», там подтвердят. Чистый я...

— И какая твоя погремуха? — спросил Микула.

162

— Верблюд... Но за это не режут...

Зубач ухмыльнулся и вытянул вперед палец:

— Еще как режут! Ты ершом[1] выставился. За это многих кончили!

Микула поморщился и хлопнул его по руке.

— Слушай, Зубач, с тобой хорошо говно хавать — ты все наперед забегаешь! Кто за хатой смотрит?!

— Гля, он в натуре обнаглел! — поддержал смотрящего Скелет, поигрывая бритвой.

Зубач огляделся. Катала смотрел в сторону, от Расписного поддержки ожидать тоже не приходилось. Зато сзади мрачно нависал хмурый Груша, а сбоку примерялся к его ногам калмык.

— Ша, братва, все ништяк, — примирительным тоном сказал Зубач. — Я только свое слово сказал: надо с него спросить как с гада!

Микула выдержал паузу, оглядывая соперника с ног до головы.

— А я так думаю: Верблюд свое уже получил. Баклан — он и есть баклан. Пусть сворачивается и идет в шерсть[2]. Только...

Смотрящий протянул руку Скелету:

— Дай мойку!

Тот послушно положил на испачканную пеплом ладонь половинку лезвия.

— Держи! — Микула бросил бритву на грудь Верблюду: — Чтобы через час у тебя фуфловых регалок не было!

---

[1] Ерш — человек, присвоивший не принадлежащие ему регалии уголовной иерархии.

[2] Шерсть — презираемая категория осужденных, занимающая место между мужиками и опущенными.

Избитый хулиган тупо уставился на щербатый обломок металла.

— Да вы на своего посмотрите, — дрожащая рука указала на Расписного. — Ему небось половину шкуры срезать надо!

— Привяжи метлу![1] — Расписной замахнулся. — Еще хочешь?

Верблюд втянул голову в плечи и замолчал.

— Ровно час! — повторил Микула.

Кряхтя и охая, Верблюд поднялся, взял бритву и доковылял до своей шконки. Закурив сигарету, он беспомощно осмотрелся по сторонам.

— Помочь? — подскочил к нему юркий и обычно незаметный Хорек. Он получил девять лет за то, что изрубил топором соседа, но хвастал, что за ним много трупов. Это был отвратительный тип — неврастеник и психопат. Вытянутая хищная мордочка, бледная, в крупных порах кожа, сквозь редкую щетину белесых волос просвечивает сальная кожа головы. Постоянный оскал открывал узкие длинные зубы. С ним никто не кентовался, но и никто не связывался. — За это будешь в обязаловке. Следующую дачку[2] мне отдашь! Замазали?[3]

Верблюд нехотя кивнул:

— Только чтоб не больно...

— Ага, сладко будет! Будто хурму хаваешь...

Хорек сноровисто расстелил полотенце, набросал сверху смятых газет, на них положил левую руку Верблюда.

---

[1] Привяжи метлу — придержи язык.
[2] Дачка — передача.
[3] Замазали — договорились.

— Челюсть, возьми, чтоб не дергался...

Мрачный цыган с выдвинутой вперед нижней челюстью намертво зажал конечность ерша.

— Ну, держись! — Хорек осклабился и принялся срезать с безымянного пальца Верблюда воровской перстень — квадрат с разлапистым крестом.

Лезвие было изрядно затуплено, дело шло медленно. Верблюд в голос кричал, кровь бежала струей, впитывалась в газеты, брызгала на полотенце и простыню, красные пятна покрыли и лицо Хорька. Это его, похоже, распаляло: высунув язык, он остервенело кромсал палец ерша.

— А! А-а! А-а-а-а! — истошно заорал Верблюд.

— Хватит! — сквозь зубы сказал Челюсть. — Уже все!

Хорек неохотно оторвался от кровавого дела.

— Еще бы надо подчистить... Давай охнарик!

Вынув изо рта Верблюда сигарету, он прижег рану. Верблюд задергался, крик перешел в вой, тошнотворно завоняло паленым мясом. Замотав распухший и покрасневший палец носовым платком, ерш обессиленно откинулся на тощую подушку.

Но долго разлеживаться было нельзя, потому что с левого плеча нагло скалил зубы не по рангу наколотый тигр. По площади он многократно превосходил перстень.

С трудом поднявшись, Верблюд, пошатываясь, подошел к углу людей.

— Слышь, Микула, я уже не могу... Разреши не резать... Я его поверху зарисую...

Смотрящий подумал.

— Как братва? Разрешим?

Скелет пожал плечами. Калмык согласно кивнул.

— Пусть заколет, чтоб видно не было. Какая разница...

Но Зубач решительно воспротивился:

— Ни хера! Как решили! Ответ должен быть...

— Пусть по полной раскручивается, сука! — поддержал его Груша.

— Резать! — крикнул Хорек.

Микула развел руками:

— Раз братва не разрешает — режь!

Верблюд опустился на колени и зарыдал навзрыд.

— Я уже не могу! Разреши до завтра... Ну хоть до вечера...

Зубач в упор смотрел на Микулу и улыбался. Смотрящему негоже обсуждать свои решения, а тем более отменять их. Так можно потерять авторитет.

— У тебя полчаса осталось! — заорал Микула. — Иначе башку отрежем!

— Режьте, что хотите делайте, не могу... — безвольно выл Верблюд.

— Слышьте, чо он квакнул? — ухмыльнулся Скелет. — За базар отвечаешь? А если мы хотим тебе очко на английский флаг порвать?

Неожиданно Челюсть схватил Верблюда за предплечье и осколком стекла трижды крест-накрест полоснул по тигриной морде.

— И все дела! — презрительно процедил он.

— Ой, точняк? — Верблюд не успел даже вскрикнуть и теперь, не веря в столь быстрое избавление, изгибал шею, пытаясь рассмотреть изрезанное плечо.

— Убери харю!

Челюсть молниеносно нанес еще три пореза.

— Вот теперь точняк!

Кровь залила остатки запрещенной татуировки. Когда раны заживут, от нее останутся только шрамы. Инцидент был исчерпан.

Глава 5

СНОВА БОЛЬШАЯ ПОЛИТИКА

Вызов в ЦК КПСС и для председателя КГБ все равно что приглашение на Страшный суд. Особенно если вызывает не инстуктор, не завсектором, не заведующий отделом и даже не один из всемогущих секретарей, а сам Генеральный. При таком раскладе нет неприкасаемых, тут не спасают самые высокие должности и тяжелые, шитые золотом погоны — ибо здесь можно их в одночасье лишиться, превратившись из главы могущественного ведомства и многозвездного генерала в обычного инфарктника-пенсионера. Впору вспомнить все грехи, определить причину вызова и молиться, чтобы пронесло.

Генерал армии Рябинченко прознал, что вызов связан с операцией «Старый друг». Внимательно изучив всю документацию, с папкой во влажной ладони и сопровождающими — начальником Главного управления контрразведки генерал-майором Вострецовым и непосредственным исполнителем подполковником Петруновым — он прибыл на Старую площадь.

Подполковник остался в огромной, как футбольное поле, приемной — ему и сюда-то был путь заказан:

не его уровень, если бы не желание начальников иметь под рукой козла отпущения, для немедленной компенсации пережитых унижений, он бы вообще не попал в это здание.

Рябинченко и Вострецов на негнущихся ногах прошли в отделанный дубовыми панелями кабинет Генсека. Грибачев расположился во главе длинного стола для совещаний, по правую руку неестественно ровно восседал похожий на мумию секретарь по идеологии Сумов, по левую мостились на краешках стульев заведующий международным отделом ЦК Малин и министр иностранных дел Громов. Все были в строгих костюмах и затянутых под горло галстуках, как будто за окном не ярилось испепеляющее все живое солнце. Впрочем, в кабинете бесшумно работал кондиционер и температура не поднималась выше восемнадцати градусов.

Генеральный секретарь просматривал вырезки из американских газет с пришпиленными к ним текстами переводов и все больше мрачнел. Просмотрев, он отдавал одну Сумову, а следующую Малину и Громову. Малин скорбно кривился, у Громова на лице и так застыло постоянное выражение зубной боли, а мумии дальше мрачнеть просто некуда. Так что веселой назвать эту компанию никто бы не смог.

— Товарищ Генеральный секретарь, генерал армии Рябинченко по вашему приказанию прибыл! — старательно, как солдат-первогодок, доложил председатель.

Грибачев на миг поднял голову:

— Вы читаете американские газеты?

Рябинченко языков не знал, потому, даже если бы

захотел, не мог читать ни американских, ни английских, ни китайских, ни каких-либо еще газет. Поэтому он на мгновение задумался, но тонким чутьем аппаратчика понял, что сейчас находчивость важней, чем правда.

— Так точно, товарищ Генеральный секретарь! Но не в сплошную — аналитический отдел готовит обзоры... Могли что-то и упустить...

Грибачев строго сверкнул стеклами очков.

— А вы в курсе дела, что бывший атташе американского посольства, некто Сокольски, ведет линию на подрыв доверия к нашей стране? Он дискредитирует новую политику СССР в глазах всего международного сообщества! Под угрозой находится моя встреча с президентом США, пакет важных соглашений и договоров, которые долго и старательно готовили товарищи Малин и Громов, могут оказаться в мусорной корзине!

Министр и заведующий отделом осуждающе уставились на председателя и одновременно кивнули, подтверждая правильность слов Генсека. Мумия Сумова не шелохнулась, но вид главного идеолога страны выражал крайнюю степень недовольства.

— Так точно, товарищ Генеральный секретарь, мы принимаем меры! — Рябинченко поспешно выставил перед собой папку, словно щит, спасающий от трех испепеляющих взглядов.— Вот здесь все документы по специальной операции, которую мы проводим против этого провокатора Сокольского! Генерал Вострецов непосредственно руководит ею... Мы можем доложить... И ответить на вопросы...

169

Рябинченко сделал жест, как бы выдвигая Вострецова на первый план. Тот обреченно склонил голову,
разглядывая узорчатый, зеркально блестящий паркет.

— Вы с генералом мне это уже докладывали, — поморщился Грибачев. — И приводили бойца, настоящего героя, который согласился испортить себе кожу
ради выполнения задания Родины. Это образцовый
парень, такими надо гордиться! Но ведь он исполнитель. И добьется успеха только тогда, когда им умело
руководят. А вы руководители. И где же результаты вашей работы?

— Результаты будут в ближайшее время, товарищ
Генеральный секретарь! — с максимальной убежден-
ностью, на которую был способен, отчеканил Рябинченко.

— Так точно, в ближайшее время! — эхом повторил Вострецов.

— Э-э-э...

Скрипучий звук, напоминающий скрежет заржа-
вевших дверных петель, издала мумия Сумова. Грибачев снял очки, лицо его выразило внимание и заинте-
ресованность.

— Да, да, Михаил Андреевич, вы хотите что-то
сказать?

Секретарь по идеологии не изменил выражения
лица и не повернул голову.

— Партия доверила вам защиту народа от происков
внутренних и внешних врагов. — Бесцветный скрипучий голос был настолько тихим, что разобрать слова
удавалось с трудом.— Если вы не справляетесь с этой
задачей, партия откажет вам в доверии. Это все, идите.

То ли от замогильного голоса, то ли от реальности угрозы по спине Рябинченко пробежали мурашки.

— Идите! — кивнул Грибачев, вновь надевая очки.

Рябинченко повернулся через правое плечо, а генерал Вострецов пятился до самой двери.

Когда они оказались в приемной, к председателю вернулась обычная властность и уверенность в себе.

— Три недели! — не глядя на Вострецова, процедил он. — Не будет результата — положишь партбилет и пойдешь на улицу! Свободен!

Когда за Рябинченко закрылась дверь, Вострецов повернулся к ожидающему указаний Петрунову.

— Две недели сроку! — рявкнул генерал. — Провалишь операцию — пеняй на себя!

— Есть! — ответил подполковник.

* * *

— Слышь, Яков Семенович, а откуда ты Перепелато знаешь? — поинтересовался Расписной.

Шнитман ненадолго задумался, потом махнул рукой:

— А-а-а! Какие тут государственные тайны! Тем более что тебе, Володенька, я полностью доверяюсь...

В тускло освещенной камере заканчивался очередной день. Зубач дулся с Драным в карты, Хорек, Груша и Скелет с интересом наблюдали за ними. Игра шла на отжимания, Драный раз за разом проигрывал и обреченно упирался в пол дрожащими руками.

— Раз! Два! Три! — азартно орали несколько глоток. — Давай, давай, только не перни! Нет, ты грудью доставай! Не филонь, зараза!

Груша, пыхтя, сосредоточенно шлифовал о пол сантиметровый кусок зубной щетки. Накануне Челюсть разрекламировал «спутники»[1] и пообещал безболезненно вставить их каждому желающему. Желающим оказался Груша, теперь он тщательно готовил заготовку для будущего предмета мужской гордости.

— Вот так пойдет? — Груша протянул своему наставнику похожий на фасолину кусок пластмассы.

— Если у тебя конец как локоть — пойдет... А то поменьше сделай, чтоб кожу не натягивала. Лучше «виноградную гроздь» замастырим — штуки две всадим или три, как у меня. За тобой бабы табуном бегать будут!

— Не, три много, — засомневался Груша. О том, что в ближайшие пять лет он вообще не увидит ни одной бабы, будущий герой-любовник, очевидно, не думал.

— Так вот, Володя, — продолжил Шнитман. — У нас от блатных вечно проблемы были. Знаешь, как злые люди говорят: торгаши деньгами напиханы! То квартиру у кого обворуют, то магазин... Куда пожаловаться? В милицию нельзя — внимание к себе зачем привлекать? Сразу вопросы: на какие деньги все это золото, хрустали, магнитофоны... А я подумал, подумал: у воров-то тоже начальство есть! А Сеня от меня через улицу жил, я про него слыхивал, он про меня. Ну и пошел к нему... Маслица взял, колбаски хорошей, конфет, пару бутылочек коньяку... Поговорили

---

[1] «Спутники» («шарики») — круглые или овальные предметы, обычно из пластмассы, реже — из дерева или стали, вживляемые в крайнюю плоть.

по-людски и договорились так: я ему продукты подкидываю, деньжат, а он и меня, и мои магазины охраняет...

— Как так? — притворно удивился Вольф. — Западло это. Вор воровать должен, а не с рук кормиться!

— Может, и западло, — кивнул Яков Семенович. — Только с тех пор проблем у нас не стало. Больше того: еду в Ялту на отдых, деньги при себе везу немалые, а в коридоре два корешка Сениных курят да за порядком приглядывают. А рожи у них, я тебе скажу, еще те! Пьяные, хулиганы, шантрапа всякая — мимо моего купе пулей пролетали! И деньги в сохранности, и за себя я спокоен. Ну, за это, конечно, отдельно доплачивал...

Шнитман печально улыбнулся.

— Знаешь, Володя, у меня много солидных знакомых было — и из торга, и из жилконторы, даже из ОБХСС, начальник телефонной станции в гости ходил... Но когда я подружился с Сеней, мне стало гораздо спокойней жить! Потому что он мог то, чего не могли другие... Для него запретов не было!

— Прям-таки! — усмехнулся Вольф. — И ментов он не боялся?

— Боялся, — согласился Шнитман. — Как не бояться, если их сила! Вскоре присел Сеня на четыре года. Дурак бы про него забыл, а я — нет. Мамашку нашел и стал каждый месяц ей по сотне переводить! И дружба промеж нами окончательно укрепилась! Ведь на воле Сеня или в тюрьме — неважно, он отовсюду помочь может...

— Гля, ты чего! — возмущенно завопил Драный. — Я себе жилы рвал, а он фуфло гонит!

Внимание обитателей хаты переключилось на картежников.

С притворной сосредоточенностью Зубач отжимался от стены и четко считал:

— Двадцать один, двадцать два, двадцать три... Все! Он отряхнул руки и обернулся к Драному:

— Ты чего орешь, гнида? Чем недоволен?!

— Дык как чем? От пола надо отжиматься! От пола!

— А ну глохни! — Зубач угрожающе вытаращил наглые глаза. — Мы договаривались — от пола или от стены? Договаривались? Говори!

— Договаривались — на отжимания! А отжимаются от пола! Как я — вон, гляди, до сих пор руки дрожат!

— Раз не договаривались — волну не гони! — наступал Зубач. — Кто хочет — от пола отжимается, кто хочет — от потолка, кто хочет — от стены! Ты от пола захотел, я от стены. Так чего ты волну гонишь?! Чего хипишишься? Знаешь, что за гнилой наезд бывает?

— Верно, — вмешался Катала. — Раз не договаривались, значит, каждый отжимается как хочет!

— Слыхал? Или на правилку хочешь? — Зубач толкнул Драного в грудь. Тот спрятал руки за спину и попятился.

— Ладно, заглох. — Он понуро пошел к своему месту.

— Слышь, Драный, давай я и тебе «шарик» под шкуру запущу! — крикнул ему вслед Челюсть. — Почти за ништяк! Две пачки чая, и все дела!

— Мне вставляй. — Груша держал на ладони гладко отшлифованную пластмассовую фасолину. — Только чтоб все ништяк... Надо моечку острую найти...

174

— Острую нельзя — плохо зарастать будет. У меня есть чем... Давай принимай наркоз!

Груша извлек спрятанный в матраце неполный флакончик «Шипра». Накануне он специально выменял его у калмыка за почти новые ботинки. Взболтав ядовито-зеленую жидкость, он вытряхнул ее в алюминиевую кружку. Перебивая привычную вонь, по камере распространился резкий запах одеколона.

— Я б тоже вмазал! — мечтательно сказал Скелет.

Закрыв глаза, Груша медленно выцедил содержимое кружки. Было заметно, что удовольствия он не получает. По подбородку потекли быстрые маслянистые капли.

— Бр-р-р! — Грушу передернуло, он громко отрыгнул.

— Оставь немного для дезинфекции. — Челюсть, как готовящийся к операции хирург, разложил на краешке стола «шарик», половину супинатора, толстую книгу афоризмов, лоскут от носового платка, две таблетки стрептоцида и две ложки.

Протерев «шарик» и заостренный конец супинатора остатками одеколона, он в пудру растолок ложками таблетки.

— Ну как, словил кайф?

— Вроде...

Одеколон действует быстро, вызванное им отравление напоминает наркотическое опьянение. Вид у Груши был такой, будто он выпил бутылку водки.

— Давай, выкладывай свою корягу...

Груша спустил штаны и примостился к столу, уложив на край свою мужскую принадлежность. Словно в ожидании боли, она была сморщенной и почему-то коричневого цвета.

— А ну-ка давай сюда...

Челюсть оттянул крайнюю плоть, прижал ее супинатором и ударил сверху книгой. Брызнула кровь, Груша застонал. Не отвлекаясь, цыган стал засовывать в рану обработанный кусок пластмассы. Груша застонал громче.

— Да все уже, все...

Челюсть засыпал рану стрептоцидом и ловко обмотал раненый орган лоскутом тонкой ткани.

— Вначале распухнет, потом пройдет. А за неделю совсем заживет.

— И не очень-то больно, — приободрился Груша.

— Видишь! Я же говорил: давай «гроздь» всажу.

— Нет, мне и одной хватит.

Челюсть повернулся к Верблюду:

— Давай тогда тебе!

— Нет уж. Пусть вначале палец и плечо заживут...

— А по-моему, лучше сразу и болт порезать, — засмеялся цыган. — Вот и станешь настоящим Резаным!

Вокруг собрались сокамерники, они улыбались. Челюсти нравилось быть в центре внимания.

— Мне «гроздь» в ростовской «десятке» вживили, — начал он. — Тогда мода такая пошла, все загоняли... Колька Саратовский — здоровый бычина, три шарика от подшипника всадил, стальные, по сантиметру каждый... У него и так болтяра в стакан не лез, а тут вообще: торчат, как шипы от кастета, по лбу дашь — любой с копыт слетит! А к нему как раз баба приехала на длительную свиданку, он ее так продрал, что она аж за вахту выскочила! Орет, матерится, кулаком грозит...

Цыган зашелся в хохоте, выкатив глаза с переплетенными красными прожилками.

— После этого всех в медчасть погнали да вырезать заставили! Только я не стал. Пайка мне от министра положена, ее никто не отберет — ложил я на них с прибором! На свиданки ко мне бабы не ездили, ну бросят в шизняк — всего-то делов! И точно: попрессовали, попрессовали — и отвязались. Так я с ней и хожу...

— Ну и чего? — недоброжелательно протянул Микула. Ему явно не нравилось, что цыган вызвал интерес у всей хаты. — Жить стало слаще? Или тебе доплачивают за эту твою «гроздь»? Или, может, сроки половинят?

— Половинить-то не половинят, — рассказчик перешел на приглушенный доверительный тон, — только раз они мне и в этом деле помогли! — Цыган многозначительно подмигнул, и круг заинтригованных слушателей стал плотнее.

— Было дело в Саратове — сожительница ментам заяву кинула: будто я ее дочь развращаю! Те рады, меня сразу — раз, и на раскрутку... Я говорю: вы что, она же целка! А те — ноль внимания: Любка, змея, придумала, будто я Таньке глину месил! Так что дуплят меня с утра до вечера, пакет на голову надевают, по ушам хлопают... Колись, сука, и все дела!

Челюсть вошел в азарт: говорил на разные голоса, гримасничал и размахивал руками.

— Тогда я говорю: давайте сюда медицинского эксперта! Пусть экспертизу делает! Если бы я двенадцатилетней девчонке в дупло засунул, она бы лопнула!

И вынимаю им свой болт! У тех раз — и челюсти отвисли!

— И что? — со странной полуулыбкой спросил Зубач. Ему явно не было смешно, и он принужденно кривил губу, обнажая желтые щербатые зубы. — Сделали экспертизу?

— Да сделали! — нехотя сказал цыган и остервенело почесал волосатую грудь.— Пришел лепила очкастый, померил линейкой и написал: три инородных тела размером восемь на пять миллиметров. Я ему: как так, они поболе будут! А он свое — у тебя там еще кожа, ее я не считаю! Я психанул, говорю — дай мне бритвочку, я их сейчас на спор вырежу, и померим, в натуре, без всякой кожи...

— Вырезал? Померил? — продолжал скалиться Зубач.

Вопросы он задавал не просто так: такие вопросы и таким тоном просто так не задают. Ему что-то не нравилось — то ли в цыгане, то ли в его рассказе. И он цеплялся к рассказчику, или, выражаясь языком хаты, тянул на него.

— Не дали, гады: нарочно меньший размер посчитали...

Челюсть продолжал чесаться. Конец рассказа получался скомканным.

— Заели меня эти вши совсем...

— Ну а потом чего, потом-то? — не отставал Зубач. — Чего ж ты на самом-то главном сминжевался?

— За Таньку закрыли дело. Кражи да грабеж повесили, воткнули пятерик, вот и пошел разматывать.

— Фуфлом от твоего базара тянет! — перестав улы-

178

баться, сказал Зубач. Широкий в плечах, он имел большой опыт всевозможных разборок и сейчас явно собирался им воспользоваться.

— Чо ты гонишь?! — Челюсть шагнул вперед и оказался с Зубачом лицом к лицу.

Внушительностью телосложения он уступал Зубачу, но познавший суть физических противоборств Вольф отметил, что у цыгана широкие запястья и крепкая спина — верные признаки хорошего бойца. Многое еще зависело от куража, злости и специальных умений.

В камере наступила звенящая тишина, стало слышно, как журчит вода в толчке.

— Зуб даю, ты и вправду дитю глину месил! А потом, чтоб с поганой статьи соскочить, чужие висяки на себя взял!

Контролируя руки противника, Зубач поднял сжатые кулаки. Но резкого удара головой он не ожидал. Бугристый лоб цыгана с силой врезался ему в лицо, расплющив нос. Хлынула кровь, Зубач потерял ориентировку, шагнул назад и закачался. Ладони он прижал к запрокинутому лицу. Всем стало ясно, что он проиграл, но Челюсть не собирался останавливаться на полпути и мгновенно ударил ногой в пах, в живот, потом сцепленными кулаками, как молотом, саданул по спине. Когда обессиленное тело рухнуло на пол, Челюсть принялся нещадно месить его ботинками сорок пятого размера.

— Хорош, кончай мясню в хате! — вмешался Микула. — Нам жмурики не нужны!

Цыган еще несколько раз пнул поверженного противника и отошел.

— Сучня! Откуда он взялся? Почему метлу не привязывает? Меня везде знают, а он кто такой? — возмущался Челюсть, и выходило у него довольно искренне. — Ладно, на зоне разберемся. Я против беспредела. Пусть все будет путем, по закону. За базар отвечать надо.

— Точняк, — поддержал цыгана Вольф. — Кто на честного бродягу чернуху гонит, тому язык отрезают!

— И отрежем! — пообещал Челюсть. — Сука буду — соберу сходняк, пусть люди решают! Честного блатного парафинить, это тебе не Драного облажать!

Зубач поднялся на колени, на ощупь стянул с ближайшей шконки серую простыню и, скомкав, прижал к залитому кровью лицу.

— Разберемся, брателла, разберемся! — глухо раздался из-под ткани его голос. — Я знаю, куда маляву загнать!

— Вяжи гнилой базар! — оборвал его Микула. — Сам напоролся, сам и виноват.

Смотрящего поддержал Катала:

— Он в цвет базарит, Зубач. Я бы за тебя мазу тянул, но не могу. Сейчас ты не прав. Такие слова за рваный рупь бросать нельзя. Мы же не бакланы у бановского шалмана[1]. Мы правильные босяки в своем дому. Здесь все по справедливости быть должно.

— Еще увидите, что это за рыба! — Зубач встал и пошатываясь направился к умывальнику.

---

[1] Не хулиганы у вокзальной пивной.

Напряжение спало, камера возвращалась к обыденной жизни.

— А что, Володя, не перекусить ли нам? — как ни в чем не бывало спросил Яков Семенович.

* * *

После ужина, когда хата с унылой обреченностью готовилась ко сну, неожиданно хлопнула «кормушка», и в открывшемся небольшом прямоугольнике появилась круглая плутовская физиономия рыжего сержанта, который обычно приносил малявы и грев с воли.

— Васильев, Вольф, без вещей на выход! — нарочито огрубленным голосом скомандовал он.

— Куда это? — встрепенулся от тревожного предчувствия Волк.

— Щас те отчитаюсь по полной программе! — оскалился коридорный. — Живо шевелись ногами!

Микула молча направился к двери. И эта готовность смотрящего беспрекословно подчиняться продажному шнурку, которого он не раз гонял за водкой, насторожила Волка еще больше.

В коридоре было светлей, чем в камере, да и воздух здесь гораздо свежей. Микула, привычно заложив руки за спину, шел первым; за ним в такой же позе шагал Вольф. Рыжий, машинально позвякивая ключами, держался в двух метрах сзади, время от времени выдавая короткие команды:

— Налево! Прямо! К стене!

Дорогу то и дело преграждали решетчатые двери, и арестанты, уткнувшись носами в окрашенные тусклой

181

краской, обшарпанные панели ждали, пока сержант отопрет лязгающие замки.

— На лестницу! Вверх! Направо!

Что-то было не так. Вызывать заключенных из камер поздним вечером имели право только начальник и его зам по оперработе. Между тем рыжий сержант вел не в административный корпус, а в противоположную сторону, где находился особорежимный блок. Причем Микула явно знал маршрут, потому что несколько раз начинал менять направление за секунду до команды.

— Куда ведешь-то, начальник? — как можно безразличней спросил Вольф, не рассчитывая получить ответ.

— В «Индию», — глумливо отозвался сержант. — Тама трубу прорвало, убраться треба.

— Ты чего, умом подвинулся? Для таких дел шныри есть! — возмутился Вольф. Микула почему-то молчал.

— Да туфта все это! — раздался тонкий голос кота. — Дуплить будут или разборка, а может, в карцер бросят...

У Волка вспотела спина. Пока не поздно, надо глушить рыжего предателя и Микулу. Два удара, и они вытянутся на бетонном полу. Можно забрать у дубака ключи и пройти к центральному посту. А что дальше? Останется только один выход: раскрываться и выходить из операции. Генерал Вострецов снимет за это шкуру, сдерет погоны и выбросит из Системы, как паршивого нашкодившего щенка... И это еще не самый худший вариант. Ведь не факт, что вообще удастся выбраться из этих тусклых, пропитанных вонью коридоров. Зэк, напавший на сотрудника тюрьмы и несущий чушь про спецзадание КГБ, вполне может быть забит до смерти дежурной сменой. Или до полусмерти, но слух об идиотских требованиях вызвать начальника и сообщить нечто лейтенанту Медведеву обязательно дойдет до арестантов, и они ему охотно поверят. И снимут шкуру не в переносном, а в самом прямом, ужасающе кровавом и натуралистичном смысле.

— К стене! — в очередной раз скомандовал сержант и на этот раз принялся отпирать замок камеры. Вольф вдруг вспомнил, что «Индией» называют места обитания авторитетных блатных и отрицалова. Значит, его привели на *концевой разбор*, высший тюремный суд, который и определит окончательно его судьбу.

Планом операции это не предусматривалось. О возможных неожиданностях Александр Иванович Петрунов, обаятельно улыбаясь, сказал: «Если что — отбрешешься в рамках легенды». И подбодрил: дескать, Медведев всегда на страже, прикроет! Тогда все виделось по-другому — не в тыл врага ведь прыгать, не в Африке переворот устраивать, тут все рядом, под контролем... Ан вот как обернулось — ни Петрунова, ни Медведева, ни контроля, а ему надо «отбрехиваться», и от убедительности этой «брехни» зависит жизнь, оборвать которую можно с равной легкостью не только автоматной очередью в Борсхане, но и заточенной ложкой или гвоздем в вонючей «Индии»...

Противно заскрипели несмазанные петли, открывая проем в очередной круг тюремного ада.

— Заходьте обое! — приказал сержант.

В этом круге было так же душно и зловонно, как и в остальных, только почему-то светлее. Вольф машинально поднял глаза и определил, в чем дело: обычно утопленные в потолке лампочки закрывались железными листами с дырочками, чтобы зэки не могли подключиться к электричеству. Ржавые дуршлаги почти не пропускали света, и в камерах вечно царил влажный густой сумрак, словно в чудовищных аквариумах, набитых вялыми, полумертвыми рыбами. Здесь никаких железок не было, и свет обычной шестидесятиваттки казался почти вольным солнцем.

Хлопнула за спиной дверь, с особым смыслом лязгнул замок. Вольф опустил голову и осмотрелся. Он уже достаточно помыкался по застенкам, но в «Индии» все было по-другому. Достаточно просторно, шконки одноярусные, на них в свободных позах развалились хмурые, видавшие виды арестанты. Сразу видно, что здесь нет шерсти, петухов и шнырей — только авторитеты, хозяева тюремного мира. Не больше десяти человек. А точнее — девять. Никто не суетится, не занимается обычными для камеры делами — жизнь вроде остановилась. Все внимательно рассматривают вошедших. Чувствуется, что их ждали.

За столом, наклонившись вперед и упираясь ладонями в широко расставленные колени, сидел голый по пояс, густо истатуированный человек неопределенного возраста с морщинистым волевым лицом. У него была вытянутая, как дыня, наголо обритая голова. Микула, не задерживаясь на пороге, быстро подошел к столу и поздоровался с ним за руку, потом, повинуясь разрешающему жесту, сел на скамейку рядом. Он был здесь

своим, и ждали явно не его. Внимание «Индии» скон-
центрировалось на Расписном.

— Привет всем честным бродягам! — поздоровался
Вольф. И неторопливо подошел к столу.

— Пинтосу отдельный привет и уважение, — Вольф
протянул бритому руку.

Тот замешкался, но на рукопожатие ответил. Это
был хороший знак — значит, Расписной не отторгнут
от других людей и судьба его окончательно не предре-
шена.

— На мне разве написано, что я Пинтос? — спросил смотрящий тюрьмы, гипнотизируя Вольфа тяжелым, безжалостным взглядом.

— Конечно. Да еще крупными буквами!

Не дожидаясь приглашения, Вольф оседлал лавку
напротив и сноровисто сдвинулся вдоль стола, облокотившись на стену. Так удобней сидеть, к тому же всех
видно и никто не подойдет сзади.

— Того, кто привык рулить, сразу видно, — пояснил он.

— Шустрый парень, — с неопределенной интона-
цией произнес Пинтос. — А что ты на потолке увидел?

— Лампочки без защиты, вот что. Можно бросить
провод и током заделать мента. А потом забрать ключи
и сделать ноги[1].

— Шустрый и все знаешь. А зачем ты здесь — знаешь?

— Конечно. — Расписной потянулся и пожал плечами. — Решили порядок в доме наводить. Вот во мне
нужда и открылась.

---

[1] Сделать ноги — совершить побег.

— Чего?! При чем *ты* к порядку в крытой?![1]

— Да при том! В Бутырке я с Каликом по закону разобрался, люди одобрили. И здесь Микулу не раз поправлял. Не иначе вы меня решили вместо него смотрящим поставить.

— Ты чо гонишь?! — Возмущенный Микула вскочил на ноги. — Когда ты меня поправлял? Ты чо, галушки накушался?[2] Я вор!

Расписной ухмыльнулся и подмигнул окружающим. Нахальство и дерзость здесь в цене. Арестанты были явно сбиты с толку. А он подробнее оценил обстановку, исправляя ошибки первого впечатления. Авторитетов было не больше шести. Трое — явные торпеды, ожидающие сигнала. У всех троих руки за спиной.

— Вор... — Расписной презрительно скривился. — Да я б тебя за гальем не послал, не то что садку давить![3] У нас в Тиходонске такие воры только мотылей моют![4]

— Что?!

Простить такие слова — значит потерять лицо. Микула, выставив кулаки, бросился на обидчика. Не вставая, Расписной поднял навстречу ногу и резко разогнул коленный сустав. Удар пришелся в грудь. Микула опрокинулся на спину, гулко стукнувшись затылком, и остался лежать, раскинув крестом руки.

— Я ж говорил — какой из него смотрящий! —

---

[1] Крытая — тюрьма.

[2] Галушка — галоперидол, сильный нейролептик, применяемый в тюрьмах и психбольницах для успокоения буйных пациентов.

[3] Галье — вывешенное сушиться белье. Садку давить — воровать при посадке в общественный транспорт.

[4] Мотылей мыть — обворовывать пьяных.

Расписной со смехом указал пальцем на поверженного противника. Какими бы ни были первоначальные планы «Индии», ему явно удалось перехватить инициативу и набрать очки. Но назвать это победой еще было нельзя.

— Махаться в хате западло! — мрачно сказал Пинтос. Он явно был выбит из колеи.

— С зачинщика первый спрос, — парировал Расписной.

— Ладно... Только хватит пургу гнать, тебя не за тем позвали. Непоняток много выплывает, разбор требуется!

Три человека встали со шконок и полукругом окружили стол. В руках у них были ножи. Настоящие ножи! Вольф глазам своим не поверил. В особорежимной тюрьме, где обыски проводятся по нескольку раз в день, нож в руках зэка все равно что пушка или танк у преступников на воле.

— Слышь, Пинтос, сейчас в хате будет три трупа, — тихим, но от того не менее ужасным голосом сказал Расписной. — Пусть спрячут перья и вернутся на место!

Наступила мертвая тишина. Наглядная расправа с Микулой и не оставляющая сомнений в ее исполнении угроза сделали свое дело. Пинтос нехотя махнул рукой, ножи исчезли, торпеды вернулись на свои места. У них был вид побитых собак, но это ничего не значило — с тем большим остервенением каждый вцепится Расписному в глотку при первом удобном случае.

— Духаристый, значит, — констатировал смотрящий. — Ну, да это мы слышали. В своей Туркмении ты нашумел... Только там ты вертухаев мочил, а тут своего брата заделать норовишь. Да приемчиками хитрыми ментовскими руки крутишь... Объясни честным арестантам, как это получается?

Расписной усмехнулся:

— Что, тебе такую гнилую предъяву Микула подсунул? Нашли кого Смотрящим ставить. Вот и лежит — спекся весь!

— Не о нем щас базар, — без выражения ответил Пинтос. — О тебе. Давай за себя отчитайся.

— Ты на стопорки[1] с какой волыной ходил? — наклонился вперед Расписной, глядя смотрящему прямо в глаза.

— А хули ты опер? — прищурился в ответ Пинтос.

— Скажи, с какой? Сейчас ты сам за меня отчитаешься!

— С разными. И «наган» был, и «макар»...

— Вот видишь! — торжествующе улыбнулся Расписной. — С «макарами» все менты гуляют. Когда они нас вяжут, то «макаром» в рожу тычут да по башке колотят! Но тебе с «макаром» на дело идти не западло? А почему мне западло ментовским приемом клешню какому-нибудь бесу своротить?

Он осмотрелся. Несколько арестантов едва заметно улыбались.

— Слыхали мы, что у тебя метла чисто метет, — после некоторой паузы произнес Пинтос. — Слыхали. Только слова, даже гладкие, заместо дел не канают. А у тебя кругом — одни слова. Никто из честных бродяг

---

[1] Стопорка — разбой.

тебя не знает. Дел твоих, обратно, не знают. Про приколы твои в «белом лебеде» слыхали — глухо так, издаля... И опять слова, слухи этапные. Может, было, может, нет, может, ты, а может, кто другой...

— Знают меня все, кто надо, — спокойно возразил Расписной. — Спросите корешей, с которыми я по малолетке бегал, — Зуба, Кента, Скворца, Филька спросите. Косому Кериму малевку тусаните, Сивому... В Средней Азии меня многие знают. А если бы тебя, Пинтос, в пески загнали, то, может, точняк такие бы непонятки и вылезли. Кто там про тебя слыхал?

Смотрящий помолчал, со скрипом почесал потную шею:

— Это верно. Пески далеко... Этапы долго идут. Но не через месяц, так через три тюрьма все узнает.

Пинтос испытующе смотрел на Расписного и, наверное, уловил отразившееся у него на лице облегчение. Губы смотрящего искривились в злорадной улыбке.

— Только нам столько ждать не надо. Мы сейчас все узнаем. Коляша!

В дальнем углу хаты обозначилось какое-то шевеление, и к столу бесшумно двинулась тощая согбенная фигура. Расписной мог поклясться, что среди пересчитанных обитателей камеры этого человечка не было. Либо он вылез из-под шконки, либо материализовался ниоткуда. А может, в силу убогости, серости и незаметности растворялся в убогом тюремном мирке, сливаясь с серым шконочным одеялом, как хамелеон сливается с любым предметом, на котором находится.

— Метла метет чисто, — повторил Пинтос. — Толь-

189

ко Коляша тридцатник размотал и был кольщиком[1] на всех зонах. Он сейчас твои картинки почитает. Как там у тебя концы с концами сходятся!

— Регалки не врут, — дребезжащим голосом произнес Коляша. — Туфтовые сразу видать...

На вид ему было не меньше ста лет. Дрожащая голова, сутулая спина, опущенные плечи, неуверенная походка, длинная пожелтевшая исподняя рубаха и такие же кальсоны с болтающимися тесемками. Добавить белые, до плеч, волосы, бороду по пояс да вложить в руки свечку — вылитый отшельник, отбывающий добровольную многолетнюю схиму и прикоснувшийся к тайнам бытия.

Но ни бороды, ни длинных волос у Коляши не было: сморщенное личико смертельно больной обезьянки, вытянутый череп, туго обтянутый желтой, с пигментными пятнами кожей, неожиданно внимательный взгляд слезящихся глаз. И какая-то особая опытность многолетнего арестанта, вся жизнь которого прошла в зверином зарешеченном мире.

— Давай поглядим, голубок, — уверенным тоном врача приказал Коляша. — Кто тебе картинки-то набивал?

Он приблизил лицо к самой коже Расписного, как будто нюхая татуировки. На миг у Вольфа мелькнула дикая мысль, что Коляша может заговорить с кем-либо из наколотых тюремных персонажей — с котом, русалкой или орлом и расспросить: как и при каких обстоятельствах они появились на его теле.

---

[1] Кольщик — татуировщик.

— Разные люди. Вот этот перстенек я сам наколол. А этот — кент мой, Филек.

— Э-э-э, голубок... Храм ты сам себе не набьешь. Для такого дела в каждой зоне кольщики имеются. Я всех знаю. Кто как тушь разводит, как колет, чем, да как рисунок ложит...

Голос у Коляши уже не дребезжал. Да и весь облик его изменился — он будто окреп и даже стал выше ростом. Наверное, его выводы отправили под ножи и заточки не одного зэка, и оттого старый арестант чувствовал значимость момента и свою силу.

— У нас на малолетке кололи все, кому не лень, — возразил Расписной. — Да и потом, на взросляке, много спецов было. К тому ж они там меняются всю дорогу. Один откинулся, другой зарулил. А храм действительно старый кольщик заделал. Хохол, погоняло Степняк...

Степняк был единственным реальным кольщиком, включенным в легенду. Про него подробно рассказал Потапыч.

— Лысый, спина у него ломаная. Как погода меняется — криком кричит... Из Харькова сам.

— Есть, есть такой...— Коляша продолжал нюхать татуировки. — А чем он колет? Чем красит? На чем краску разводит? Есть у него трафаретки да какие?

— Мне бритвой наколол, «Спутником». Корефану одному муху на болт посадил тремя иголками. Краску из сажи делает — с сахаром и пеплом перемешивает, на ссаках разводит. Только я себе настоящую тушь достал. В основном от руки колет, но если картинка большая, то вначале на доске рисунок заделает, набьет иго-

191

лок по контуру — и штампанет, краской намажет, а потом уже остальное докалывает...

Вольф понятия не имел, как в действительности колет неизвестный ему Степняк, поэтому просто выложил все известные ему приемы зэковского татуирования. Судя по реакции камеры, попадал он «в цвет». Только Коляша недовольно морщился, будто нюхал парашу.

— У тебя и впрямь «Спутником» наколото, — пробурчал старый кольщик. — Только Степняк иголками работает, да не тремя, а двумя! Картинку он на газете рисует, а потом сквозь нее колет, вот так-то, голубок!

— Как он работает — за то речи нет, — пожав плечами, сказал Вольф. — Я обсказываю, как он *мне* колол. Можем у других бродяг спросить, небось не я один такой.

На шконках зашевелились.

— Мне Степняк знак качества на коряге колол, как раз тремя иголками, — сказал один из арестантов. — И без всякой газеты.

— Во, слыхали? — Вольф улыбнулся и поднял палец.

— Ты погодь радоваться... Чего у тебя на перстеньке три лучика-то перечеркнуты? — занудливо спросил Коляша.

— Да того, что я срок сломал. Сделал ноги из зоны, три года не досидел.

— Э-э-э, голубок... Так давным-давно считали... Еще при Сталине. А потом сломанный срок отмечать перестали. Вот ведь какая закавыка!

Это было похоже на правду. Потапыч жил прошлым, все времена перемешались в его голове, и такую ошибку он вполне мог допустить.

— Подумаешь, закавыка! — хмыкнул Вольф. — Я когда на волю вырвался, никого не спрашивал — взял от радости и перечеркнул три года. Так что, теперь ты их к моему сроку добавишь? Давай у общества спросим!

Он обвел рукой вокруг, незаметно осматриваясь. Обстановка была спокойной, хотя он знал: один жест Пинтоса, и все вмиг изменится.

— Я тебе не прокурор, чтобы срок добавлять. А общество и так все видит и свое слово скажет. Пока ты ответ держи, — сказал Коляша и ткнул пальцем прямо в храм на могучей груди Вольфа. — Говоришь, Степняк тебе сразу все три купола наколол?

Ничего такого Расписной не говорил, в вопросе явно крылся подвох.

— Про купола у нас с тобой базара не было. Но колол сразу. Третья ходка — три купола.

Коляша причмокнул губами и кивнул:

— Это и ежу понятно. Трехкупольный храм — регалка авторитетная. Только бывает, храм и по частям набивают. Кажный купол по новой ходке дорисовывают.

— И что с того?

— Да то, что не в цвет у тебя выходит! — Корявый палец ткнул в звезду вокруг правого соска. — Вот здесь куполок-то у тебя перекрывается! Значит, звезду уже опосля набивали! А так не бывает, потому как храм главней звезды!

На шконках зашумели. Пинтос прищурился. Очухавшийся и с трудом сидящий на полу Микула оживился.

— Я Верблюда заставил туфтовые парчушки с кожей срезать!

— Погодь! — остановил его Пинтос. — Тут другое. Тут не о мелочовке базар идет — об авторитетских регалках. Дело серьезное! Что скажешь, Расписной?

И снова в камере наступила звенящая тишина. От ответа Вольфа зависела его судьба. А что отвечать? Потапыч действительно начал с наиболее трудной фигуры и забыл про последовательность нанесения иерархических знаков. Теперь совершенно очевидно, что Потапыч допустил серьезную ошибку, или, если придерживаться блатного жаргона, «упорол косяк». Отвечать за этот косяк предстояло Вольфу.

— Пургу ваш Коляша метет! — возмущенно выкрикнул он. — Звезды мне еще по второй ходке набили! А храм по третьей! Кто там кого перекрывает?! У него уже зенки не видят ни хера! Пусть все честные бродяги сами позырят!

Лучшая защита — это нападение. «Если что — при буром! — говорил Потапыч. — Там это проходит...» К тому же определить на глаз, какая из татуировочных линий нанесена первой, а какая второй — дело малореальное. Тут и экспертиза вряд ли поможет: в отличие от бумаги или картона человеческая кожа постоянно шелушится и обновляется...

— Нет, ты сам глянь, Пинтос! Да кто хочет подходите!

Пинтос нехотя наклонился, поводил рукой по татуированной коже, крякнул.

— Тут и впрямь не разберешь, — недовольно пробурчал он. — Только я кольщиком тридцать лет не был, а Коляша был. Потому общество ему и верит.

— А чему тут верить? — продолжал переть буром Вольф. — Что, меня менты раскрасили и наседкой в хату запустили? А чего высиживать-то в пересылках? Да и у кого из вас за душой такие громкие дела, чтобы мне шкуру портили?

Тишина из напряженной стала растерянной.

— И потом, разве я к вам пришел? Нет, вы меня сюда вызвали! Разве я что-то выпытывал? Нет, все только меня расспрашивают! Вот пусть Микула скажет — кому я хоть один вопрос задал? А?!

— Нос в чужую жопу он не совал, это верно, — нехотя подтвердил Микула.

— Вот так! Кто мне конкретную предъяву сделает? — Вольф резко развернулся. Три торпеды снова взяли его в полукольцо, теперь руки они держали за спиной, выжидающе глядя на смотрящего. Дело близилось к развязке.

* * *

В филармонии было жарко. Никому не известные гастролеры кривлялись «под фанеру» на пропыленной эстраде. Страдающие избыточным весом провинциальные красавицы, изящно кривя губки, дули себе в декольте, некоторые обмахивались веерами. Резко пахло потом, лосьонами и духами.

Лейтенант Медведев зевнул — третий раз за сегодняшний вечер — и в очередной раз покосился на чеканный профиль сидящего слева полковника Старцева.

Начальник Владимирской тюрьмы лично опекал настырного комитетчика и организовывал ему культурную программу: то приглашал в гости, то парил в баньке, то водил в кино. Это аксиома для любого руководителя: проверяющего надо держать поближе к себе и всячески ублажать. Компанию дополняли дородная блондинка — супруга полковника и похожая на нее, только рыжая, младшая сестра, которая еще не успела выйти замуж. Последнее обстоятельство ненавязчиво, но несколько раз довели до тоскующего в командировке лейтенанта.

Медведев на сестру не реагировал и от спиртного отказывался, чем пробуждал в Старцеве самые худшие подозрения. Обычно проверяющие ведут себя не так... Вполуха слушая репризы конферансье и делая вид, что не замечает зевков столичного гостя, полковник в очередной раз ломал голову: чем вызван столь пристальный и замаскированный интерес КГБ к Владимирской тюрьме? С чего это вдруг офицер центрального аппарата сидит здесь уже неделю, задает какие-то странные, не связанные между собой вопросы, читает карточки заключенных, без видимых причин и какой-либо системы перебрасывает их из камеры в камеру? Зачем он часами ходит по длинным вонючим коридорам режимного корпуса и подолгу наблюдает в смотровые глазки за камерной жизнью? Почему в свободный вечер, отказавшись от соточки коньяка в буфете, напряженно ерзает в мягком кресле?

Медведев посмотрел на часы. В тюрьме прошел отбой, все должны спать... Но почему он испытывает беспокойство? Как-то раз, во время обыска в квартире разоблаченного американского агента, у него уже появлялось такое чувство. А через несколько минут, усыпив бдительность оперативной группы, шпион отравился замаскированной таблеткой цианида...

Лейтенант изменил положение, вытянул ноги, вновь глянул на циферблат. Время остановилось. Он прислушался к своим ощущениям. Беспокойство было связано с прикрываемым объектом. Человеком, фамилию которого он ни разу не назвал Старцеву. Которого опекал на расстоянии, как ангел-хранитель. Сейчас ему угрожала опасность. Мистика какая-то!

— Ну что, лейтенант, может, бросим эту скукотищу? — в свою очередь изобразив зевок, повернулся Старцев к Медведеву. — Пойдем погуляем, пивка попьем...

— Пойдем, — кивнул тот. — Только... Только давайте заедем в учреждение. Сегодня могут быть провокации, надо проверить контингент!

Старцев недоумевающе пожал плечами, но спорить не стал.

— Что ж, раз надо, давай проверим!

* * *

— Кто мне конкретно предъяву делает? Кто за базар отвечать будет?! — повторил Вольф.

Коляша привычно съежился. Смотрящий молчал, глядя в сторону. Торпеды стояли по-прежнему неподвижно, держась на безопасной дистанции.

— Что молчите?! Хватит сопли размазывать! Пинтос, скажи свое слово! Хочешь начать мясню — давай, мне один хер! Только каждый баран будет висеть за свою ногу!

Вольф угрожающе навис над Пинтосом. Ему казалось, что победа близка. Смотрящий устало прикрыл глаза.

— Берегись кольщика! — тоненько заорал кот. — У него швайка, тебе в брюхо метит!

Раз! Вольф подставил руку. Еще секунда, и было бы поздно. Костлявый серый кулак с заточенным, как шило, штырем стремительно приближался к его животу. Жесткий блок остановил предательский удар. От грубо сточенного острия до распятой на кресте женщины оставалось не больше сантиметра.

— Ни фуя себе! — выругалась она. Вольф впервые услышал ее голос — грубый, пропитый и циничный. Хотя Потапыч и предупреждал, что эта картинка — блатное глумление над религиозными символами, только сейчас Вольф в полной мере ощутил глубину такого глумления.

Он сжал огромную ладонь, раздался стон, серый кулачок хрустнул, заточка покатилась по полу.

— Вот ты, значит, какой спец! — угрожающе сказал Вольф. — По мокрякам работаешь! Значит, все, что про регалки порол, — фуфло!

Это было чистой правдой. Убийцы не пользовались авторитетом в арестантской среде и не могли выступать судьями в спорах. Неудачный выпад заточкой перечеркнул все, что сказал Коляша. Хотя если бы удар достиг цели, сделанный им вывод стал бы окончательным и непоколебимым.

— А теперь я тебе спрос учиню! — Вольф сгреб

тщедушное тело кольщика в охапку и взметнул над головой, намереваясь грохнуть об пол или швырнуть об стену.

Но в это время послышался звон ключей, лязгнул замок и резко распахнулась дверь. На пороге стоял рыжий сержант. Он был заметно испуган и нервно обшарил камеру взглядом. Увидев невредимого Вольфа, он перевел дух.

— Хозяин прибыл! — выпалил он, обращаясь к Пинтосу. — Учебную тревогу объявил!

Потом рыжий, приосанившись, крикнул Микуле и Вольфу:

— Живо на место! Шляются, понимаешь, где хочут! Щас по камерам будут строить, а вас нету!

Вольф уронил бесформенный серый куль, отряхнул руки и молча пошел к двери. Микула двинулся за ним.

— Разбор не закончили, — сказал им вслед Пинтос. — Еще увидимся.

Но увидеться не пришлось. Через день Вольф ушел этапом на Синеозерскую пересыльную тюрьму. И возле самого Синеозерска у автозака отвалилось колесо.

Глава 6

В ПОБЕГЕ

Рядовой Иванов служил в парашютно-десантном полку и в письмах на гражданку расписывал друзьям горячие рукопашные схватки, опасные ночные прыжки и прочую романтику, свойственную элитным войскам. На самом деле непосредственного отношения к десантуре он не имел, ибо тянул тяжелую лямку во вспомогательном подразделении — батальоне аэродромного обслуживания. Это означало ежедневную пахоту до седьмого пота: уборку летного поля, копку земли, бетонирование, погрузку-разгрузку... Единственным воинским делом была охрана аэродрома, при этом приближаться к самолетам ближе чем на три метра часовым запрещалось.

Командовал полком полковник Зуйков — здоровенный мужик с грубым, обветренным лицом и зычным командным голосом. Но для Иванова главным командиром был ефрейтор Гроздь — маленький, кривоногий, с белесыми глазками и круглым веснушчатым лицом. Ефрейтору, а не полковнику стирал он портянки, ефрейтору отдавал присланные родителями деньги, ефрейтору носил водку из расположенной в восьми километрах деревни. Возможно, если бы все эти услуги он оказывал Зуйкову, толку от них было гораздо больше. Потому что вместо благодарности Гроздь ругал Иванова матом, по сто раз заставлял подходить к телеграфному столбу с докладом и бил в грудянку так, что прогибались и трещали ребра.

Ефрейтор считал, что это правильно и справедливо, ибо сам он по первому году нахлебался дерьма вдоволь, а теперь олицетворял собой старший призыв и, следовательно, имел право кормить дерьмом салабона, а тот должен был беспрекословно жрать этот полезный для приобретения армейской закалки, хотя и неаппетитный продукт. Форма их общения была житейской и обыденной, в официальных документах она называлась «передачей боевого опыта» и «стойким несением тягот воинской службы». Возможности бунта, а тем более вооруженного, ефрейтор Гроздь не предвидел. И, как оказалось, совершенно напрасно.

Заступив в очередной караул, Иванов сноровисто снарядил автомат и вместо того, чтобы отправиться на пост, пошел к казарме, возле которой курил ефрейтор с несколькими старослужащими. Не говоря худого слова, что можно было расценить как соблюдение воинской дисциплины, ибо устав запрещает оскорбление одного военнослужащего другим, он с расстояния в восемь метров выпустил половину магазина в ненавистного мучителя.

Известная истина о вреде курения в очередной раз нашла свое подтверждение. Злые короткие очереди перерезали Гроздя пополам, несколько пуль попали в сержанта Клевцова, несколько ударили в рядового Петрова. Курильщики бросились врассыпную. Иванов несколько раз выстрелил вслед, но неприцельно, поэтому последовавшие промахи не могли снизить общую высокую оценку его огневой подготовки.

Поигрывая автоматом, Иванов неторопливо двинулся по чисто выметенным дорожкам военного городка, которые символизировали образцовый порядок и безупречную дисциплину в полку. Прогулявшись до клуба, он столкнулся с бежавшим на выстрелы дежурным по части капитаном Асташенко. Капитан вначале начал орать, но под стволом автомата быстро успокоился, послушно снял кобуру с пистолетом и так же послушно принялся выполнять строевые упражнения: движение шагом с разворотами, подход с докладом к дереву и отжимания в упоре лежа.

Чтобы стимулировать рвение капитана, Иванов поощрял его словами, почерпнутыми из лексикона покойного ефрейтора Гроздя, и одновременно передергивал затворную раму. Лязг затвора и треск вылетающих патронов, добавляясь к доходчивым словам и выражениям, придавали капитану энергии. Сполна испытав справедливость крылатого выражения «винтовка рождает власть», рядовой Иванов насладился унижением капитана и, не дожидаясь дальнейшего развития событий, покинул часть.

Покинул он ее проторенным путем всех «самоходов» — через дыру в заборе, но в отличие от своих предшественников оставляя за спиной одного убитого, двух раненых и опозоренного офицера, а потому не собираясь возвращаться. Некоторое время он машинально шел по утоптанной лесной тропинке, потом свернул в чащу. Дезертир Иванов шел по дороге, которая не имела конца.

* * *

Беглецы продирались сквозь начинающий просыпаться серый лес. Впереди двигался Утконос в форме сержанта внутренней службы, рядом — переодетый лейтенантом Скелет. За ними рубил монтировкой ветки Хорек, следом плелся Груша, потом двигались Волк, Челюсть и Катала в ефрейторской форме. Замыкал колонну Зубач, который делал вид, что контролирует ситуацию и следит за всеми. На самом деле он надеялся, что удачно выбрал самое безопасное место.

В действительности это было не так. Волк знал, что, если они попадут в засаду, у идущих в середине больше шансов уцелеть. Когда на маршруте работает группа специальной разведки, походный порядок постоянно меняется, и тот, кто еще недавно шел в середине, выдвигается вперед, потом уходит назад, потом снова оказывается в середине. Риск, таким образом, распределяется поровну. Сейчас делить риск ни с кем он не собирался.

Отношения среди беглецов были напряженные. Груша нет-нет, да бросал на Вольфа украдкой злые взгляды, а Челюсть и Зубач не скрывали взаимной ненависти.

— Разбегаться надо, — украдкой шепнул Челюсть Волку.

Но Зубач был против этого.

— Доберемся до железки и разбежимся, — говорил он. — Тогда уже точно никто никого не сдаст!

Почему он так считал, Волк сказать не мог, но подозревал, что старшак решил избавиться от лишних свидетелей. Выйдя к станции, он вполне мог перестрелять тех, кого посчитает нужным.

Но судьба распорядилась иначе. Беглые зэки наткнулись на беглого солдата.

Рядовой Иванов уже начал приходить в себя, и весь ужас содеянного пробрал его до самых костей. Когда ослабляется действие анестезии, тогда появляется мучительная боль от удаленного уже зуба. У него не было будущего, оставалось только достойно встретить свой трагический конец. Вспомнились многочисленные байки о судьбе ушедших с оружием и проливших кровь дезертиров: якобы по их следам пускают самых отъявленных негодяев из заключенных военной тюрьмы, которые рвут беглецов на части, тем самым снижая собственные сроки. Раньше он мало верил подобным рассказам: во-первых, потому, что никогда не слышал о специальных военных тюрьмах, а во-вторых, оттого, что суды Линча вряд ли могли предусматриваться приказами министра обороны. Но сейчас он находился в таком состоянии, что готов был поверить во что угодно.

Услышав шум и треск веток, дезертир спрятался за дерево, приготовил автомат и изготовился для стрельбы с колена, то есть грамотно и умело выбрал огневую позицию. Вообще все, что делал сегодня рядовой Иванов, с точки зрения тактической и огневой подготовки, заслуживало самой высокой оценки. Если бы, конечно, он действовал на учениях или в реальном бою. Поворота оружия против людей, носящих одинаковую с ним форму, уставы, естественно, не предусматривали. Так же, как не предусматривали ту армейскую действительность, в которой подобный поворот мог произойти.

Шум усиливался, как будто через заросли продирались опаздывающие на последний поезд дембеля. Вскоре Иванов смог различить силуэты идущих людей, а чуть позже, в пробивающихся сквозь листву косых солнечных лучах, и их лица. Он сразу понял, что слухи про ловцов дезертиров появились не на голом месте. Расхристанные, с угрюмыми, звероподобными рожами, некоторые в криво сидящей порванной форме, преследователи не могли быть никем, кроме как пущенными по следу убийцами из неведомой военной тюрьмы. Выждав, пока дистанция сократится до уровня эффективного поражения, он прицелился в идущего впереди лейтенанта в разорванном мундире. Мушка была ровной и подперла снизу небритый подбородок. Если упираться плечом в дерево, то при стрельбе сохранишь устойчивость позиции — поразив первую цель, можно быстро перевести правильный прицел на вторую, а потом и на третью. Палец плавно нажал на спусковой крючок. Мирную тишину леса разорвал грозный рев автомата.

При первых же выстрелах Вольф мгновенно залег, остро ощущая запах прелой листвы, сгоревшего пороха и крови. Он видел, как опрокинулись под ударами мощных акаэмовских пуль Скелет и Утконос. По-заячьи закричал и скорчился на земле Хорек. Груша шарахнулся в сторону и неловко упал на бок. Сзади, громко матерясь, повалились в траву остальные.

Огонь прекратился так же внезапно, как и начался. Странно! В засаде должны сидеть не меньше двух автоматчиков, перекрестный огонь обрушивается на голову и хвост колонны, уцелевших кинжальными очередями прижимают к земле и забрасывают гранатами...

Сзади раздались пистолетные выстрелы — это опомнились Зубач и Катала.

Бах! Бах! Бах!

Бах! Бах!

Пуля свистнула прямо над Вольфом.

— Вы чего?! Смотрите, куда шмаляете! — зло заорал он.

Впереди затрещали ветки, донесся топот. Стрелявший убегал?! Это уже не лезло ни в какие ворота! Вольф не мог понять, что происходит.

205

— А, паскуда!

Зубач и Катала вскочили на ноги и принялись беспорядочно молотить вслед. Пули летели хаотично, крошили листву на разных уровнях, тут и там срезали ветки. Так ни в кого нельзя попасть, можно лишь сбросить напряжение нервов. Наконец наступила тишина. Только шелестели деревья да утробно стонал Хорек.

Вольф встал на ноги и отряхнулся. Поднялись Челюсть и Груша. Последний лихорадочно ощупывал себя и икал. Зубач настороженно огляделся, сплюнул.

— Чего там с этими?

По позам лежащих Волк видел, что Утконос и Скелет мертвы. Катала подошел к ним, перевернул каждого на спину, поморщился.

— Двое готовы. Скелету в шею, а Утконосу всю башку разнесло.

— А Хорек?

— Вроде дышит.

Зубач подошел, наклонился над раненым, потом приставил ему к голове пистолет, загородился растопыренной ладонью.

— Дышит... И что толку?

Глухо ударил выстрел. Зубач вытер испачканную ладонь о траву.

— Погнали дальше!

— Куда дальше? — возразил Волк. — Под пули?

Зубач опасливо огляделся:

— А хули делать? Здесь стоять, что ли?

— Надо вначале этих найти, — Челюсть неопределенно кивнул на шелестящий кустарник. — Да разобраться с ними.

206

— Какой ты борзый! Иди, разбирайся! — Зубач сплюнул.

— Пушку! — Челюсть протянул здоровую руку.

— Чего?!

— Пушку давай, если сам бздишь! Не пустым же я пойду!

— Гля, Катала, чего придумал! Пушку ему!

Катала не ответил. Опыта нахождения под огнем у него было явно немного.

— Пустым против автомата негоже, — поддержал цыгана Вольф. — Скажи, Груша!

И хотя Груша тоже промолчал, Челюсть шагнул вперед и попытался завладеть пистолетом. Зубач отпрыгнул:

— Глохни, сука, а то я тебя заделаю! Не хер ни с кем разбираться! Сваливаем!

* * *

Беглецы прошли уже не меньше десяти километров. Несколько раз они видели группы солдат, которые неумело прочесывали лес, производя шума не меньше, чем беглые зэки. По беретам и тельняшкам было видно, что это не конвойные войска, а десантники. Зубач и остальные не обратили внимания на такую «мелочь», а Вольф расценил это как тревожный признак.

Через некоторое время он ощутил растворенные в чистом лесном воздухе молекулы знакомых запахов: оружейной смазки, ваксы, керосина, битума, нагретого дюраля. Неподалеку находилась воинская часть. Действительно, вскоре за ржавой колючей проволокой показалось летное поле, на котором стояли выкрашенные защитной краской самолеты. У Волка учащенно забилось сердце. Впервые за несколько месяцев он приблизился к знакомому и понятному миру.

— Гля, аэродром! — Груша тяжело повалился на жесткую траву, жадно хватая ртом воздух. Лицо его было покрыто потом.

— Чего завалился? Рвем когти, пока не засекли! — зло прошипел Зубач. Он был мрачен и подозрителен.

— Погоди, отдохнуть надо. — Катала сел рядом с Грушей. — Наоборот, здесь искать не будут...

Послышался нарастающий гул авиационных двигателей, на ВПП тяжело плюхнулся пузатый «Ан-24» и, пробежав по бетонке, остановился в сотне метров от ограждения. Едва замерли лопасти пропеллеров, к самолету подкатил грузовик, набитый какими-то ящиками и мешками. Несколько десантников сноровисто перегрузили их в самолет, потом, забрав пилотов, грузовик уехал. Транспортник остался на полосе с открытым люком, вопреки инструкции его никто не охранял. Вольф понял, что пилоты отправились пообедать и вскоре «Ан» опять взлетит в небо.

— Слышьте, это... — хрипло сказал Зубач и облизал пересохшие губы. — Давай в него залезем...

— В кого? — переспросил Катала.

— Да в самолет же! Нас вокруг ищут, а мы улетим к черту на кулички!

— А там что? — угрюмо поинтересовался Челюсть.

— Там разберемся...

— А давайте, — оживился Груша. — Все лучше, чем без жратвы по лесу бегать... У меня уже ноги отваливаются!

— Я подписываюсь, — кивнул Катала.

— Не знаю, — пожал плечами Челюсть. — Зачем самим в волчью пасть лезть? Хер его знает, куда попадешь... Забьют сапогами — и все дела!

— Ты как, Расписной? — Зубач в упор посмотрел на Вольфа.

Тот напряженно думал. В привычном мире легче принять правильное решение, да и хорошо бы убраться из района, где их, скорее всего, убьют при задержании. Но ни Зубач, ни все остальные не знают, какую судьбу сулит им конструкция транспортника. Только при одном условии можно соглашаться на эту авантюру...

— Я как все, — смиренно отозвался Расписной.

Ржавая колючая проволока ограждения провисла, Вольф вогнал под нее толстый раздвоенный сук и уперся ногами. Нижний ряд с трудом удалось поднять сантиметров на тридцать. Вжимаясь в землю, пятеро беглецов пролезли под колючками, при этом Груша разорвал одежду и расцарапал спину, Челюсть разбередил сломанную руку, Зубач сорвал клок кожи с затылка. Только Расписной и Катала преодолели препятствие без потерь. Потом все ползком и на четвереньках подобрались к самолету и нырнули в проем люка. В полумраке фюзеляжа пахло железом и керосином, закрепленный растяжками груз занимал почти весь проход — только справа оставалась узкая щель.

— Давайте туда!

Зажимая кровоточащий затылок, Зубач пролез первым, за ним последовал Катала, потом Челюсть... Вольф задержался и осмотрелся. Под стальной лавкой напротив люка угадывались очертания двух резервных парашютов. Это и было необходимым условием. Теперь можно присоединяться к остальным.

За штабелем ящиков и мешков оставалось достаточно пространства, беглецы уселись прямо на пол. Зубач клочком грязной тряпки останавливал кровь, Челюсть, кривясь от боли, мостил поудобнее сломанную руку, Груша испуганно озирался: окружающая обстановка явно угнетала его. Только Катала пребывал в своем обычном состоянии. А Вольф испытывал душевный подъем и прилив сил — наконец-то он находился в привычной, знакомой до мелочей обстановке и полностью контролировал ситуацию.

Через полчаса снаружи послышался шум автомобиля, веселые голоса, слова прощания. Экипаж поднялся на борт, захлопнулся люк, потом гулко лязгнула задраиваемая дверь кабины пилотов. Взревели двигатели, самолет тронулся с места, неспешно покатился, остановился, развернулся, снова покатился, набирая скорость... Каждый звук, каждое движение были понятны Вольфу: рулежка, маневрирование, разбег... И вот наконец взлет!

— Й-а-а! — оскалился Зубач и ударом левой руки по локтевому сгибу правой согнул ее под прямым углом. — Вот вам, менты поганые! Взяли? Выкусите!

— Молодец, Зубач, здорово придумал! — приободрился Груша.

— Да, по небу я еще от ментов не отрывался! — хмыкнул Катала. И неожиданно во весь голос заорал популярную зэковскую песню:

> По тундре, по железной дороге,
> Там, где мчится курьерский Воркута — Ленинград,
> Мы бежали с тобою, опасаясь погони,
> Опасаясь тревоги и криков солдат...

Надсаженный голос с трудом пробивался сквозь рев двигателей, дребезжанье обшивки и гул воздушных завихрений за тонким дюралевым листом фюзеляжа.

— Теперь нас хрен достанут!

— Руки коротки!

— Ох и погуляем теперь!

Повышенная шумность не насторожила преступников и не испортила им настроения. Они просто не знали, что она означает. Как не знали и об устройстве самолетов транспортной авиации. Эти машины не предназначены для перевозки людей, поэтому герметичной в них является только кабина пилотов. В грузовом отсеке давление и температура равны давлению и температуре за бортом.

— Кайф! Еще бы водки!

— Потерпи, Груша, скоро нажремся от души!

> Дело было весною, зеленеющим маем,
> Когда тундра проснулась, развернулась ковром...

— Эй, Расписной, чего такой смурной?

— Устал. Спать хочу.

Прикрыв глаза, Вольф напряженно размышлял.

Рабочий потолок «Ан-24» — восемь тысяч метров. Значит, минус пятьдесят по Цельсию и почти полное отсутствие кислорода. Верная смерть. Причем недостаток воздуха ощущается уже на трех тысячах. Скорость набора высоты — сто пятьдесят метров в минуту. Через двадцать минут начнется... За это время самолет

211

пролетит около двухсот километров. Вполне достаточно, чтобы выйти из круга усиленных поисков. И все же лучше оказаться от Синеозерска как можно дальше. Итак, задача...

Наметив план действий, Вольф незаметно взял себя за запястье и принялся считать пульс. Обычно у него стабильно восемьдесят ударов в минуту. С учетом перенесенных нагрузок и волнения можно ожидать повышения до девяноста-ста. Пусть будет сто, для ровного счета. Двадцать минут — это две тысячи ударов. Значит, через две тысячи ударов надо начинать действовать.

Несколько раз он сбивался, но определил время правильно, потому что почти сразу ощутил первые признаки нехватки кислорода. К тому же стало заметно холодней. Не торопясь, Вольф поднялся, прошелся взад-вперед, будто разминая ноги. Зубач и Груша дремали, Челюсть тоже находился в полузабытьи. Катала бодрствовал, хотя отчаянно зевал: организм пытался компенсировать недостаток кислорода.

— Пойду отолью, — сказал Вольф, протискиваясь между грузом и холодной стенкой фюзеляжа. Когда он сунул руку под железную лавку, сердце учащенно колотилось. Пилоты могли забрать парашюты в кабину, а может, в парашютных сумках лежит какое-то барахло: запасные комбинезоны, инструменты или сухие пайки... Пальцы нащупали брезентовую ткань, через секунду он убедился, что все в порядке: это настоящие парашюты.

Когда Вольф расправлял лямки подвесной системы, какое-то движение за спиной заставило обернуться. Зубач целился ему в голову и понимающе улыбался.

— Я всегда знал, что ты мусор! — перекрывая шум, прокричал Зубач. Он хотел сказать что-то еще, но не успел: двумя руками Вольф мощно швырнул парашют ему в лицо. Пятнадцатикилограммовый мешок опрокинул уголовника на спину, Волк прыгнул следом и нанес удар, которым боец специальной разведки нейтрализует вражеского часового. Удар получился: Зубач не успел ни вскрикнуть, ни выстрелить. Пистолет выпал из мертвой руки, и Вольф сунул его в карман. Потом быстро надел парашют, расконтрил и распахнул люк. Плотный поток холодного воздуха с воем ворвался внутрь. Наклонившись, Вольф подцепил тело Зубача под мышки и рывком выбросил за борт. Потом прыгнул следом.

После нечеловеческой тесноты камер автозака, звериной скученности «столыпинских» вагонов, дикой перенаселенности хат раскинувшееся кругом бескрайнее голубое пространство пьянило, как бесценное шампанское. Раскинув руки и ноги, он несся к разбитой на ровные квадраты полей земле, и чистые холодные струи смывали с души и тела тюремную грязь и вонь. Он парил, как птица, и наслаждался полетом, а завсегдатаи зарешеченного пространства, чувствующие себя в пропитанном миазмами и страхом парашном мирке как рыбы в воде, не умели летать, поэтому чуть ниже беспомощно кувыркалась тряпичная фигура Зубача, а трое других преступников обречены на скорую и неминуемую смерть от удушья.

Вольф вытянул кольцо, купол наполнился и остановил падение, тряпичная фигура стремительно унеслась к земле. Он поискал глазами «Ан-24». Самолет продолжал набирать высоту. Неожиданно от него отделилась черная точка. Парашютист? Нет, какой-то мешок камнем прочертил светлую синеву неба и врезался в землю. Вольфу было все равно где садиться, и он натянул стропы, сокращая дистанцию. Через несколько минут напружиненные ноги коснулись пашни, сгруппировавшись, он упал на бок и сноровисто погасил купол. Потом, по щиколотку увязая в мягком черноземе, направился к мешку. Загадка разрешилась через сто метров: в неестественной позе распростерся на пахоте Катала. Он неправильно надел парашют и разбился в лепешку.

Вольф сплюнул. Это тебе не карты передергивать! И не спасших тебя людей убивать!

Вдали тарахтел трактор. Когда Вольф подошел, тракторист вытаращил глаза:

— Шпион, что ли?

Вольф оторопел. Что, у него статья на лбу написана?

— Почему вдруг?

— А кто еще? С неба или шпионы, или космонавты спускаются. Только космонавтов тут отродясь не бывало.

— Где ближайший телефон?

Тракторист расплылся в улыбке:

— Значит, ты наш шпион, а не ихний! Вон там деревня, из правления позвонишь... Слышь, а то кто попадали?

Вольф вздохнул:

— То — ихние.

***

В деревне Вольф переполошил всех собак. Грязный, небритый, в мятой зэковской робе, он устало брел по пустынной улице вдоль неровного ряда черных покосившихся домишек, напоминающих зубы в челюсти колхозника-пенсионера. За ним клубилась пыль и катился многоголосый остервенелый лай беспородных шавок разных мастей и размеров. Не будет ничего удивительного, если из-за какой-то занавески жахнет дуплетом старенькая двустволка, заряженная вместо дроби порубленными гвоздями. В этих краях издавна за голову беглеца давали чай, сахар, сигареты и немного денег...

Но когда он подошел к правлению и увидел сторожа, опасения развеялись. У того был еще более запущенный вид, и встретил он незнакомца вполне радушно.

— Здравствуй, мил-человек. Закурить не дашь?

— Откуда? Неделю в лесу блукал, еле выбрался. Телефон срочно нужен!

Сторож задумался.

— Телефон? Надо у начальства спросить... Только ни председателя, ни бухгалтера, ни агронома — никого нету.

Вольф взглянул на тонкую шею мужика, легкомысленно заброшенную за спину берданку и тяжело вздохнул.

— Вот что, товарищ, речь идет о деле государственной важности. Тут бюрократию разводить ни к чему. Твой председатель в курсе дела. Открывай быстро!

То ли казенные обороты сделали свое дело, то ли сыграл роль грозный вид Вольфа, но сторож зазвенел ключами, отпер амбарный замок и пропустил незвано-

215

го гостя в неказистую комнатенку с древней, обшарпанной мебелью.

— Как называется деревня?

— Дворы, — шмыгнул носом сторож. — Обыкновенно называется. Дворы.

— Постой на улице!

Допотопный черный телефон тихо гудел надтреснутым зуммером. Раздолбанный диск крутился со звуком трещотки, впервые в своей долгой жизни набирая номер не сельхозуправления, не агрохимии и даже не райисполкома, а Оперативного управления КГБ СССР.

— Дежурный слушает, — четко доложила трубка.

У Вольфа перехватило горло. Он не знал, где находится, не знал, какое сегодня число, не знал даже, который сейчас час. Затерянный в неизвестности и безвременье, лишенный легендой собственной личности, размазанный по шконкам, автозакам, этапам и пересылкам, он вдруг почувствовал, что обретает привычную форму.

— Дежурный слушает! — трубка стала строже.

— Это Вольф. Передайте Петрунову, я нахожусь в двухстах километрах от Синеозерска. Деревня Дворы. Правление колхоза.

Сдавленный голос колебал мембрану, преобразуясь в электрические сигналы, которые со скоростью света пробежали тысячи километров по проводам и телефонным кабелям, искря и теряя миллиамперы на контактах сотен реле коммуникационных узлов, ворвались в оптико-волоконную систему правительственной сети, прошли через усилители, вновь превратились в звуковые волны, влетели в волосатое ухо и легли на слуховую перепонку майора в мундире с васильковыми петлицами.

— Что?! Вольф?!

— Деревня Дворы. Правление. Информация для Петрунова, — как заведенный повторил беглец.

— Ждите у телефона! Никуда не отходите, вас все ищут! Ждите у телефона! — Майор наклонился к пульту и принялся нажимать кнопки и щелкать рычажками.

Вольф положил трубку и несколько минут неподвижно сидел, облотившись на покрытый чернильными пятнами стол. Сейчас он верил в чудо и ждал, что Александр Иванович Петрунов внезапно материализуется прямо из воздуха. Но потом чувство реальности возобладало. Вряд ли кто-нибудь быстро доберется до этих богом забытых мест...

Внезапно прорвалось ощущение дикого голода. Картошка, сало, стакан самогона... Где же сторож? Он, похоже, добрый малый...

— Эй, друг!

Вольф вышел на крыльцо и замер: сторож целился из своей берданки прямо ему в живот. За ним стояли несколько мужиков с топорами и вилами.

— Подними руки! — скомандовал кто-то справа. Это оказался милиционер в потертой лейтенантской форме. Прижимаясь к стене, он наводил на беглеца пистолет. — Теперь спускайся с крыльца и лягай на землю! — приказал лейтенант.

— Брось, командир, сейчас тебе позвонят и все объяснят, — попробовал отговориться Вольф, хотя и понимал, насколько это мало реально.

— Наземь, убью!

Пришлось выполнить команду. Ему связали руки и

ноги. Веревка была толстой и теоретически для таких дел не подходила, но мужики компенсировали это старанием — Вольф не мог даже шевельнуться.

— Вот так-то лучше, — сказал лейтенант. — Объяснит он мне, клоун! Там два трупа в поле и парашюты! Что ты объяснишь? Давай, Митрич, запрягай — в район повезем...

— Поесть дайте...

— Там тебя накормят...

— Слышь, Петрович, везти не на чем — у Зорьки подковы поотлетали, — виновато сказал Митрич.

— Как так? А чего же с ним делать?!

— Чего, чего... Давай в погреб посадим. А ты звони в район, пусть там думают!

— Щас, обыскать его надо...

Милиционер ощупал Вольфа и с торжествующим криком вытащил из кармана оружие Зубача.

— Гляди, что у него есть! Значит, это ты из тюрьмы убежал да наших ребят побил!

Носок сапога вонзился в бок, в ребра, в бедро... Расправа дело азартное — несколько мужиков подбежали и принялись топтать распростертого на земле беглеца.

— У, бандюга, сучья кровь! Это небось он сарай у Тимофея спалил!

— Он, точно, больше некому!

Тяжелые удары градом сыпались со всех сторон. Вольф не мог ни увернуться, ни защититься. Черенок вил ткнул в лицо, из лопнувшей губы потекла кровь. Внезапно пришла мысль, что здесь, в неизвестной деревеньке Дворы, нормальные работящие мужики могут забить его насмерть, как забивают пойманного в овчарне волка. И то, что он офицер, орденоносец, сотрудник КГБ, выполняющий задание государственной важности, никакой роли не сыграет: бессмертные супермены встречаются только в кино...

Внезапно сквозь застилающую сознание пелену прорвался озабоченный крик сторожа:

— Петрович, иди быстро, тут тебя к телефону требуют!

Удары сыпались еще целую вечность. Вольф перестал ощущать боль, только глухие толчки, болезненно отдающиеся внутри.

— Разойдись! Назад все! Не бить! — истошно заорал с крыльца Петрович. Град прекратился. — Вы что, офанарели? Люди вы или звери?! Развязывай его, быстро!

Подбежав, лейтенант лихорадочно принялся ощупывать Вольфа, растирать затекшие руки и ноги.

— Как же это так... Откуда я мог знать... Держись, братишка... Эй, дайте под голову что-нибудь!

— Што такое, Петрович? Што стряслось?

— Да то! Это важный человек! Из самой Москвы звонили, приказали охранять и заботиться! А вы его чуть насмерть не замолотили!

— Подожди, ты же сам...

— Что я? Что я?! Я для порядка, несильно...

Перебранку перекрыл нарастающий гул — вначале показалось, что подъезжает машина, но гул был слишком сильным, будто газовала целая колонна грузовиков. Подул сильный ветер.

— Ничего себе! Вертолет из Москвы! Давай по домам от греха!

Преодолевая боль во всем теле, Вольф приподнялся.

— Оклемался? Ну и слава богу! Давай я тебе помогу, — суетился лейтенант.

Мужики со всех ног разбегались в разные стороны, только сторож топтался поблизости, но ружье на всякий случай прислонил к крыльцу.

Метрах в сорока на выгоне садился выкрашенный в защитный цвет «Ми-2» с красной звездой на фюзеляже. Вот шасси коснулось земли, рев двигателей смолк. Ставшие видимыми лопасти медленно тормозили свой бег. Сразу же распахнулся люк, несколько человек выпрыгнули наружу и побежали к правлению. Первым мчался подполковник Петрунов.

***

— Здорово совпало! — обаятельно улыбался Александр Иванович. — Мы с Романом целый день челночим над лесом, тебя высматриваем, а тут радиограмма: Дворы! Коля говорит: «Да это рядом!»

— Километров шестьдесят, не больше! — улыбнулся местный опер, разливая водку. Он организовал отдых по высшему разряду: горячая баня, холодная «Столичная», жареная дичь, соленые грибочки...

— Как по заказу получилось! — Лейтенант Медведев, широко улыбаясь, подложил Вольфу в тарелку грудку куропатки.

Все трое, распаренные и благодушные, сидели на веранде, лениво отмахиваясь от комаров. Вольф с наслаждением вдыхал чистый лесной воздух и ощущал непривычное чувство сытости. Водка его не брала: хотя боль в теле заглушилась, сознание оставалось ясным.

— Минут за пятнадцать и долетели! — закончил Петрунов.

— Если бы за десять, мне бы меньше досталось, — пошутил Вольф, поднимая рюмку. — Вон как разукрасили!

— Ничего, это даже к лучшему! — выскочило у Александра Ивановича. Спохватившись, он несколько стушевался, лучезарная улыбка потускнела.

— Что ж тут хорошего, если меня отмудохали до потери пульса? — раздраженно спросил Вольф.

— Не обижайся. Главное, кости целы, все цело. А для легенды действительно лучше...

При Коле о делах не говорили: конспирация не терпит лишних ушей, чьи бы они ни были — даже для соратников не делается исключений.

— Давайте за Владимира! — предложил Медведев. — Полтора месяца уже, даже мне тяжко...

— Полтора месяца? — Вольф почесал в затылке. — Мне кажется — целая вечность...

Коля деликатно потупился и встал:

— Пойду посмотрю, как там ночлег готовят...

— Да сиди, без тебя справятся, — для проформы сказал Петрунов, а когда коллега ушел, нетерпеливо повернулся к Вольфу: — Ну, как ты?

— Еле дотянул. Еле-еле...

Петрунов насторожился и перестал улыбаться.

— Как «дотянул»? Операция только начинается! Там знаешь что наверху творится? Целая буря! Рябинченко Вострецова отжарил, тот — меня! Дал неделю сроку, иначе, сказал, шкуру снимет!

— Не по-настоящему ведь! — угрюмо сказал Вольф. Слова подполковника не произвели на него ни малейшего впечатления.

— Что?

— Шкуру он не снимет. И не зарежет. И в петушатник не загонит.

— Что ты говоришь? — Петрунов вытаращил глаза.

— Под шконкой не прогонит. Не удавит ночью. Гвоздь в ухо не забьет...

— О чем ты, Володя? Тебе плохо?

— Нет, все нормально. Сейчас мне хорошо. Много пространства, чистый воздух. И вокруг нет десятков ядовитых змей, которые ползают по телу и могут укусить в любой момент...

Вольф налил сам себе и выпил, потом налил еще раз.

— Вы знаете, Александр Иванович, здесь даже бьют по-другому. Посмотри: вчетвером старались — и я отделался синяками и ушибами. А там *посадили* бы на копчик и в момент сделали инвалидом на всю жизнь.

— Я ничего не понимаю, Владимир. К чему ты все это говоришь?

— К тому, что Вострецов ничего не может. И Рябинченко тоже ничего. Ну, понизят в звании. Уволят из органов. Исключат из партии. И все! Чего их бояться?

Петрунов и Медведев переглянулись. Было ясно, что коллега повредился рассудком.

— Роман, пойди посмотри, где Савин, — распорядился подполковник. И когда они остались вдвоем, мягко обратился к Вольфу: — Тебе надо отдохнуть. Ты многое пережил, у тебя стресс. Это понятно. Выпей, расслабься, отдохни. У нас еще есть время. До завтра.

— Нет, Александр Иванович, нет! — Вольф отчаянно затряс головой. — В тюрьме я собрал волю в кулак, переродился, приспособился к скотским условиям и был готов идти до конца. Если бы не этот побег... Но сейчас все изменилось, я снова стал человеком, почувствовал вкус нормальной жизни и уже не могу возвращаться в зверинец. Извините. Не могу, и все!

— Но ты ведь знаешь, *что* стоит на карте! Речь идет о престиже страны на международной арене! Ведь ты железный парень и патриот!

— Пожалуйста, дайте мне штурмовую группу, взвод или роту — я выполню любое задание!

— Задание у тебя уже есть. И только ты можешь довести его до конца. Без тебя все дело лопнет.

— Но я не могу! Не могу физически!

— Брось, Володя! Ты можешь все. Все! Ты по-настоящему железный парень! Мы знакомы много лет, я всегда ценил и уважал тебя. Я надеюсь на тебя. Это я рекомендовал тебя генералу. И Вострецов надеется на тебя. И Рябинченко тоже.

— Пусть надеются. Кто такой Рябинченко? Я его только на фотографии видел. Да и Вострецов... Что он мне — отец родной?! Почему они должны держать меня в хлеву? Пусть сами попробуют понюхать камеру!

Это были опасные слова. За такие слова ставили на учет диссидентов и профилактировали на полную катушку: кого в психушку, кого в ссылку, кого в тюрьму... Однако Вольф и так сидел в тюрьме.

Петрунов тяжело вздохнул. Но у него был многолетний стаж оперативной работы, а это кое-что да значило.

— Дело не в них, дело в тебе! Ты ведь взялся за это задание! Ты дал слово! Тебе доверились! Ты ведь не можешь дать задний ход! Бросить все на полдороге, как никчемный трус!

Наступила тяжелая пауза. Вольф большими глотками пил водку прямо из горлышка. Этого он не делал никогда в жизни. Подполковник понял, что наступил перелом. Пустая бутылка полетела в сторону.

— Да, за слово отвечать надо. А то недолго фуфлометом оказаться. Западло это!

Находящийся в побеге осужденный Вольф поднял на подполковника глаза. От этого взгляда Александр Иванович поежился.

— Только если бы вы сразу бросили меня в вертолет и выкинули в зоне, было бы легче. А после всего этого, — Вольф обвел рукой богатый стол, — получается настоящее живодерство. Вот так шкуру и снимают!

На следующий день подполковник Петрунов доложил по ВЧ-связи генералу Вострецову, что прапорщик Вольф приступил к продолжению задания.

— Вы объяснили, какое ответственное дело мы ему доверили?

— Так точно! — отчеканил Петрунов.

— Напомнили о долге офицера и коммуниста?

— Точно так!

— Сказали, кто держит дело на контроле?

— Сказал, товарищ генерал!

— Времени у него немного, мы и так опаздываем. Самое большее — две недели. Он об этом знает?

— Знает, товарищ генерал.

Вострецов удовлетворенно кашлянул:

— Что ж, хорошо. Тогда будем ждать результата.

— Результат будет, товарищ генерал. Вольф очень ответственный и самоотверженный человек.

— По-моему, вы его перехваливаете. Впрочем, увидим.

Криминальные приключения

Повесть

СТЕРИЛЬНАЯ ПЛАНЕТА

1

— Вот она. — Палец Джена Росса уперся в экран, оставив на стекле жирный отпечаток отчетливо видимых папиллярных линий. Точно такой же, как те, что хранятся в дактилоскопических картотеках всех полицейских участков обитаемого космоса. Джен недовольно вытер стекло рукавом и еще раз подчеркнул ногтем маленькое зеленоватое пятнышко. — Вот она, — на этот раз голос его перекрыл надсадный шум системы охлаждения.

Артур Брэдли молча подошел и встал за его спиной.

— Вот она, — в третий раз повторил Джен Росс и улыбнулся. — Теперь бояться нечего, дотянем...

Артур злобно выругался.

— Ну а если даже дотянем, а не изжаримся в этой коробке, если благополучно пройдем сквозь атмосферу и не взорвемся при посадке — что тогда? — Его пальцы судорожно вцепились в плечо Джена. — Ты можешь ответить мне, умник? Что ты заладил: «Вот она, вот она!» Чему ты радуешься? Пояра — проклятая богом и людьми планета! Ее обходят стороной, и вряд ли найдется пилот, который высадится там даже за десяток тысяч монет!

Бешено вытаращенные глаза набухали кровью.

— А ты тащишь туда меня и идиотски улыбаешься, как будто заполучить «цветную чуму» — твоя заветная мечта!

Артур на секунду умолк, хватая ртом воздух, и наткнулся на недобрый взгляд Джена Росса.

— Прекрати истерику, парень! Держи себя в руках, иначе тебя опять скрутит припадок. — Росс сказал это тихо, даже не сказал, а процедил сквозь зубы, тяжелым взглядом упираясь в глаза своему компаньону.

Артур стих. Припадки начались у него после катастрофы «Аргуса» — линейного корабля первого класса. Брэдли один уцелел и двое суток пытался открыть заклинившую дверь радиоотсека. И когда кислорода в последнем баллоне оставалось на несколько минут, его нашли спасатели. От такого кто угодно вообще свихнется...

Сейчас до припадка оставалось совсем немного, но Артур надеялся сдержаться. Он напряг мышцы, подавляя нервный озноб, и как сквозь сон слушал слова Джена Росса.

— По крайней мере здесь нет полиции. Сделаем двойную прививку биоблокады — и плевать на «цветную чуму». Все будет в норме, приятель. Ты же и сам понимаешь, что сейчас для нас лучшее место в Галактике, — Росс ласково погладил точку на экране обзора, — Пояра...

2

Пояра на космолингве — Стерильная планета. Видно, у первооткрывателя было свое представление о чувстве юмора, если он дал такое название миру, который имел, пожалуй, самую дурную репутацию в исследованном районе Вселенной.

Даже Урсела с ее непроходимыми джунглями кровососущих растений, наэлектризованной атмосферой, ядовитыми болотами, населенными кошмарными монстрами, чудовищнее которых не увидишь и в жутком сне, вызывала меньший страх у звездолетчиков. В конце концов, опасности Урселы — ощутимые реальности, им вполне можно противопоставить скафандр высшей защиты и мощный бластер в руках опытного человека.

Пояра таила угрозу неотвратимую, непонятную, а оттого еще более страшную.

«Цветная чума». Эти слова можно было услышать в барах всех звездных систем от любого подвыпившего астролетчика. А заодно и рассказ об этой ужасной болезни, от которой не было защиты и спасения.

Иногда удавалось встретить человека, помеченного «чумой». Нельзя было без содрогания смотреть на звездообразные вздутые пятна разных цветов, разбросанные по всему телу пострадавшего.

У Одноглазого Сэма, которого хорошо знали Росс и Брэдли, пятна были желтыми. Два на лице и добрая дюжина на теле. Сэм бросил прежнее ремесло и теперь отирался в различных притонах, где его поили прежние дружки, которых он взамен пичкал одним и тем же рассказом о высадке на Пояру. Росс помнил этот рассказ почти дословно.

Сэм и шестеро его приятелей ворвались в туземное поселение. Цель была обычной: у первобытных цивилизаций всегда есть чем поживиться — какой-нибудь корень долголетия или сыворотка молодости, может быть, шилинный мед, а если повезет — то и серебряная кора...

И все шло как обычно — ребята подожгли какую-то постройку и стали шнырять по хижинам. Сэм — слюнтяй, он плохо знает, с какой стороны браться за бластер, поэтому стоял в стороне и смотрел. У туземцев не было оружия, и все шло как по маслу. Но вдруг один из парней схватился за горло и упал, на лице вздулось красное пятно — как след от выстрела, — изо рта брызнула пена. Все кончилось очень быстро, он только пару раз дернулся да закричал так, что у Сэма, когда он об этом рассказывал, перекосилось лицо.

Потом упали еще двое, а Сэм и остальные, не дожидаясь своей очереди, бросились к кораблю. Но добежал один Сэм. Последний из его дружков свалился у самого люка. Сэм говорит, что он был мертв, но кто его знает... Сэма можно понять. Он захлопнул люк и повалился на пол прямо в шлюзе. А когда очухался, то увидел на себе желтые пятна... Как ему только удалось стартовать?

Когда патрульная служба сняла его с корабля, Одноглазый был полупомешанным, все ждал смерти. Почти целый год провел бедолага в жутком ожидании, потом постепенно отошел, но вконец спился. Сейчас он уже ни на что не годен.

Да и у других, отмеченных «чумой», такая же судьба. Правда, все это слюнтяи, вроде Сэма. Возможно, уцелей кто-либо из стоящих ребят, например Джозеф Боцман, он бы остался в строю и рассказал, с какой стороны взять эту планетку. Но Джозеф мертв, как и весь экипаж «Кальмара», как и многие друзья Джена Росса, которые остались на Пояре. Может быть, теперь настал его черед...

3

Артуру казалось, что температура в рубке повышается. Нестерпимо горячим и густым воздухом нельзя было дышать. Корабль уже, конечно, потерял управление и сейчас падал в бездну, обреченный через несколько часов стать эпицентром взрыва — двигатель вышел из-под контроля...

Брэдли намертво вцепился в ручки кресла. Страх захлестнул его, сознание услужливо рисовало картину неизбежной гибели. Начался припадок. Артур сжался в кресле, готовясь вскочить и бить, крушить все, что попадется под руку, но в этот момент Росс ударил его рукоятью бластера по голове.

Глядя на обмякшее тело компаньона, Джен Росс похвалил себя за быстроту реакции. Во время припадка Артур опасен. Бедняга, после тесного отсека «Аргуса» он не может вынести даже малейших неисправностей в оборудовании корабля. А сейчас половина бортовых систем ни к черту не годится! Только бы дотянуть до Пояры — Джен Росс посмотрел на экран и отметил, что пятнышко планеты заметно увеличилось. Еще несколько часов полета, а потом...

Расчет Росса был прост. На Пояре погиб не один экипаж. Зато их корабли стоят там в целости и сохранности. Можно будет выбрать любой... Выйти в дальний космос, два-три удачных дела — и все. Джен Росс перестанет существовать.

Артур, да и многие другие болваны не слышали про пересадку разумов. А он, Росс, слышал. Самое трудное в этом деле — подыскать подходящее тело. Он это сделал. Молодое, крепкое тело, которое пока называется Робертом Нортом.

Артур не мог понять, зачем он нанял этого сопляка, который только закончил штурманскую школу. Но предусмотрительность — одно из наиболее уважаемых Россом качеств характера. Благодаря этой предусмотрительности Джен Росс отказался от первоначального этапа плана использовать для пересадки тело Брэдли — был риск заполучить вместе со стальными мышцами и высоким ростом этакий довесок — припадки... Росс решил исключить подобную возможность.

Как раз на Бакдоре подвернулся Роберт Норт...

4

Роберт проснулся и сразу же ощутил непонятное беспокойство, не оставлявшее его с момента старта. Тогда, на Бакдоре, у него не было другого выхода. Единственный контракт, который ему удалось заключить после Школы, гарантировал место штурмана на рудовозе «Блик» только на один рейс. Норт думал, что все устроится, но, стоя на обожженной почве взлетного поля и провожая глазами выхлоп кормовой дюзы «Блика», он понял, что допустил ошибку.

Бакдор лежал в стороне от пассажирских и торговых трасс. Это была дикая планета, густо поросшая лесом. В скалистом кольце вдоль экватора каторжане добывали цистиновую руду. Дважды в месяц сюда прибывали рудовозы, да изредка звездолет тюремной службы до-

232

ставлял новую партию заключенных и забирал отбывших свой срок. Следующий рудовоз должен был прийти через две недели, а о том, чтобы устроиться на корабль тюремной службы без специального допуска, нечего было и думать.

Наступала ночь, подул резкий холодный ветер, протяжно закричала в лесу какая-то тварь, а Роберт Норт стоял на круглом пятачке летного поля и не знал, что делать. Примерно в полукилометре темнели громады автоматических пакгаузов, а чуть левее возвышался шпиль радиомаяка.

И это было все. Дальше начинался лес, незнакомый лес чужой планеты. В такой ситуации мог растеряться даже старый космический волк, а двадцатитрехлетний штурман был близок к отчаянию.

Тут-то и свалилась с неба обшарпанная колымага Джена Росса. Это был корабль устаревшей модели с измятым стабилизатором и побитыми бортами, но Роберту казалось, что лучше этой машины не найдется в целом свете.

Он бросился к проему люка, а когда корабль стартовал, заполнив топливом цистинные камеры, на борту находился новый член экипажа — Роберт Норт.

Росс взял его охотно. Сочувственно выслушал, расспросил о родных, близких и друзьях, справлялся о здоровье. Но молодому человеку не понравился взгляд капитана — какой-то хищный, ощупывающий, с затаенным недобрым блеском.

Да и весь облик Джена Росса не вязался с его мягкой, вкрадчивой речью и навязчивой обходительностью. А его товарищ Артур — неразговорчивый грубый человек, настроенный откровенно враждебно, — внушал Роберту какой-то страх. Тогда-то и поселилось в душе Норта непонятное беспокойство, тревожное ожидание... Это неприятное ощущение не покидало его весь рейс. Поэтому свободное от вахт время Роберт проводил в своей каюте, стараясь не общаться с новыми знакомыми.

Корабль начал торможение, и Норт направился в рубку.

5

Артур пошевелился и открыл глаза.

Припадок?

— Ты абсолютно прав, дружище, именно припадок, — Росс явно издевался. — Ты слишком пуглив для астронавта, вот в чем все дело.

— Помолчи. Вспомни-ка лучше, что ты тоже побаиваешься кое-чего. — Артур недобро улыбнулся. — Встречи со своими старыми друзьями из десанта, например. Ну, что скажешь, умник?

Росс скрипнул зубами. Пять лет прослужил он в Звездном десанте. Потом ушел и тем самым вынес себе приговор. Окончательный и неотвратимый. Устав и инструкции четко определяли, как поступать в случае дезертирства. Росс помнил эти строки наизусть:

«Если дезертиром является десантник, давший клятву присяги и принимавший участие в акциях отряда, он подлежит безусловному уничтожению (№ 8, п. 5 Устава Звездного десанта).

Для выполнения п. 5 № 8 УЗД выделяются три человека из числа наиболее близких друзей дезертира, которые лучше осведомлены о характере, привычках и связях последнего (№ 2 п. 1 Инструкции о приведении в исполнение приговоров трибунала Звездного десанта)».

По следам Росса пошли Камил Денев и братья Робинс. Все трое — отчаянные головорезы, орудующие ножом и бластером лучше, чем ложкой. Рука не дрогнет ни у кого из них. Эту троицу Росс боялся больше, чем всю Галактическую полицию. Он знал, что рано или поздно бывшие друзья найдут его. Даже переселившись в другое тело, он, наверное, будет бояться десантников...

— Что же ты молчишь, умник? — Артур торжествовал. — Расскажи-ка, как ты с дружками веселился на Оресе-1? Я видел фотографии Галактической инспекции. Зрелище не из приятных. Конечно, можно свалить это на проделки артиронов, только не каждый поверит в эту официальную басню...

Рот Брэдли растянулся в широкой улыбке.

— Артироны — мирные ребята, к тому же у них просто не хватит фантазии на такое. А у вас ее хоть отбавляй. Понятно, что твоим бывшим приятелям не нравится, когда человек, видевший все это, вдруг исчезает. А вздумай он кому-нибудь сболтнуть?

— Я не был на Оресе. — Росс еле сдерживался.

— Был, Джен. Расскажи мне, кто это придумал? Может быть, ты? Ты ведь у нас умник!

— Не будем ссориться, Артур, — Росс сказал это так, что Брэдли сразу смолк. Ссориться с Россом действительно не стоило.

Он удобней устроился в кресле и пощупал шишку над ухом.

— Сшиб ты меня мастерски.

Росс улыбнулся про себя: это азы спецподготовки. Умеем кое-что почище.

— Готовь скафандры и сыворотку, Артур. Да не бойся, на Пояре мы не задержимся. Нам только взять корабль...

— А деньги? — В рубку вошел Роберт Норт. — На какие деньги мы купим корабль?

— Я не сказал «купим», малыш. Там должно быть много свободных кораблей. Мы выберем любой. Для тебя будет полезной практикой водить машины разных классов. Кстати, ты освоил бластер?

— Осваиваю, мистер Росс.

— Делай это быстрее, мальчик. А сейчас иди готовься: через час высадка.

— Послушай, Джен, зачем ты возишься с этим сопляком? — спросил Артур, едва Норт вышел. — Неизвестно зачем взял его на корабль, учишь обращаться с бластером. Решил стать нянькой?

— Это пригодится ему, Артур. И нам тоже. Не забывай, теперь он наш товарищ.

— Хорош товарищ, — Артур презрительно хмыкнул.

— Ты знаешь, чем мы займемся, когда добудем корабль? — Росс оставил выпад без ответа.

— Ну, это понятно, — улыбнулся Брэдли.

— Ничего тебе не понятно, — презрительно бросил Росс. — Хватит сшибать куски по мелочам. Надо выходить на другой уровень...

Артур слушал с приоткрытым ртом.

— Знаю я одну планетку. — Росс мечтательно прищурился. — Чудная планетка, вся в зелени, мягкий климат. Население — симпатичные гуманоиды. Солнцепоклонники. У них есть храм — такое величественное здание на холме. Утром и вечером во время молитв оно прямо горит и переливается в солнечных лучах. Прекрасное зрелище...

Росс причмокнул губами и оживился.

— Представляешь, вокруг него — прямо как нимб — радужное сияние... Так вот. — Лицо Росса приняло обычное выражение. — Облицован этот храм бриллиантами. Отличные камешки — крупные, один к одному, обработаны вручную. Там их видимо-невидимо. Хватит на сто жизней!

— Туземцам это не понравится, — Артур облизал пересохшие губы, — они будут протестовать.

— Конечно, будут. В прошлый раз они ухлопали Мака Силлона, а я едва успел унести ноги. Но игра стоит свеч. Теперь понимаешь, почему я учу малыша обращаться с бластером?

— Понимаю, — Артур кивнул.

«Понимаешь-то ты не все, приятель, — подумал Росс. — Вряд ли от сопляка будет много пользы. Но я хочу, чтобы новое тело имело все нужные рефлексы».

— А как поделим? — внезапно спросил Брэдли.

— Ты что, не умеешь считать? На три части, разумеется. — Только сейчас Росс открыл еще одну выгодную сторону своего замысла. После Трансформации он станет обладателем двух долей!

— Многовато для сопляка, — проворчал Артур. — Я не против дележки, но равные доли — это слишком!

— Рисковать он будет не меньше нас. — Росс отвернулся, давая понять, что вопрос решен.

6

Посадка прошла нормально. Корабль еще покачивался на амортизаторах, когда Джен Росс взял пробу воздуха. Результат анализов несколько успокоил его — воздух пригоден для дыхания, болезненных микроорганизмов нет.

— Может, обойдемся без скафандров, одними масками?

Артур пожал плечами:

— Что-то не нравится мне здесь...

— Да брось ты. — Джен Росс хлопнул его по плечу. — Посмотри, сколько кораблей. Я даже не ожидал, что будет такой выбор. Наконец-то избавимся от нашей лоханки!

Настроение у Джена Росса было отличным.

— Скоро заживем по-настоящему, ребятки. — Он обнял за плечи Артура и Роберта. — Добудем деньжат — и на Олимп! Вы бывали на Олимпе?

Вопрос этот не требовал ответа. Росс знал, что ни один из его компаньонов там не был. Еще бы! Только пошлина за посадку корабля — три тысячи монет! Но десантников возили на Олимп бесплатно. Раз в год. Росс до сих пор хорошо помнит прозрачно-синий океан, многокилометровые широкие пляжи — россыпи крупного белого песка — и удивительное чувство ловкости и силы, возникающее от ослабленного притяжения и опьяняющей свободы, которую предоставляли им карточки десантников. Они позволяли делать почти все, что вздумается. Почти все...

Да, на Олимпе можно было отдохнуть...

Там продавалось все, что угодно, начиная от наборов наркотических трав Ройалы, дающих незабываемые цветные галлюцинации направленного действия с полным эффектом присутствия и обратной связи, и кончая женщинами всех сортов и мастей, на любой вкус. Выбор женщин был даже шире.

Росс посещал Олимп четыре раза. После последнего отдыха десантников бросили на Корон — усмирять взбунтовавшихся аборигенов. И там, в сизых, мокрых, гниющих джунглях, он вместе с Деневом и братьями Робинс мечтал о пятом посещении божественной планеты. Но пятого раза не было ни для кого из них.

Ночью туземцы пошли в атаку, и дело приняло скверный оборот. Росс не захотел остаться тут навсегда, он поднял десантный бот и бежал, надеясь, что никого из свидетелей дезертирства не останется в живых. Но подоспевший экспедиционный корпус выручил десантников, тем самым спутав карты Росса.

Теперь бывшие друзья идут следом. У них есть стимул: когда они сделают свое дело, получат отдых — два месяца на Олимпе...

— Люди! — Крик Артура заставил Джена вздрогнуть. — Смотрите, вот они!

Вдали у скал показались несколько маленьких фигурок. «Раз, два, три...» — привычно подсчитывал Росс. Восемь. Они шли к кораблю без всяких предосторожностей.

Росс дал максимальное увеличение на экран обзора. Брэдли тяжело дышал ему в затылок.

— Кажется, они без масок, — удивленно выдохнул он. — Может, и нет здесь никакой «чумы»? Но я черта с два выйду без респиратора!

— Кажется, они и без оружия, — растерянно сказал Росс. — Не может быть...

— Это какая-то хитрость. Может, ловушка? — Брэдли с силой провел рукой по лицу.

— Хватит болтать! Выходим! И не зевайте, — сказал Росс, цепляя за пояс, под левую руку, второй бластер.

Стрелять с двух рук он тоже выучился в десанте.

7

Трава под ногами мягкая и длинная, в половину человеческого роста. Равнина поросла ею до самого горизонта. Только рыжие скалы изредка нарушали однообразие чуть колышущегося зеленого поля.

Да еще тут и там виднелись округлые тела кораблей. Из-за гравитационных завихрений здесь находилось самое удобное на всей планете место для посадки. Поэтому кораблей было много. Разных систем, типов и классов. И старые звездные скитальцы, покрытые толстой коркой окалины, и почти новые машины, сверкающие полированными бортами.

Но густая трава у дюз свидетельствовала о том, что двигатели не работали уже давно.

— Послушай, может, это кладбище? Может, это негодные машины? — Даже маска не скрыла тревоги в голосе Артура.

— Чепуха... — Росс погладил обшивку одного из кораблей. — Люки закрыты, что с ними могло случиться?

Роберт шел молча, о чем-то размышляя.

— А ведь это, пожалуй, крейсер. — Артур показал рукой вперед.

Джен Росс уже давно обратил внимание на мощный угловатый корабль. Но только сейчас он рассмотрел, что в черной броне отсвечивают люки орудийных портов. Это действительно был крейсер.

— Крейсер типа «Дракон», класса 2-а, — дал квалифицированное заключение Норт.

— Ты здорово разбираешься, малыш. — Артур посмотрел на Роберта почти ласково. — Сможешь поднять его?

— В Школе нас учили водить любые корабли, но тут нужно восемь человек экипажа...

— Самое главное — стартовать. — Росс потерял свое обычное спокойствие. — Я немного разбираюсь в управлении этой штукой. Артура научим. Как-нибудь дотянем до обитаемого сектора. А подобрать еще пять человек — раз плюнуть.

— Только зачем нам крейсер? — спросил Норт.

Брэдли и Росс переглянулись, усмехаясь наивности вопроса. О такой удаче они не могли и мечтать. Заполучить крейсер! Сразу изменится масштаб работы!

Остановить пассажирский лайнер, навести орудия, дать час срока, и пожалуйста — корабельная касса, ценности и деньги пассажиров в кармане. Никаких лишних хлопот и почти никакого риска!

Или сесть где-нибудь на богатой планете, снести половину города или селения и разъяснить уцелевшим аборигенам, что от них требуется. Потом набить багажные камеры синим лесом, ониксом или еще чем-нибудь и дальше в путь...

Отвечать Норту Росс не стал. До группы людей было уже не очень далеко. Несколько высоких темных фигур отошли в сторону и остановились.

— Туземцы, — прошипел Артур. — Они дружат с туземцами!

— Нам все равно. — Росс отвечал машинально, он старался рассмотреть лицо первого из шестерых мужчин. — Нам нужен корабль.

Они сблизились почти у самого люка крейсера и остановились в десятке шагов друг от друга: три человека с одной стороны и шестеро — с другой.

Одного из этих шестерых Росс знал. Пола Ходрига знали все астронавты старшего поколения. Его любили и уважали — за честность, мужество и верность слову. Его боялись — за суровость и беспощадность. Его ценили — за справедливость.

Полу Ходригу часто приходилось выступать судьей в спорах, и его решение являлось окончательным. Он был авторитетом, заметной фигурой обитаемых секторов космоса.

Пропал Пол три года назад: не вернулся из рейса, все считали, что он погиб. Росс и не ожидал, что встретится с ним когда-либо. И меньше всего ему хотелось, чтобы встреча произошла сейчас. Единственное, что утешало его, — это то, что Пол был без бластера. Остальные — тоже безоружны.

«Расстояние маленькое, — прикинул Росс. — Ну ничего, успею. Если что — будет хуже для них».

— Можете снять маски, — сказал Ходриг. — Здесь они ни к чему.

Он посмотрел в лицо Россу и прищурился.

— Я узнал тебя, Джен.

— Я тебя тоже, Пол. — Росс решил остаться в маске, она защищает лицо, мало ли что...

— Не говорю, что рад вам, но раз прибыли, что ж, добро пожаловать. Твоих спутников я не знаю, кто они? — Пол ощупал Роберта и Артура внимательным взглядом.

— Мои друзья.

Пол хмыкнул:

— Ну что же, делать нечего. Раз уж прилетели...

— Мы ненадолго, Пол, — сказал Джен Росс. — Нам нужен корабль, наша жестянка пришла в негодность, — он кивнул в сторону своей ракеты.

— Корабль? — Ходриг саркастически улыбнулся. — Наверное, крейсер?

— Да, лучше крейсер. — Росс уже почувствовал издевку в тоне собеседника, но решил идти напролом. — Он в порядке?

— В полном. — Пол Ходриг улыбнулся еще шире. — Орудия исправны, оборудование цело, даже баки заправлены.

— Мы покупаем его. — Росс посмотрел на Артура и вновь перевел взгляд на Пола Ходрига, пытаясь по его реакции предугадать, чем кончится дело.

— Нам не нужны деньги. Да и корабли эти нам не нужны. — Пол провел ладонью по лицу и опять хмыкнул.

— Ну что ж, прекрасно, большое спасибо вам, ребята, выручили. — Росс шагнул к люку. Он чувствовал: что-то не так, но действовал быстро и нагло, чтобы не дать Полу опомниться. — Счастливо оставаться.

— Постой, Росс.

Джен Росс остановился. До люка оставалось метра четыре. Два прыжка.

Левой рукой скосить Пола, правой — еще двоих, локтем ударить клавишу замка. Двоих уложит Артур. Малыш разделается с последним, даже если струсит, один человек не в счет. Захлопнуть люк, через десять минут можно стартовать. Что сделают остальные и эти туземцы с броневой обшивкой?

Мысли проносились мгновенно; мозг напряженно просчитывал ситуации.

— В чем дело?

— Вы никуда не улетите отсюда, Джен. — Лицо у Ходрига было немного скучным, как будто он втолковывал какому-то несмышленышу прописные истины. — Вы останетесь с нами. Планета отличная, останетесь довольны. Поживете пару лет, за это время станете другими людьми. Потом, если захотите, уйдете. И не на крейсере, конечно.

— Я тебя не понимаю, Пол. — Росс напрягся и изготовился.

— Все очень просто. Я ведь тебя знаю. Ты хищник, Росс. И дружки твои, наверное, тоже. Мы не позволим вам уйти в космос. Вы опасны для людей. — Внимательность, с которой Пол наблюдал за ним, сдерживала Росса. — А теперь бросьте оружие.

Росс опустил руки на бластеры и быстро глянул в сторону. Артур и Роберт сделали то же самое, но Россу не понравилось выражение лица Норта.

— А где твой бластер, Пол? — спросил Росс.

— Здесь он мне не нужен. — Пол был спокоен.

244

— Бластер нужен всегда, — философски изрек Артур и, аргументируя свою фразу, выдернул оружие из кобуры.

В этот же миг Роберт прыгнул вперед и, развернувшись, направил свой ствол в лицо Брэдли. Такого оборота Росс не ожидал, но реакция у него была отличная, и удар выстрела отбросил Норта в сторону.

Целился Джен Росс, как всегда, в левую сторону груди, но, когда спускал курок, спазм перехватил ему горло, сжал легкие и остановил сердце. На лице вспыхнули два красных звездообразных пятна, и он беспомощным кулем повалился на землю. Брэдли даже не успел выстрелить. Он упал рядом, судорожно содрав маску, под которой багровело пятно, напоминающее след от пули.

— «Цветная чума»! — в ужасе крикнул Норт, зажимая простреленную руку. — Спасайтесь, «цветная чума»!

Он попытался бежать, но упал и, лежа на земле, смотрел на обступивших его людей. Они стояли спокойно, не пытаясь прятаться и защищаться от ужасной болезни, смотрели как-то отчужденно, и в их взглядах было холодное осуждение и ожидание чего-то неизбежного. Так смотрят на обреченных.

Но постепенно взгляды смягчались, и стена отчуждения исчезла. Пол Ходриг улыбнулся.

— Не бойся, парень. Сними маску. Пояра — стерильная планета. Здесь нет ни микробов, ни болезней. А это, — он махнул рукой в сторону трупов Росса и Брэдли, — это другое. Просто Пояра — единственная в Галактике планета, которая не терпит негодяев.

С ними она расправляется по-своему. Грабители и бандиты, воры, убийцы и сутенеры — вся эта плесень цивилизации не может уцелеть здесь. Я же говорю: Пояра — стерильная планета.

Пол хлопнул Роберта по плечу.

— Пойдем, парень. С друзьями Пояра ласкова, заботится о них, как нянька. Смотри. — Пол осторожно взял его за руку.

Роберт посмотрел на рану.

Кровотечение прекратилось, не стало видно задетой кости, одна на другую набегали прозрачные пленочки, застывая и слой за слоем покрывая разорванные ткани.

Рана заживала на глазах.

Норт встал. Чувства реальности происходящего не появилось, но боль уменьшилась.

— Занятная планетка. — Он обвел взглядом вечную стоянку кораблей, дружелюбных людей, высокую траву вокруг и потряс головой. — Как же она это делает?

— Пытаемся выяснить, — подмигнул Ходриг. — Если получится, все планеты станут стерильными. Представляешь?

— Представляю. — Норт еще раз тряхнул головой и вместе с новыми товарищами направился к скалам.

Ростов-на-Дону
1970

КОД СПРАВЕДЛИВОСТИ

Из интервью нашего специального корреспондента с министром юстиции сенатором Дж. ГаррилаN.

К о р р е с п о н д е н т. Господин министр, что вы думаете о проблеме преступности?

Г а р р и л а н. В нашей стране этой проблемы не существует. Она решена десять лет назад, и я не вижу причин возвращаться к ее обсуждению.

К о р р е с п о н д е н т. Извините за назойливость, господин министр, но я прошу все же ответить на мой вопрос. Это очень интересует нашу газету по причинам, о которых я скажу в конце интервью.

Г а р р и л а н. Газета рискует погореть, преподнося подписчикам рассуждения об общеизвестных вещах!

К о р р е с п о н д е н т. И все-таки...

Г а р р и л а н. Как вы знаете, причины преступности кроются в субъективности преступлений или, проще говоря, в людях, нарушающих закон. Традиционные методы борьбы с преступностью заключались в воздействии на ее причины «снаружи» с помощью сил, действующих извне. Для этого злоумышленнику противопоставлялись хорошо обученные и вооруженные полицейские, бригады самообороны, защитная автоматика, прочные решетки тюрем, электрический стул, наконец!

Все это давало неплохие результаты, но... только в отношении менее ловких и удачливых правонарушителей. Более везучие ухитрялись не попадаться в руки полиции и продолжали заниматься своим ремеслом. А существование определенного процента ненаказанных воров, взломщиков, убийц и грабителей создавало у неустойчивой части населения представление о безнаказанности преступного промысла и побуждало следовать их примеру. Поэтому преступность не только продолжала существовать, но с каждым годом росла.

Тогда правительство приняло решение воздействовать на причины преступности «изнутри», и с этой целью наше министерство обратилось за помощью к специалистам в области химии, биологии, медицины...

Корреспондент. Вы имеете в виду попытки психохимического и нейрохирургического воздействия на преступников?

Гаррилан. Нет, эти опыты хотя и проводились в свое время, но от них пришлось отказаться. Во-первых, они тоже не решали проблемы в целом, ведь модификации личности могли подвергаться только лица, УЖЕ СОВЕРШИВШИЕ преступления, а значит, предотвращался лишь рецидив. А во-вторых, наши недоброжелатели окрестили медицинские способы «изуверскими», «фашистскими», и, хотя лично я не вижу в психохирургии ничего предосудительного, общественное мнение было настолько взбудоражено, что мы не могли с этим не считаться.

Я имею в виду совершенно новый подход к решению старой задачи: попытку лишить людей возможности совершать преступления без вторжения в их психику.

К о р р е с п о н д е н т. Каким же образом?

Г а р р и л а н. Вначале мы исходили из того, что преступники существуют благодаря... своим жертвам. Не правда ли, парадокс? Но если человек не будет способен стать жертвой преступления, то что произойдет с преступностью? Она исчезнет сама собой! Не так ли?

К о р р е с п о н д е н т. Я как-то над этим не задумывался... Наверное, так...

Г а р р и л а н. Вот то-то и оно! Наша первая программа называлась «Ахиллес без пяты». Ее задачей было создание неуязвимого человека, полностью неуязвимого, в отличие от мифического героя. И эту задачу удалось решить...

К о р р е с п о н д е н т. Потрясающе!

Г а р р и л а н. Да, действительно. Неуязвимый не опасается за свою жизнь и здоровье, а потому сможет успешно отражать все посягательства на себя, свой дом, свое имущество! Успех преступного ремесла становится равным нулю!

К о р р е с п о н д е н т. Но как же удалось этого достигнуть?

Г а р р и л а н. Не вдаваясь в подробности, тем более что я сам не очень-то в них разбираюсь, скажу, что после соответствующей обработки кожа животного, сохраняя эластичность и все свои свойства, становилась прочной, как бронепластик, и была практически непроницаемой для ножа, бритвы и даже пули.

К о р р е с п о н д е н т. Сведения об этих экспери-

249

ментах не просочились в печать. Очевидно, они были засекречены?

Гаррилан. Да, этой работой очень заинтересовались военные. Ну, вы сами понимаете, какие перспективы открывались для армии. Помню, в Генеральном штабе был страшный ажиотаж, они даже пытались вывести эту разработку из нашего ведения, но в конечном счете им удалось только принять участие в первой пробе. Конечно, это было впечатляюще: в подопытную мышь стреляли из крупнокалиберного пистолета, и тушка оставалась совершенно невредимой, в то время как обычную мышь разносило в клочья!

Корреспондент. Почему вы сказали «тушка»?

Гаррилан. Ну, мышь-то все равно погибала от удара. Это неудивительно: ее вес почти равнялся весу пули. Зато Нортон выдерживал даже автоматную очередь, а убить его можно было только прямым попаданием артиллерийского снаряда...

Корреспондент. Значит, опыты ставились и на человеке?!

Гаррилан. Гм... Н-да... Видите ли...

Корреспондент. Продолжайте, прошу вас. У меня в кармане диктофон, и сейчас он мотает ленту впустую.

Гаррилан. Ну, в конце концов, прошло больше десяти лет. Теперь можно и рассказать об этом, тем более что эксперимент окончился неудачей и сведения о нем государственной тайной не являются.

Корреспондент. Почему же неудачей? Вы только что сказали, что Нортон выдерживал автоматную очередь! Кстати, кто такой этот Нортон? Где он сейчас?

Г а р р и л а н. Давайте по порядку. Аллан Нортон был одним из добровольцев, согласившихся на эксперимент. Разумеется, за приличную сумму. Он удовлетворительно перенес обработку, подвергся лабораторным опытам, потом мы вывели его за пределы лаборатории. Он участвовал в нескольких полицейских операциях, ходил по самым опасным притонам, неоднократно вступал в схватку с разными негодяями. Его били ножом, и клинок ломался, стреляли в упор, и пули давали рикошет. Однажды его ударили разбитой бутылкой в лицо, но и это не принесло ему никакого вреда. Он действительно был неуязвим! Вы помните, был такой гангстер — Рыжий Аллоизий? Однажды он разрядил Нортону в грудь всю обойму, пиджак превратился в решето, а наш парень хохотал. Человеческий рассудок не может этого выдержать. У Аллоизия вообще нет нервов, но после этого он попал в «желтый дом»...

К о р р е с п о н д е н т. Да этот человек просто клад для нас! Реальный супермен! Готовый сюжет для сенсационной книги! Где сейчас можно найти Нортона?

Г а р р и л а н. К сожалению, нигде. Он умер.

К о р р е с п о н д е н т. Как умер? Вы же только что сказали, что он был неуязвим?

Г а р р и л а н. Потому и умер. Вот вам еще один парадокс! Да, его не брали ни нож, ни пуля, ни кастет. Но потом он заболел, подцепил где-то пустяковую инфекцию. Чтобы вылечить ее, достаточно было двух уколов универсальной вакцины... Но не удалось сделать ни одного. Да это и понятно: иголки-то ломались... В общем, этот опыт закончился неудачей...

К о р р е с п о н д е н т. Печально...

Г а р р и л а н. Да, военные очень сожалели. Мы-то к этому времени уже поняли, что программа «Ахиллес...» ничего не даст: злоумышленники тоже станут неуязвимыми, значит, повысятся их решительность и активность и преступность перейдет на качественно новую ступень... Но вдове Нортона все равно выплатили полную сумму страховой компенсации.

К о р р е с п о н д е н т. Но вернемся к нашему разговору об удавшемся варианте.

Г а р р и л а н. Да, «Код справедливости»...

К о р р е с п о н д е н т. Код справедливости?

Г а р р и л а н. Это условное наименование разработки, увенчавшейся успехом.

К о р р е с п о н д е н т. Мне не встречалось это название в официальных источниках. Что оно символизирует?

Г а р р и л а н. Программа называлась так потому, что преследовала две цели: чтобы ни один преступник не ушел от ответственности и чтобы он был наказан только за то, что совершил. Обе цели обеспечивают справедливость наказания. Так что название очень точно отражает суть программы...

К о р р е с п о н д е н т. Как же все-таки удалось достичь успеха? Наверное, это было нелегко?

Г а р р и л а н. О, это была задача чрезвычайной сложности! Конечно, сейчас все кажется очень простым: если человек совершил убийство, то есть преступление, предусмотренное параграфом 125 Уголовного кодекса, то на лбу у него немедленно появляется изображение номера этого параграфа. Если на лбу преступника мы видим номер 170, значит, он совершил кражу, если номер 179 — грабеж со взломом.

Но для того, чтобы достичь такого результата, надо было сделать ряд фундаментальных открытий и одно из них — открытие взаимосвязи между действиями, совершаемыми индивидом, и изменениями, происходящими при этом у него в организме. Видите ли, когда человек совершает преступление, им руководит какое-то чувство, желание удовлетворить ту или иную потребность, добиться определенного результата, отомстить... В этот момент он испытывает множество эмоций: гнев, возбуждение, отвращение, страх... Под влиянием всего этого происходят изменения в режиме его жизнедеятельности: одни биологические процессы ускоряются, другие — замедляются. Меняется давление, сердцебиение и даже ритм обмена веществ.

И оказалось, что каждому преступлению соответствует строго определенный набор реакций человеческого организма! Нашим ученым удалось найти способ трансформировать каждый такой комплекс реакций в цифровое изображение номера соответствующей ему статьи на лбу преступника! Не спрашивайте только, как это делается, — во всем мире не больше пятишести человек могут ответить на этот вопрос!

В общем, открытие было гениальным, и все ученые, работавшие по этому проекту, получили соответствующее вознаграждение. После лабораторных испытаний вся страна подверглась обработке: в кровь каждому впрыснули сыворотку, содержащую «код справедливости».

Теперь организм любого человека сам следит, чтобы он соблюдал закон. А если кто-то все-таки совершит преступление, его же собственный организм изобличит его, точно указав, в чем именно он виновен!

К о р р е с п о н д е н т. Какие же результаты дала реализация программы «Код справедливости»?

Г а р р и л а н. Полицейский корпус сокращен в десять раз. Уменьшилось число судей. Упростилась процедура рассмотрения дел — теперь не нужны свидетели, улики, заключения экспертиз: организм преступника — самый справедливый и красноречивый свидетель. Отпала необходимость в жюри присяжных — судье достаточно взглянуть на лоб подсудимого и вынести наказание по соответствующему параграфу Кодекса. В общем, от реализации программы выиграли налогоплательщики.

Ну, и самое главное: теперь, когда нет возможности избежать наказания, занятие преступным ремеслом потеряло смысл. Количество преступлений упало почти до нуля! Вот уже десять лет я не ношу с собой пистолета!

К о р р е с п о н д е н т. Вы сказали: «почти до нуля». Значит, преступления все-таки совершаются?

Г а р р и л а н. Да, но очень мало. Об этом не стоит и говорить...

К о р р е с п о н д е н т. И все же, что это за правонарушения?

Г а р р и л а н. Ну, так называемые «преступления по страсти» — например, убийство в драке, из ревности. Кроме того, иногда кражи и грабежи совершают безработные, они объясняют это тем, что якобы не имели другого выхода, так как им грозила голодная смерть... Но выход-то у них был: не терять работу... Однако это уже частности, детали. Главное в том, что «код справедливости» уничтожил причины преступности...

К о р р е с п о н д е н т. Но некоторые юристы утверждают, что преступность — социальное явление и ее причины — не в каждом отдельном человеке, а в...

Г а р р и л а н. Чушь! Это демагогия, и ничего больше! Кто совершает преступление: конкретный человек или «социальные условия»?

К о р р е с п о н д е н т. Господин министр, настало время рассказать, почему наша газета именно сейчас заинтересовалась проблемой преступности. Скажите, когда была проведена программа «Код справедливости»?

Г а р р и л а н. Десять лет назад, я уже говорил вам об этом!

К о р р е с п о н д е н т. Точнее, если можно. Вы не помните день и месяц, когда население подверглось обработке?

Г а р р и л а н. Признаться, нет. Хотя... Подождите секунду... Вот оно что! Сегодня как раз десятилетний юбилей... Теперь мне ясна цель этого интервью. Вы хотите рассказать читателям, как удалось достичь такого успеха?

К о р р е с п о н д е н т. Нет, скорее убедиться, что это действительно успех!

Г а р р и л а н. Не понимаю вас!

Корреспондент. Известно, что действие сыворотки длится ровно десять лет, день в день, а повторная вакцинация невозможна, так как вредит здоровью. Поэтому повторяю свой самый первый вопрос: «Что вы думаете о проблеме преступности СЕЙЧАС?»

Гаррилан. То же, что и думал. Я уже сказал, что эта проблема в нашей стране полностью решена, и готов повторить свои слова. Мы на десять лет лишили наших граждан возможности совершать преступления, и они отвыкли это делать. Подросло поколение, которое даже не знает, что это такое. И, конечно, хотя действие сыворотки закончится, никому не придет в голову стать на преступный путь только потому, что появится шанс избежать наказания.

Вот вам пример: рядом со мной живет известный и уважаемый бизнесмен. Мало кто знает, что раньше ему приписывали участие в руководстве преступной организацией, он предавался суду по обвинению в торговле наркотиками. Теперь же у него безукоризненная репутация, он — член аристократического клуба, принят в высшем свете. Неужели же вы думаете, что он вернется к прежнему занятию?

Корреспондент. Благодарю вас, господин министр. Я думаю, мы еще встретимся через месяц-другой, а может, и раньше. Вы ведь не откажетесь дать нам информацию о положении в стране?

Гаррилан. Разумеется. Свобода печати — одно из наиболее выдающихся достижений нашей демократии, и я буду всегда рад осветить интересующие вашу газету вопросы.

Корреспондент. Еще раз благодарю вас.

Гаррилан пристально смотрел ему вслед, недоволь-но барабаня пальцами по столу.

«Надо же, пронюхали!»

Он заглянул в настольный календарь, где против сегодняшней даты стоял жирный крест, и щелкнул тумблером внутренней связи:

— Если еще появятся газетчики, гоните в шею!

Потом вытащил недавно смазанный пистолет, ко-робку с патронами и, задумчиво глядя перед собой, принялся снаряжать обойму.

Ростов-на-Дону
1969

ЧЕГО НЕ МОЖЕТ ДЕЛАТЬ МАШИНА

Эта дверь тоже не поддалась, и Моррисон долго бил в нее кулаками, пинал ногами, коротко разбежавшись, с маху ударялся всем телом о холодную безжалостную поверхность — то ли металл, напоминающий пластик, то ли пластик, похожий на металл.

Все усилия не давали даже повода для иллюзий, с таким же успехом можно было биться о скальный монолит. Может быть, поэтому, а может, подсознательно вспомнив действие одурманивающего газа, которым его угостила одна из предыдущих дверей, Моррисон оставил надежду войти и побрел дальше.

Он уже давно не ориентировался ни во времени, ни в пространстве и не помнил, сколько часов, дней или недель бродил по этому городу и сколько одинаковых километров похожих, как близнецы, улиц оставил за спиной.

Намертво запертые двери, выплевывающие порции тошнотворной смеси, глухие, с замаскированными, пропускающими свет только в одном направлении окнами стены домов, уходящие высоко вверх пустынные, без единого человека улицы...

Само по себе это было привычным. В родном городе Моррисон жил в таком же доме, надежно огражденный от внешнего мира несокрушимой дверью, готовый выпустить в непрошеного пришельца, если его активность превысит установленную норму нагрузки на сторожевой механизм, точную струю нейтрализующего газа, иногда он смотрел в поляризованное стекло окна на вечно пустую улицу, ничуть не удивляясь тому, что на ней нет людей и автомобилей. Действительно, ходить по улицам не было никакой необходимости: под каждым домом имелся гараж с выходом на подземные автотрассы, а в верхних этажах располагались винтолеты, готовые доставить тебя в любое нужное место. Моррисон никогда не открывал внешнюю дверь, даже не в силу сложившихся традиций — когда-то давно это было небезопасно из-за возможных нападений преступников и загазованного воздуха, — сколько оттого, что не появлялась такая потребность. Комнатная автоматика создавала самый полезный для здоровья климат, трубопроводы доставляли нужные вещи, еду и напитки; бары, рестораны и дансинги располагались в самом доме, а на службу он добирался по подземной трассе...

Сейчас, оказавшись на улице, да еще без привычной оболочки автомобиля или винтолета, Моррисон смотрел на окружающие его дома с чувством черепахи, рассматривающей снаружи свой собственный панцирь, и вот эта невероятность ракурса взгляда на мир травмировала его психику больше, чем вся ситуация, в которой он очутился.

Хотя ситуация эта тоже была невероятной и до неправдоподобия нелепой.

Садясь в винтолет, Моррисон и подумать не мог,

что такое возможно. Он нажал кнопку личного опознавателя, и короткий радиошифр открыл верхний люк ангара. Машина бесшумно ввинтилась в небо. Зем-ля уходила вниз, уменьшались и скользили назад громады небоскребов. За городской чертой расстилалась равнина с восстановленной зеленью: и деревья, и трава, и эти, как их... кустарники. Все самое настоящее, точь-в-точь как до Великого кризиса.

Прямо по курсу протянулась извилистая серая лента — надежно забетонированное русло Лакомы. Скоро пустят воду, и река тоже станет настоящей. Зато в случае повторений Лакомского ЧП или других подобных происшествий радионуклиды не проникнут в почву, а дезактивация наружных поверхностей — хорошо отработанная, а потому несложная процедура.

Все осталось по-прежнему. Человек пережил сотворенные им же катаклизмы и остался самим собой.

«Остался ли?» — вдруг подумал Моррисон и удивился внезапной мысли. Откуда она взялась? Ах вот оно что...

Внизу проплывал ряд куполов из освинцованного стеклопласта. Раньше, «до того», автоматика заранее бы изменила маршрут, чтобы винтолет обогнул опасное место. Теперь оно опасности не представляет...

Моррисон взглянул на бортовой счетчик Гейгера. Стрелка качнулась далеко вправо, но до красной черты было еще далеко. Впрочем, он знал, что раньше шкала градуировалась по-другому... В памяти выплыло: «Генетическая реконструкция с целью сохранения вида». Название медико-биологической части программы преодоления Великого кризиса.

260

«Так остался ли человек самим собой?»

Моррисон чувствовал какое-то беспокойство. Странные мысли, непонятные сомнения... Вместо того чтобы спокойно выключить телевизор и расслабиться, твердо зная, что все будет в порядке, как заведено. Через четыре часа автопилот приведет машину в небольшой городок на побережье, снизится над домом Андерса, опознаватель передаст его индекс, и заблаговременно оповещенный гостеприимным хозяином сторожевой механизм приветливо распахнет приемный люк. И чудесные дни уикенда... Почему Марианна решила лететь раньше? Вместе было бы веселей, и не лезли бы в голову тревожные мысли.

Беспокоящие раздумья оправдались самым неожиданным образом. Настолько неожиданным, что даже автоматика оказалась не в состоянии предотвратить аварию.

Впрочем, это понятно: возможность столкновения с птицей программа не предусматривала. Считалось, что птицы вымерли полностью, одновременно с животными и рыбами, еще в период общего загрязнения атмосферы. Оказалось, что нет. После удара винтолет опустился мягко — аварийная система сработала безотказно. И когда Моррисон выбрался наружу и увидел, что приземлился прямо в городе, на широкой улице, он даже обрадовался, не подозревая пока, чем для него это обернется.

В конце квартала мелькнула человеческая фигура, и Моррисон, отчаянно крича, бросился туда. Увы, это был всего-навсего низкоразрядный робот-уборщик. Автомат безразлично обошел Моррисона, а тот сел прямо на мостовую, ощутив после всплеска эмоций страшную усталость и полное безразличие ко всему на свете. И еще — голод.

Он машинально сунул руку в сумку с аварийным запасом и бросил в рот кубик питательного концентрата. В пище содержалась тонизирующая смесь, и он почувствовал себя бодрее, отметив, однако, что концентрата осталось всего шесть кубиков — запас на два дня... А что потом?

Что потом... Он уже много раз задавал себе этот вопрос.

Вначале авария только позабавила его, так как ничем серьезным не грозила. Безопасное приключение, легкая встряска без неприятных последствий. Небольшая задержка — и только. В конце концов, он не какой-нибудь изгой, у него солидный счет, и достаточно связаться с любой транспортной конторой, чтобы получить новый винтолет, то ли напрокат, то ли в собственность.

Моррисон включил передатчик, но индикатор устойчивой связи не зажегся: мешали нашпигованные электроникой небоскребы, окружающие машину со всех сторон. Но и это его не обескуражило: ведь авария произошла удачно — он оказался не в лесу, не в болоте, не в море или диких скалах... Он — в городе, и пусть это чужой, но все-таки город...

На всякий случай Моррисон посмотрел инструкцию «Как вести себя после аварии». Там подробно описывалось, как надо поступать, оказавшись в джунглях, пустыне, на необитаемом острове, на вершине Эвереста и в других, самых не подходящих для человека местах. А поведения в чужом городе инструкция не предусматривала...

«Хорошо еще, что можно дышать», — подумал Моррисон. С высоты он много раз видел усеченные контуры очистителей атмосферы, разбросанные по санитарным квадратам. Они выполнили свою задачу и надежно законсервированы. Вдруг опять понадобятся.

Передохнув, Моррисон пошел дальше. Куда идти, он не знал и хотел было вернуться к винтолету — все-таки рядом со своей оболочкой чувствуешь себя увереннее, — но тут же понял, что не знает, где находится аппарат, и не сможет его отыскать.

«Лучше бы я упал в море или джунгли, — размышлял Моррисон. — Там все ясно и просто: аварийная система оценивает обстановку, передает сигнал на спутник связи, и через несколько часов приходит помощь. Сейчас бы я был уже дома. А так — вроде бы все в порядке: сел в городе, от чего меня спасать? Ни экстренных вызовов, ни тревоги. Можно спокойно сдохнуть с голода...»

Конечно, на самом деле он не допускал мысли, что может погибнуть в центре густонаселенного города, но вся история начинала ему здорово не нравиться. Безвестное отсутствие на службе грозило потерей работы, а это уже достаточно серьезно. Да и вообще происшествие затягивалось, а способа выпутаться из него и вернуться в надежную колею обычной повседневной жизни он пока не видел.

«Черт побери, ну и влип!» — выругался он.

Моррисон впервые подумал, что забавное приключение поворачивается угрожающей стороной и его положение может оказаться гораздо серьезней, чем это представлялось вначале. Настолько серьезней, что... Впрочем, он сразу отогнал эту мысль. Главное — не поддаваться панике. Надо рассуждать спокойно. Нужно найти доступ к телефону. Телефон — это цель. Каковы способы ее достижения? Попасть в дом — отпадает. Остается второй способ: найти кого-нибудь из местных жителей за пределами его квартиры и все ему объяснить.

Спокойно размышлять Моррисону понравилось, и он продолжал воссоздавать варианты своего собственного поведения, слегка любуясь собой: в сложной ситуации не потерять голову и анализировать пути выхода из нее — на это способен не каждый.

Итак, следующий вопрос: где можно найти человека за пределами собственной квартиры? Ясное дело, что на службе! Но в офис попасть тоже не удастся, что же делать? Так, правильно, есть люди, которые в силу условий работы находятся на улице, в местах общего пользования, в подсобных помещениях. Что же это за люди?

Он перебирал в уме профессии до тех пор, пока ему не показалось, что он когда-то уже занимался этим. Он напряг память и вспомнил.

Несколько лет назад в развлекательной телепрограмме проводилась викторина под названием «Чего не может делать машина?». Победителя ждал крупный приз, и участие в викторине приняли многие. Но дать верного ответа не смогли. Машины умели все. Правда, одна экстравагантная дама пыталась добиться успеха, заявив, что машина не умеет любить, но ведущий резонно возразил, что любовь — всего-навсего комплекс эмоций, а не вид деятельности. Приз все-таки вручили ей: мол, вы не виноваты, что вопрос не имеет ответа, а ваша попытка была самой оригинальной...

Тогда Моррисон расценил увиденное как рекламный трюк, убеждающий зрителей, что раз машины могут делать все, то нечего раздумывать, надо покупать их для любых мыслимых целей. Сейчас он увидел в этом и еще одну сторону, губительную для себя...

Он обхватил голову руками. Хотя поверить в то, что он обречен, было нелегко, сейчас эта возможность показалась ему настолько реальной, что ноги стали ватными и он опустился на мостовую.

И вдруг обостренные страхом чувства подсказали, что на него кто-то смотрит. Моррисон вскочил и огляделся по сторонам. Улицы были пустынны, но он почти физически ощущал, что его пристально рассматривают сотни, а то и тысячи пар глаз.

Конечно же! Как он сразу не подумал! Ведь он сейчас должен быть в центре внимания всего города! Он — Человек на Улице! Это настолько необычно, что все жители окружающих домов, прекратив привычные занятия и оставив надоевшие телевизоры, прильнули к окнам. Без сомнения, они наблюдали за каждым его шагом. Он шел по городу, а они, наверное, звонили друг другу и предлагали выглянуть в окно, подивиться на чудо.

Моррисон поднял голову. Одинаковость темных матовых панелей не могла его обмануть, за ними прятались невидимые, но любопытные зрители.

Он поднял обе руки вверх и громко закричал:

— Мне нужна помощь! Я попал в аварию, мне нужен телекс или телефон! Кто-нибудь, пустите меня к себе, дайте позвонить! Я кредитоспособен, мой индекс ГХ-102, можете проверить!

Моррисон знал, что чувствительные микрофоны доносят в квартиры каждое его слово, но ответной реакции не последовало. Никто даже не придал прозрачность своему стеклу. Его просто рассматривали, как забавную козявку, ничуть не принимая всерьез. И это его взбесило.

— Что молчите, мерзавцы! Вам не терпится увидеть, как я буду подыхать?! Вы хотите этого?! Негодяи!

Он поймал себя на мысли, что это уже буйство и кто-нибудь может вызвать полицию, но не испугался, а скорее обрадовался такой возможности, увидя в ней выход, и продолжал кричать и ругаться до тех пор, пока не сорвал голос.

И снова никакой реакции в ответ.

«Конечно, никто не почешется, — подумал Моррисон. — Никому нет до меня дела. Никому ничего не надо. Им даже лень вызвать полицию». Он вынужден был признаться себе, что если бы, находясь дома, стал очевидцем такого необычного представления, то тоже ограничился бы лицезрением и не стал бы вмешиваться в события.

Как же расшевелить их? Есть только один способ: заставить каждого ощутить опасность лично для себя!

Моррисон вытащил из сумки тяжелый футляр с предостерегающей надписью: «Вскрывать только в случае крайней необходимости!» и без колебаний сорвал красную пломбу.

Подняв разрядник над головой, он на секунду задумался, но все-таки нажал спуск. От яркой молнии потемнело в глазах, в лицо ударила волна горячего воздуха, но Моррисон стрелял еще и еще, отчетливо представляя, как, испуганно отпрянув от окон, сотни обывателей бросились к телефонам. Кончились заряды, и он, бросив оружие на землю, стал ждать развязки.

Вокруг ничего не изменилось, было по-прежнему тихо, и вдруг Моррисона пронзила ужасная мысль: ему показалось, что в этом городе, а может быть, и на всей Земле больше не осталось людей, он — последний. Моррисон так ярко представил себя единственным живым существом на огромной планете, что его прошиб холодный пот и он даже забыл, как оказался здесь, в чужом незнакомом городе, почему у него закопчены руки, а неподалеку валяется разрядник...

Но в следующий миг все изменилось. Он бы никогда раньше не поверил, что будет так радоваться звуку сирены и будет готов расцеловать полицейского только за то, что он — человек, хотя в полицейской форме. Человек, с которым можно поговорить, пожаловаться на полосу невезения, на стечение обстоятельств, с которым можно вместе посмеяться над своими глупыми страхами, обсудить нелепую ситуацию, в которой угораздило очутиться...

Однако из полицейского автомобиля вышли одетые в форму белковые роботы — универсальные автоматы повышенной сложности.

— Вы арестованы, просим следовать за нами, — произнес традиционную фразу один из них.

Моррисон молча стоял, впав в оцепенение.

— Вы арестованы, просим следовать за нами, — повторил автомат.

— Подождите, я же все хочу объяснить... С кем я могу поговорить? Кто меня выслушает? — отстраненно вопрошал Моррисон.

— Все объяснения дадите в суде, — последовал бесстрастный ответ.

Моррисон перестал упрямиться и сел в машину. «В суде так в суде, — подумал он. — Лишь бы скорее...»

Теперь, когда он был уверен в том, что его мытарства кончились и через пару часов он будет дома, ему хотелось поскорее увидеть судью уже не для того, чтобы рассказать о своих злоключениях, а просто убедиться, что на свете есть и другие живые люди, кроме него, и удовлетворить свою почти уже ставшую физической потребность переброситься несколькими словами с Человеком!

Однако в зале суда людей не было. На огромном столе стояла узкая серая колонна с динамиком у основания. Вспыхнула ровным светом сигнальная лампочка.

— Вы обвиняетесь в нарушении порядка, незаконном ношении оружия, злостном буйстве с посягательством на жизнь окружающих. Признаете ли вы себя виновным?

— Нет! — Моррисон поперхнулся словами, но продолжал говорить быстро, сбивчиво, опасаясь, что его перебьют и не дадут рассказать всю его историю. Но его никто не перебивал. Когда он замолчал, вновь заговорила машина:

— На ваших руках нагар — бесспорное свидетель-

268

ство того, что вы стреляли. Вы ведь не станете этого отрицать?

— Конечно, нет, но...

— Далее. Рядом с вами найден разрядник, на котором имеются отпечатки ваших пальцев. Здесь же и вскрытый футляр разрядника, тоже с отпечатками. Это вы признаете?

— Признаю, но разрядник входит в комплект аварийного запаса...

— Вскрытие футляра без крайней необходимости приравнивается к незаконному ношению оружия. У вас ведь не было необходимости использовать оружие?

— Нет, но...

— Далее. В полицейский участок поступило восемьсот сорок семь сообщений от жителей города, заявивших, что вы учинили буйство с использованием оружия, что представляло опасность для их жизни. Вы признаете это?

— Признаю, но...

— Значит, фактически вы признаете себя виновным!

— Да нет же!

Моррисон вновь принялся описывать свои приключения, но вдруг, почувствовав апатию ко всему, замолчал и махнул рукой:

— Отведите меня к человеку, к любому человеку!

— В этом нет необходимости, правосудие в нашем городе осуществляется электронным судом. Выслушайте приговор: не признавая себя виновным, подсудимый не опроверг ни одного пункта обвинения. Его собственные показания, а также имеющиеся улики полностью изобличают его в совершении тяжких преступлений, за которые он заслуживает смертной казни. Приговор окончательный, обжалованию не подлежит и будет приведен в исполнение немедленно.

Лампочка на вершине колонны погасла.

Роботы-полицейские взяли его под руки и повели. Моррисон шел не сопротивляясь, оглушенный чудовищностью услышанного. Ему казалось, что все это происходит не с ним, а с кем-то другим, но подсознательно он понимал, что такое впечатление создает психологический защитный механизм, предохраняющий его от помешательства, а на самом деле именно он, Моррисон, находится здесь, в чужом городе, среди взбесившихся механизмов, приговоривших его к смерти.

И хотя он понимал, что в этом городе живут люди, много людей, а на всей планете их еще больше — несколько миллиардов, что это человеческий мир, живущий по человеческим законам, и что осужден он тоже по закону, придуманному и проводящемуся в жизнь людьми, — хотя он понимал все это, но в голове бились совершенно дикие мысли:

«Значит, я остался один, один на всей Земле... Поэтому они задумали меня уничтожить, я им мешаю, я ведь живой, вот они и решили сделать меня мертвым. Проклятые машины... Это их заговор... Меня тоже сделают машиной... Чего не может делать машина?» Он почувствовал, что может сойти с ума оттого, что все происходящее не кошмарный сон, а не менее кошмарная и оттого более страшная действительность.

Но где-то в глубине сознания жила надежда, что

это только горячечный бред, болезнь, от которой он избавится, как только увидит другого человека.

— Человека! Хочу видеть человека! — закричал он и попытался вырваться, но роботы держали его крепко, хотя и предупредительно мягко, чтобы не причинить боли, и это обстоятельство затронуло какой-то нейронный узел в его мозге.

— Хочу увидеть человека! Я же схожу с ума, мне кажется, что я остался один!

В это время возникшая в мозгу ассоциация развилась в мысль, сработало реле памяти, и от внезапного прозрения Моррисон затих. Он вспомнил:

МАШИНА НЕ МОЖЕТ УБИВАТЬ.

Коридор, по которому его вели, заканчивался, и Моррисон, направляясь к двери, уже знал, кого он увидит за ней.

1970

ОХОТА

Он сидел, глубоко утонув в удобном кресле, смотрел, как маленькие человеческие фигурки, окруженные клубами дыма и ореолами бешеного пламени, выжимают последние крохи мощности из своих ракетных поясов, стремясь к той заветной черте, за которой для пересекшего ее первым начнется новая, радужная жизнь, и оттягивал момент, когда надо будет нажать клавишу выключения и выйти из уютного мирка своей квартиры в неизвестно что приготовившую для него ночь.

Но бесконечно оттягивать было нельзя, и он вдавил клавишу в ручку кресла. Яркая панорама изображения съежилась и пропала, однако он успел увидеть, как вокруг одной фигурки пламя полыхнуло особенно ярко и она, беспорядочно кувыркаясь, понеслась вниз.

«Не повезло, — подумал он. — Ограничители были сняты у всех, но не повезло именно этому...»

Он решительно выбросил из кресла свое худое тело и стал собираться, стараясь отделаться от неприятного сосущего чувства страха. Одевшись, он полез в ящик стола за пистолетом, но тут же вспомнил и отдернул руку. Вот уже два месяца, как запрещена Охота с оружием. Она, видите ли, приводит к слишком большим потерям.

«Черт бы вас взял!» — выругал он неизвестно кого. Не то чтобы он был недоволен, нет. Он любил свою страну и знал, что она самая богатая, могучая и свободная во всем мире; правда, он не знал, каков был «остальной мир», потому что страна была спрятана под защитным энергетическим колпаком, и это тоже было правильно, этого требовала безопасность; и если запретили Охоту с оружием, то, значит, так и должно быть. Просто страх, который жевал его внутренности, жевал упорно, настойчиво, взвинчивал ему нервы, и это нервозное настроение искало выхода и находило его в резких словах.

Он нервничал. Это потому, что у него была работа, хорошая работа, ничего, что немного вредная: он заменял отработавшие свой срок плутониевые сердца роботов, — и была отличная квартира из пяти комнат с искусственным климатом, чутким электронным сторожем, синтезатором, большим, сверкающим никелем кухонным комбайном, был старый, но надежный и достаточно быстрый винтолет, была красивая жена и трогательно нежный ребенок, но всего этого он мог лишиться, если ему не повезет на Охоте. И ему было страшно. Но он любил свою жену и своего ребенка, и он должен был пойти и принести пищу для своей семьи.

Он подошел к серому ящику синтезатора, занимавшего половину комнаты, и погладил его матовую, чуть шершавую поверхность. Он зарабатывал восемь киловатт энергии в неделю, и такой экономный синтезатор мог произвести много полезных предметов. Он мог создавать новый костюм себе и платье жене хоть каждый день, мог получить новую мебель и стереовизор последней модели, а если месяц или два экономить — то и неплохой ракетный пояс, но одного он не мог синтезировать — пищи.

Пищу приходилось добывать самому, раньше было просто — он отличный стрелок, но теперь труднее, теперь расчет только на мускулы, а стрелять нельзя, за это суровая кара. Ну ничего, он подойдет — и все будет хорошо, принесет добычу, немного неприятно, правда, но потом он положит ее в приемное окно кухонного комбайна, а комбайн разделает тушу, заморозит мясо и приготовит любое из десяти блюд, на выбор, надо только нажать кнопку, одну из десяти, и в окне выдачи появится узорчатая тарелочка (тарелочки прессуются из костей — очень удобно) с аппетитным блюдом.

Надо идти. Он нежно попрощался с женой, та смотрела тревожно, но держалась молодцом, даже улыбнулась, когда произносила традиционное «Счастливой Охоты!», погладил по голове сынишку, который повторил за матерью фразу, не понимая еще, что стоит за этими тремя словами — «Счастливой Охоты, папа...»

Он вышел из квартиры, с удовлетворением услышал четкий щелчок сторожевого устройства и шагнул в шахту гравитационного лифта, шагнул без колебаний, хотя перед ним зиял колодец почти трехсотметровой глубины.

Несколько лет назад у него возникало смутное беспокойство, когда он подходил к этой бездне, он с трудом заставлял себя шагнуть в нее, и однажды, когда в стереовизоре он увидел защитную полосу — бесконеч-

274

ную цепь эмиттеров, окружающих всю страну, — у него почему-то сжало сердце: он заметил выжженную землю вокруг черных головок излучателей — там слишком велика была напряженность защитного поля, и у него даже шевельнулась мысль: зачем все это...

Как раз тогда он нашел свою старую газету, напечатанную еще на бумаге, и прочел в ней невероятные вещи. Там было написано, что защитную полосу нельзя вводить в строй, что она погубит страну, нарушив какое-то биологическое равновесие. Он прочел, что не следует запрещать полеты в космос, что именно в космосе надо искать новые места для размещения быстро растущего населения, что залитая асфальтом, бетоном и пластиком, насквозь протравленная химией земля вот-вот вообще перестанет давать урожаи, что стране грозит голод...

Тогда он потерял покой, что-то шевельнулось в его душе, и он не понимал что, он не спал две ночи и наконец решился пойти к врачу.

Специалист объяснил все просто и доходчиво: явление атавизма, такое, к сожалению, бывает, правда, редко, за четыре года это второй случай. Ничего не поделаешь, проявляется затаенное в сознании несовершенство натуры далеких предков. У них было много подобных комплексов. Страх перед высотой, например, который не позволил бы им пользоваться гравилифтом. И еще целый ряд ненужных эмоций, из-за которых они не смогли бы охотиться. Ну что ж, это не страшно, теперь многие психологические барьеры в человеческом мозге преодолены, большей частью сами собой, а некоторые — искусственно, подумаешь, пустяк, при современном уровне медицины...

Психолог оказался прав. Ему сделали два укола и провели сеанс облучения, с тех пор все было в порядке. Исчезло непонятное чувство, бессонница, страх перед шахтой лифта. Жизнь снова пошла своим чередом. А старую газету с написанными там разными глупостями он сжег...

На улице было тепло, даже душно, неба видно не было из-за громад домов, и только тысячи окон сверкали огнями, как большие звезды. Там, за пуленепробиваемыми стеклами, текла обычная жизнь, от которой он отрешился, как отрешились и многие другие охотники, вышедшие в эту душную ночь в свою текущую по особым законам жизнь.

Он мягко шел по улице, стараясь держаться в тени, и был непривычно легким правый карман пиджака. Ничего, он жилистый, хотя и потерял в весе семь килограммов за два месяца — это оттого, что мало ел, да и небольшие дозы облучения, которые он получает каждый день на работе, кое-что значат. Но в основном — еда. С тех пор, как запретили Охоту с оружием, он не выходил за добычей. С трудом удалось растянуть запасы до сегодняшнего дня. Если бы он знал заранее, он бы сделал запас побольше, ведь он очень хорошо стреляет...

Послышались шаги, и он бесшумно метнулся к небольшой нише в стене и плотно вжался в нее. Из-за угла показался человек — невысокий плотный мужчина, похоже тоже охотник. Когда человек поравнялся с ним, он на секунду замешкался, но потом все же прыг-

276

нул и уже в прыжке понял, что заставило его замешкаться: слишком настороженно шел этот человек, слишком напряженной была у него мощная спина...

Его руки скользнули мимо шеи человека и, казалось, попали в стальные тиски, его тело повернулось в воздухе и грохнулось о бетон, но он еще успел подумать, что чертовски силен этот человек, гораздо сильнее его, но если бы был пистолет, все было бы по-другому, и в последнюю долю секунды своего бытия понял, что из охотника превратился в добычу.

1967

ШОК

Звонок, возвещающий об окончании работы, смолк в тот самый момент, когда Ник Андерсон перешагнул порог конторы. Обычно это ему не удавалось: в такое время коридоры напоминали сухие выходы затапливаемого муравейника, и пробраться сквозь суетливую толпу было невозможно. Но сегодня все уступали ему дорогу. Сегодня не обычный день, сегодня — день триумфа.

На улице ярко светило солнце, он надвинул шляпу-шлем пониже, почти на самые глаза. Настроение было отличным, и он решил идти пешком. Теперь он мог себе это позволить. Буйная радость захлестывала Ника каждый раз, когда он, повернувшись к зеркальной витрине магазина, видел свое отражение с броским оранжевым значком стрелка первой категории на лацкане пиджака.

Это был приятно. Экзамен он сдал только вчера и еще не привык к этому яркому квадратику, гарантирующему безопасность, пожалуй, больше, чем защитный костюм. Второй значок, висящий под левой лопаткой, предупреждал каждого, кто надумает выстрелить ему в спину, что он целится в человека, способного не оборачиваясь попасть в глаз мяукнувшей кошки.

Кроме безопасности, эти маленькие пластиковые значки гарантировали и многое другое... Продвижение по службе, например. Ник вспомнил, как реагировали коллеги на его появление в новом качестве. Поздравления с не очень искренней улыбкой и шепот за спиной: «Ну, теперь Старику крышка». А когда пришел мистер Спенсер, все затаили дыхание. Тот был управляющим десятый год, и, хотя на его пиджаке красовался такой же оранжевый значок, все знали, что он уже не выполнит нормативов первой категории. Старик держался на авторитете. Но если появляется человек, равный по рангу, он может посягнуть на авторитет... Это понимали все и, конечно же, сам мистер Спенсер.

Старик тепло поздравил Ника, пожал ему руку, но на лице в это время отражалась напряженная работа мысли. Ник знал, о чем думает шеф: прикидывает, подать ли ему в отставку самому или ждать своего конца. Правда, был и еще третий выход...

Нику совсем не понравилось, что шеф, помяв полу пиджака, как бы между прочим спросил:

— Что это у вас, Ник? Джейрон?

«Неужели Старик решится...» — подумал Андерсон и ускорил шаги.

На улицах было спокойно. Лишь изредка раздавались выстрелы, вспыхивали перестрелки, но патрульные вертолеты недвижно висели над перекрестками — значит, все было по правилами: граждане свободной страны устраивали свои дела, соблюдая закон.

Ник чувствовал себя настолько уверенно, что позволил телу расслабиться, и даже чуть отпустил руку, лежащую на рукоятке пистолета. Он строил планы.

«Если Старик завтра не уйдет сам, придется ему помочь. Это будет нетрудно, и Спенсер должен это понимать. Ведь сам-то он застрелил своего предшественника за два дня до того, как получил первую категорию. Он наглый, этот Старик... Пожалуй, он может решиться...»

Ник отогнал назойливую мысль и продолжал приятные размышления.

«Итак, со Стариком ясно. А что потом? Добраться до президента фирмы? Впрочем, это уже слишком, — одернул себя Ник. — У мистера Адамса высшая категория, и он в отличной форме».

Визг тормозов прервал течение его мыслей. Полицейские быстро затолкали в машину какого-то старика, и автомобиль умчался. Все произошло мгновенно, но Андерсон успел заметить, что на старике был обычный, НЕ ЗАЩИТНЫЙ, полотняный костюм, который не смог бы защитить даже от удара ножом. У Ника был такой, он иногда надевал его дома, чтобы отдохнуть от грубого прикосновения пластика, но выйти в нем на улицу...

«Сумасшедший, — подумал Ник. — Самый обычный сумасшедший. Что-то их многовато развелось, это уже третий случай за неделю. Видно, они не приспособлены к жизни и свихиваются от страха, потому что не знают, с какого конца браться за пистолет. Конечно, таким нечего делать среди нормальных людей. Недаром полиция хватает любого, кто выйдет в таком виде на улицу. Кто-то говорил, что их отсылают в специальный район, там у них свой сумасшедший город, где все не как у людей...»

Андерсон поравнялся с универмагом «Бодихад». Здесь продавали защитные костюмы.

«Зайти, что ли?» — подумал Ник и, вспомнив вопрос мистера Спенсера, толкнул стеклянную дверь.

Здесь его знали. Толстый продавец, имя которого Ник не запомнил, выскочил навстречу.

— Добро пожаловать, у нас как раз есть кое-что для вас. Правда, теперь вам опасаться нечего, — кивок на значок, улыбка, многозначительное подмигивание, которое должно означать: «Молодец, парень, давай дальше так же», — но все-таки... Синтеклирон — абсолютно новая ткань. Месяца два будете спокойны, ни одна оружейная фирма не успеет до этого срока выдать новинку, которая справится с ней. — Он выплевывал слова, как автомат пули.

Андерсон примерял костюм, а толстяк не умолкал:

— Если хотите, я надену пиджак, а вы выстрелите мне в живот, не останется даже синяка, вот увидите...

Ник внимательно посмотрел на него, вспомнил глаза мистера Спенсера, когда тот спросил: «Что это у вас, Ник? Джейрон?», и расплатился. Толстяк бормотал что-то еще, но он, не слушая его, вышел на улицу.

Прохожие почтительно уступали дорогу, кто-то шепнул за спиной: «Такой молодой, и уже первая категория...»

Андерсон самодовольно улыбнулся. Можно считать, что главного он достиг. Может быть, удастся добраться и до высшей категории, но это очень уж сложно. Вот разве его сын... Мальчонка уже вошел во вкус — целые дни проводит в тренировочной комнате. Через пару лет можно будет дать ему настоящее оружие...

В конце квартала находился оружейный магазин, в который Ник заглядывал каждый день, возвращаясь с работы. Еще издали он увидел большое объявление в витрине и ускорил шаги.

«Опять рекламируют новинку. Интересно, что можно придумать нового в рекламном деле? Ведь вряд ли удастся переплюнуть фирму Кольта. Ее последний образец два дня лежал в контейнере с жидким кислородом, а потом сразу же был пущен в дело и действовал безотказно».

Ник быстро пробежал глазами текст объявления: «Внимание! Через десять дней в продажу поступит новая модель 12-миллиметрового пистолета «стар-26Е». Автоматический предохранитель гарантирует полную безопасность обращения. Прилагается глушитель и ночной прицел. Цена комплекта 42 доллара».

Психологи-рекламщики не зря получали свои деньги. Расчет был предельно точным. После ничем не примечательного текста объявления следовала еще одна строчка, как бы забытая и дописанная потом: «Пуля, выпущенная из нового образца, легко пронизывает два слоя синтеклирона».

И все. Как будто бы это добавление ничего не значит. Как будто синтеклирон не является самой прочной защитной тканью в мире.

Андерсон сделал заказ и, помрачнев, вышел на улицу. Вспомнилась жирная физиономия продавца. Итак, тот соврал, гарантируя ему два месяца относительного спокойствия. Ник уже сожалел, что не стал стрелять, когда тот подставлял свой живот, — по крайней мере был бы уверен в защитных качествах костюма.

Когда Ник подходил к дому, из-за угла бесшумно выкатилась машина с включенным мотором. Ник хорошо знал, что это значит, и, когда дверца чуть приоткрылась, выстрелил в темную щель, чуть ниже вспыхнувшей блестки огня. Из щели вывалился автомат и тяжело лязгнул о мостовую. Ник подбежал к машине и заглянул внутрь. Он увидел то, что и ожидал. Спенсер был убит наповал.

Только сейчас Ник почувствовал боль в животе, под защитным костюмом. Продавец соврал дважды — синяк останется, и не маленький. Хотя неудивительно... Андерсон взглянул на автомат. «БМ-32», реактивный. Старик ошибся. Он рассчитывал на джейрон, который пуля такой машинки прошибает насквозь. Он не учел, что костюм можно сменить.

Ник посмотрел вверх. Патрульный вертолет зафиксировал все подробности, с формальностями покончено.

«Поздравляю вас с повышением, мистер Андерсон!» — сказал Ник самому себе.

Вложив палец в отверстие замка, он, как всегда, испытал неприятное чувство, ощущая притаившуюся иглу наркотизатора. Ему всегда казалось, что однажды сторожевой механизм ошибется...

Дверь открылась. Ник спиной вперед вошел в квартиру, запер дверь и, облегченно вздохнув, вынул руку из кармана. Здесь он в полной безопасности.

Ник повернулся. Прямо в лоб ему был направлен ствол пистолета. Маленький Боб Андерсон держал оружие правильно, как он всегда учил его. Ник отметил, что пистолет в руке сына какой-то новой модели, но никак не мог сообразить, где мальчонка мог его взять — в семейном арсенале таких не было.

— Брось это, малыш. — Он старался говорить спокойно, но еще не окончил фразу, как у среза ствола мелькнул короткий огонек и сильный удар бросил его на пол...

Когда Андерсон открыл глаза, он не почувствовал ничего, кроме головной боли. Крови нигде не было, похоже было, что пуля не причинила ему никакого вреда.

«Что за чертовщина!» Он тряхнул головой, стараясь понять, что же произошло. На полу лежал ярлык — рекламка фирмы «Детское оружие», очевидно, жена приобрела сыну очередную игрушку. Сил на то, чтобы встать с пола, у Андерсона не было, и он чисто машинально подвинул к себе рекламу и привычно пробежал текст: «Наш новый образец нельзя даже вблизи отличить от настоящего пистолета. При применении он вызывает десятиминутный шок, абсолютно безвредный для здоровья. Упражнения с этой игрушкой помогут выработать у ребенка ряд необходимых в жизни практических навыков». А на обороте помещалась реклама новой модели детского оружия, которую фирма обещала выпускать со следующей недели. Яркие буквы извещали, что «оригинальность новинки заключается в том, что она не только копирует внешний вид настоящего оружия, но не отличается и по результатам применения...»

Дальше Ник читать не стал. Голова болела все сильнее, но ему удалось встать с пола.

Через несколько минут, переодевшись в полотняный костюм, Андерсон вышел на лестницу.

— Пожалуй, они правы, — пробормотал он, спускаясь вниз.

1968

ЛОГИКА ВЫБОРА

Вода была теплой, песок горячим, а воздух раскаленным, и, пока я пробирался между бросающими мяч коричневыми девушками в открытых купальниках к своему месту, кожа почти совсем высохла. Одежда лежала там же, где я ее оставил, а портфель — шикарный, черный, богатого вида «дипломат» — исчез. Я опустился на красный пластиковый лежак и закрыл глаза. Если бы похититель смог удержать «дипломат» у себя, да еще сумел бы его открыть...

Сосредотачиваться не хотелось: купание и солнце оказывали расслабляющее воздействие, и мне пришлось напрячься, превозмогая себя. Вор появился через пять минут — здоровенный парень с наглым лицом, на котором застыла гримаса испуга. Он не понимал, что с ним происходит и почему он вернулся, но инстинкт и прошлый опыт подсказывали — ничего хорошего ждать сейчас не приходится. Когда он поставил портфель и я его отпустил, он на секунду замешкался, ошалело тряся головой, а потом сорвался с места и, опрокидывая ничего не понимающих людей, бросился бежать.

— Чего это он? — удивился сосед справа — средних лет мужчина с могучим торсом. — Псих, что ли?

— Скорее всего. — У меня было еще много свободного времени, и я, установив тент, задремал в тени.

— Еще одно загадочное похищение! — Пронзительный мальчишеский голос вернул меня к действительности. — Бесследно пропал из своей квартиры профессор Кристопер! Кто следующий?!

Я купил газету. Первая полоса пестрела броскими заголовками: «Зловещая загадка века!», «Куда исчезают известные ученые?», «Кому выгодна утечка мозгов?»

— Что вы думаете по этому поводу? — Сосед уже несколько минут заглядывал через плечо и наконец не выдержал.

— Что тут думать — как всегда, одни враки, чтобы поднять тираж.

— Вот как? — Он облизнул сухие губы. — А куда же, по-вашему, делся Кристопер?

— Мало ли! Закатился с любовницей в Роганду или растратил казенные деньги, купил паспорт и живет припеваючи под чужой фамилией, а может...

— Бросьте, бросьте! — Собеседник протестующе поднял руку. — А остальные? Два физика, генетик, молекулярный биолог, химик — да вот здесь список. — Он ткнул пальцем в страницу. — Двадцать шесть человек! Они что, тоже в Роганде? Может, у них у всех любовная лихорадка?

— Ну, этого я не знаю. В мире ежедневно происходит столько событий, что, если сделать выборку по совпадающим признакам, у нас появится не меньше сотни необъяснимых загадок.

— Вот именно, — вмешался сосед слева, рыхлый

толстяк, кожа которого обгорела до шелушения. — Обычное совпадение, на которое не стоило бы обращать внимания, да оно оказалось кое-кому на руку. Как же — наживка для дураков! Заглотнул — и пережевывай, а все остальное само собой отойдет на второй план! Вот, смотрите. — Он выхватил у меня из рук газету. — На последней странице мелким шрифтом, скромно: «Сообщение Государственного астрономического общества. Необычная насыщенность небосвода звездами не объяснена, но никакой опасности это явление представлять не может...»

Толстяк сардонически захохотал.

— И это после месячной истерии: дурное предзнаменование, вселенская катастрофа, конец света! Как вам это нравится? Ясное дело — правительственный запрет! А чтобы отвлечь людей, сфабриковали сенсацию: исчезновение знаменитых ученых! А те небось сейчас на министерских дачах прохлаждаются!

— Не знаю, не знаю, — покачал головой сосед справа. — Только вот что. — Он наклонился поближе и понизил голос. — На моей улице тоже пропали двое — муж и жена. Про них-то, понятно, в газетах не пишут: маленькие, никому не интересные, не то что Кристопер! Но мы, соседи, знаем: жили — и нет их, а дом не заперт, и вещи все на местах. Что вы на это скажете?

— А то, что мне наплевать! — брызнул слюной толстяк. — Я хочу знать: почему на этом чертовом небе появилась такая уйма этих чертовых звезд?! И самое главное, что меня интересует, — буду я жить или сыграю в ящик?! Кто может мне ответить?!

Единственным человеком, который знал ответ,

был я. По крайней мере в этом полушарии. По повышенной аффектации и надрыву в голосе чувствовалось, что толстяк пьян. Он смотрел жалкими глазами и явно ждал утешения. Его не волновала судьба цивилизации, да и вообще ничего, кроме собственной шкуры. Свинья. Терпеть не могу животных в человеческом обличье, и мне совершенно не хотелось его утешать. Да и вряд ли бы мой ответ его утешил.

— Обратитесь в Астрологическое общество, — посоветовал я, собирая вещи. — И меньше пейте в жару, тогда не будет мерещиться всякое...

Песок начал остывать, косые лучи солнца почти не давали загара, занятых лежаков заметно поубавилось — многие расходились по домам.

Четыре девушки продолжали перебрасываться ярким желто-зеленым мячом у самого края волнореза. Почти обнаженные, тонкие, гибкие, длинноногие. Если бы они вдруг свалились в море... Не здесь, где полно народа и сколько угодно спортивных парней, способных мигом превратить пустячную неприятность в повод для знакомства.

Мрачный пустынный берег, зловещие блики на днище перевернутой шлюпки, вода, безжалостно захлестывающая легкие, отчетливое ощущение неминуемой смерти, отчаяние последних мгновений...

Возникшая картина была плоской, двухцветной и, как всегда, дьявольски правдоподобной. Конечно, я бы вытащил всех четверых, но есть жестокое дополнительное условие: спасти можно только одну, больше не успеть, даже превратив кровь в пар и перервав мышцы. И твоя жизнь не козырь в этой игре — самопожертвование ничего не изменит. Они все одинаково далеко от берега, иначе все было бы просто — решал случай, слепой рок, судьба. Только одну! Которую? Ту, что громче кричит? Или ту, что сильнее колотит по воде? А может, ту, которую уже накрывают волны? Решай, и спасенная будет жить — молодая, красивая, привлекательная, — а остальные... Девушки смеялись, дурачились, не подозревая, что через секунду обольстительные тела трех из них начнут синеть и раздуваться, превращаясь в бесформенные резиноподобные трупы утопленников, погибших по моей вине.

Видеть этого я уже не мог и быстро прошел прочь, инстинктивно тряся головой, чтобы отогнать наваждение.

Но в чем состоит вина человека, поставленного обстоятельствами перед убийственной в своей простоте дилеммой: одна или никто? Останови я сейчас любого прохожего, растолкуй ему суть вопроса, он скажет: ерунда, шуточки подсознания, бросай пить, парень, и не увлекайся зеленым дымом, а в жизни такого не бывает! И останется только улыбнуться в ответ, если бы я еще умел улыбаться.

Понять меня мог лишь кто-то из наших. Когда доходишь до предела, больше всего нуждаешься в единомышленнике, чтобы со стороны услышать подтверждение правильности, полезности и гуманности работы, веру в которую начинаешь терять. Поэтому я так ждал условленного времени и так боялся его.

Горик на связь не явился, и это могло означать только одно. Вопреки всем правилам я три часа ждал его в кафе, чувствуя, что из меня вынули позвоночник, но все же на что-то надеясь. Сидел как ни в чем не бывало, потягивал тягучую лему — отвратительное пойло, к которому за два года так и не смог привыкнуть. Здесь меня и нашла Клайда.

На этот раз она играла роль брошенной жены, скорбная, поникшая, в глазах тоска.

— Куда ты пропал? — убито произнесла она. — Я измучилась, потеряла покой... А тут еще эти звезды... Я три ночи не сплю, схожу с ума...

Даже сейчас мне было приятно на нее смотреть, низкий чувственный голос обволакивал сознание и трогал затаенные в глубине души струнки, вызывая щемящую грусть.

— Ты же знаешь, как я тебя люблю, мне никто не нужен, я не могу жить без тебя...

Если бы это было правдой, все обстояло бы по-другому. Легче бы переносилась оторванность от дома, иссушающие мозг нагрузки, тяжкое бремя решений, колоссальное нервное напряжение каждого дня. И плевать бы мне было на многочисленных ищеек, филеров, агентов, сыщиков разных мастей и на все Специальное бюро в целом. Конечно, я не смог бы полностью открыться ей, но знаю наверняка — было бы легче. Я перестал бы терзаться, метаться в кошмарных снах, исчезли бы эти проклятые, безжалостно обвиняющие двухцветные плоские картины. Я бы мог продуктивнее работать, прошла бы изнуряющая усталость, да и энергетический ресурс организма не снизился бы до предела... Но она лгала. Как всегда умело и изощренно.

Интересно, в силу какого великого закона подлости и несправедливости из миллиардов женщин двух миров дрянью оказалась именно эта — самая близкая, необходимая и значимая? Ответ прост и стар, как фраза: «Предают только свои». Но одно дело — знать что-либо абстрактно, и совсем другое — испытывать на своей шкуре. Мучиться, путаться в самых невероятных догадках, пытаться разобраться в многочисленных странностях поведения, расхождениях слов и поступков, недоумевать мелким и как будто безобидным несуразностям, оговоркам. Никогда бы не поверил, что со мной такое случится! Образ любимой женщины двоился, а я, уподобившись новичку-наблюдателю, тер стекла бинокля и крутил винт фокусировки. Не мальчик — опыт, специальная подготовка, неплохое знание психологии. И не распознал в ней двуличия, порочности, лицемерия! Мог ли кто-нибудь из моих учителей предположить, что возможна такая слепота, когда способность к анализу внутреннего мира другого человека утрачивается начисто? А сам я мог подумать, что докачусь до использования особых способностей в личных целях, нарушив нормы, которые всегда казались незыблемыми?

— ...Я искала тебя по всему городу, ходила на старую квартиру, но никто ничего не знает...

Тонкие черты лица, узкий чувственный нос, прекрасные карие глаза. Теперь, когда я знал правду, все ее потуги казаться порядочной женщиной могли вызвать только презрительную усмешку. Но мне не хотелось усмехаться, не хотелось ругать себя за глупость, не хотелось читать холодную расчетливость в ее взгляде. Не приняв меня всерьез, она проиграла, ибо я мог дать ей больше, чем кто-либо другой на этой планете.

Но я проиграл тоже, потому что продолжал ее любить. Мне нельзя было с ней сегодня встречаться, никак нельзя!

— ...Если бы ты знал, что у меня на душе, о чем я думаю...

Ну что ж, разом больше, разом меньше...

— О Гребковском. Устроит ли участок для домика в центре Безмолвной рощи, как обещал. И хватит ли ему того, что уже получил, или надо будет еще добавить деньгами. — Я никогда не видел Клайду растерянной, и сейчас, глядя, как меняется ее лицо, обрадовался волне злости, стирающей ненужные чувства. — Эта мысль не на переднем плане, но по важности превосходит все остальные!

Я сумел выдержать паузу, пронаблюдал, как она сменила амплуа, надев маску оскорбленной невинности, и вышел на улицу. Больше всего мне сейчас хотелось застрелиться.

— Сколько времени? — Дорогу заступил плюгавый человечек с незапоминающимся лицом. Кажется, пьяный.

— Пять.

До главной встречи целых три часа.

— Спасибо.

Мне не понравился его взгляд — слишком пристальный для случайного прохожего. Если пойдет следом...

Он ввалился в бар. Ничего не значит, мог передать меня напарнику. Вот подтянутый мужчина в строгой одежде. Почему он здесь стоит?

Я свернул за угол, вышел на прямой широкий

проспект, смешался с толпой, незаметно огляделся. Так-так, ага, вот оно! Два парня, студенты в одинаковых спортивных маечках, кажется, я их уже видел... Кольцо сжимается? На подобный случай у меня обширный арсенал всяких приемов, но... Я прислушался к себе. Сейчас я не в состоянии воспользоваться ни одним из них. Остается самое примитивное.

Высокая арка, вымощенный кирпичом двор, узкая задняя калитка, глухая улочка, еще один проходняк, низкий деревянный штакетник... За мной никто не гнался. Это тоже ничего не значит: при квадратно-сетевом наблюдении исключена всякая беготня, крики, суматоха. Правда, метод сложный, дорогой, требующий большого количества высококвалифицированных сотрудников, и потому применяется редко, только при охоте на очень крупную дичь. Но я, несомненно, считаюсь такой дичью.

Переулок круто поворачивал направо. Безлюдно, только в середине квартала, возле уютного старинного особняка, прогуливается женщина. Интересная, высокая, в глухом, отливающем красной медью шелковом балахоне от горла до щиколоток — последний крик моды. Что делать такой даме на пустынной окраине? Нет, это неспроста!

Поворачивать назад не имеет смысла, я только подобрался, прикидывая расстояние до массивной двустворчатой двери в чисто выбеленном фасаде. Сколько человек стоит за ней?

Когда мы поравнялись, дама ослепительно улыбнулась и резко распахнула балахон. Под ним ничего не было. Только тут я заметил у входа стыдный флажок — желтый треугольник на голубом фоне.

Это тоже могло быть инсценировкой, тщательно, до деталей продуманной и надлежаще обеспеченной...

Хватит, черт побери! Ты же сходишь с ума! Напуганный, загнанный человечек, отчаянно спасающийся от воображаемых врагов, бесследно исчез. Я медленно приходил в себя. Эка куда меня занесло! Совершенно незнакомый район. Проклятье! Я повернул обратно.

Женщина неправильно расценила мои намерения и, призывно улыбаясь, пошла навстречу. Вполне приличный вид, гордая посадка головы, царственная походка. Никогда не подумаешь! Я вспомнил Клайду, и внутри все похолодело. Она опять раскрыла балахон, я выругался и перешел на другую сторону улицы. Пресса называет таких постельными животными, сетует, что их становится все больше и больше. Ничего удивительного — подобный промысел гораздо выгоднее серой, скучной, малооплачиваемой работы. К тому же позволяет обзавестись полезными связями, нужными знакомствами. А что касается этической стороны... Я обернулся.

По улице неторопливо шла блестящая дама, модная, строгая и неприступная. Одежда, конечно, в полном порядке, высокомерно вздернутый подбородок, безукоризненные манеры. На меня она взглянула холодно и презрительно, давая понять, что только невежда может бесцеремонно пялиться на незнакомую женщину. Именно такой знают ее родственники, соседи, друзья, поклонники, муж... Счастливы не гуляющие по окраинам и не умеющие читать чужие мысли!

Двойная и тройная мораль — повседневная, парадно-выходная, для особых случаев — всегда представлялась мне самым отвратительным на свете, гораздо более мерзким, чем явный, неприкрытый порок. Особенно теперь...

Нет, так продолжаться не может! Сейчас опять навалятся мысли о Клайде, воспоминания, нахлынет тоска, апатия... Я привык чувствовать себя предателем, недаром за квартал обхожу детей: стоит зазеваться, и мигом появляется плоская картина с языками пламени, пенистыми волнами, паровозными колесами и отчаянно-умоляющим взглядом ребенка, в помощи которому ты отказываешь. Но, оказывается, быть преданным не менее тяжело.

Плюнуть и рвануть в Роганду, разом решив все проблемы! Все? Увы, только одну — ничего не опасаться: я невидимка, когда не делаю свое дело. А что до остального... Ни лема, ни зеленый дым не помогут, так уж по-дурацки я устроен. Вот если бы вытравить из себя разную чепуху — принципы, убеждения, долг, совесть... Но чем тогда я буду отличаться от несчастных постельных животных?

Смеркается. Время. Я направился к центру. Противоестественный вид исколотого мириадами точек неба внушал парализующий биологический ужас, возникающий где-то на клеточном уровне. Недаром так скакнуло количество потребляемого алкоголя, наркотиков. И самоубийств.

Душно, люди вокруг нервные и взвинченные, много пьяных. Самочувствие отвратительное, и, что самое скверное, нет уверенности в себе.

Поведение Т. в предстоящей ситуации моделировалось компьютерами по всем правилам теории игр. Следовало, как обычно, нащупать варианты, дающие положительный эффект при любом, даже самом неблагоприятном раскладе. Но сделать это не удалось. Все зависело от меня, а я совершенно не готов к разговору.

Т. жил в старом многоквартирном доме, и, поднимаясь по пахнущей мочой лестнице, я вспомнил те веселенькие коттеджи, которые строили в самых заповедных и живописных местах мясники, торгаши и прочие оборотистые дельцы.

Перед высокой резной дверью с облупившейся краской я на секунду остановился и попытался настроиться нужным образом, на минуту мне даже показалось, что это удалось. Звонок тренькнул едва слышно, и тут же щелкнул замок. В дверном проеме стоял крупнейший философ планеты, специалист по логическим системам, автор сотен статей, десятков монографий и фундаментальных учебников, основоположник официально признанной доктрины о принципах этической допустимости. Маленький лысый человечек с нездоровым лицом обезьянки, в мешковатом, не очень свежем домашнем халате.

Часто встречающееся несоответствие облика масштабу внутреннего мира творца всегда меня поражало, но сейчас поразило другое: Тобольган знал, кто я и зачем пришел.

— Вот вы какие, — медленно проговорил он, внимательно рассматривая меня холодным, пронизывающим взглядом. — Внешность истинная или результат трансформации?

Держался Тобольган очень уверенно и чувствовал себя хозяином положения: в кармане он тискал маленький, но достаточно мощный пистолет, из которого собирался, когда подойдет момент, выстрелить себе в голову.

— Что с вами? Неужели нервы? Не ожидал! Я представлял прищельцев начисто лишенными эмоций!

Пот у меня на лбу выступил от напряжения: удалив патрон из патронника, я так и не смог разрядить обойму. В подобном состоянии не следовало сюда приходить — дело могло принять скверный оборот.

— И неправильно. — Хорошо хоть голос оставался спокойным. — Эмоции у нас обычные. Можно войти?

Тобольган отступил в сторону. Любопытство в нем пересиливало страх. В первую очередь он оставался ученым, исследователем.

— И в другом вы ошибаетесь. — Стараясь держаться как можно непринужденнее, я сел в кресло. — Нет у нас ни захватнических планов, ни своекорыстных устремлений. Про «мозговые лагеря» тоже чушь. Если бы не эта звездная чехарда, мы бы вообще не появились — тут вы правы.

— Однако! Вы читаете мысли? Впрочем, чему удивляться — высшая цивилизация! — Я и не подозревал, что великий Тобольган так пропитан сарказмом. — Это трудно?

— Не очень, но требует колоссальных затрат нервной энергии. И по моральным соображениям допустимо только в строго ограниченных случаях.

— Сейчас как раз такой случай? — съязвил Тобольган.

— Да. Но чтобы это вас не угнетало, я предоставлю вам возможность заглянуть и под мою черепную коробку. Тогда вы быстрей все поймете и поверите наконец, что никто не собирается вас похищать. И может быть, оставите в покое свой пистолет. Расслабьтесь!

Когда я окончил передачу, то ощутил, что иссяк окончательно. Тобольган сидел молча, не открывая глаз. Предстояло переварить очень многое, но раз он сумел вычислить даже мой приход, значит, подготовлен больше других и ему будет легче.

— Как называется ЭТО? — Последнее слово он выделил.

— Сближение галактик. Они соприкоснутся чуть-чуть: периферийные спирали пройдут друг сквозь друга. К сожалению, ваша звездная система попадет в зону контакта.

— А есть вероятность, что Навоя не пострадает?

— Ну... Если при прохождении не произойдет прямых столкновений звезд и планет, если гравитационные возмущения не поломают орбиты и не сорвут атмосферу, если... Словом, вероятность около трех процентов.

— С учетом закономерности неблагоприятных последствий шансов практически нет. — Тобольган не оставлял места иллюзиям. — Значит... сколько времени у нас в запасе?

— Это определяется многими факторами. От трех до пяти лет, может, чуть больше.

— И тут вмешиваетесь вы. Идея сама по себе прекрасна... Вы подыскали подходящую звездную систему и прекрасную планету, так сказать, Навою-II, все это очень благородно... Но есть одна маленькая загвоздка. — Тобольган поднял указательный палец. — Сколько человек вы успеете эвакуировать?

— Около пятидесяти тысяч. — Я уже понял, куда он клонит.

— Всего-то?! Но население Навои составляет полтора миллиарда!

— Лучше спасти часть, чем потерять целое. — Я говорил уверенно, как будто этот вопрос не был самым больным в навойской проблеме.

— Несомненно. Но как отобрать эту самую часть?

— Пропорционально численности отдельных групп населения, чтобы сохранить социальную структуру общества. — Вот сейчас и начнется самое главное.

— Какого общества? — Тобольган привстал, как сеттер, почуявший дичь.

— Не понимаю. — Я постарался произнести это как можно естественнее.

— Сейчас поймете! — Он встал и заходил по комнате. — Почему вы пришли за мной? Тут неподалеку живет мой коллега — Мейзон. Он бездарность, тупица, его труды — сплошная компиляция и плагиат, но он не меньше меня хочет жить. К тому же у него жена и трое детей. Кстати, ваши благодеяния распространяются на близких? Вот видите! А я одинок! Почему же вы не хотите сохранить пропорции социальной структуры за счет этого бедняги?

— Вы знаете, что никто на Навое не может объяснить феномен звездного неба? — Я перешел в контр-

300

атаку. — Потому что астрономия находится в зачаточном состоянии, об астрофизике и космогонии вы вообще не имеете понятия. В свое время Акоф начинал работу в этом направлении, но его объявили шарлатаном и бездарностью, лжеученым! А кто объявил? Шарлатаны, бездарности и лжеученые, занимающие в науке ключевые посты! На Навое-II такое не должно повториться!

— Вот и ответ, — печально улыбнулся Тобольган. — Вы ставите целью не спасение навойской цивилизации, а создание новой. Улучшенной модели, преломленной через призму вашего понимания...

— А это плохо? Или нечего улучшать? Может, вы никогда не заглядывали под лакированные маски, скрывающие неравенство, разложение, упадок?

Он помолчал, наморщив огромный, и без того морщинистый лоб.

— Что ж, к улучшению породы прибегают давно, правда, до сих пор ограничивались животноводством... Скажите, а там, у себя, вы уже преодолели все трудности, достигли вершин мудрости и знаете, какой должна быть Навоя-II? Словом, вы готовы к селекционной деятельности?

— Как вам сказать... Проблем хватает. И до вершин далеко: ведь с каждой достигнутой открывается следующая, еще более высокая. Но надо ли обладать абсолютом знаний, чтобы выбрать — дать сгореть разумной жизни или пересадить ее в безопасное место?

— Весь вопрос — как пересадить? Из ничтожной части кирпичей разрушаемого дома нельзя выстроить точно такое же здание! В лучшем случае — уменьшенную копию!

— Человеческое общество, в отличие от неживой природы, способно к разумному воспроизводству...

— А у вас есть право определять пути его развития?

— Боюсь, что нет. — Мне не хотелось тягаться с автором известных философских концепций, но выбора не было. — Однако не всегда правильное решение — панацея. Безукоризненные построения могут быть полностью нежизнеспособными. У нас есть притча про осла, который, оказавшись между одинаковыми стогами сена, логически обдумывал, с какого начать. Бедняга умер от голода! Извините за мрачную аналогию, но, надеюсь, вы не хотите, чтобы Навою постигла та же судьба?

— Гм! Осел между равными стогами сена... И разумеется, на одинаковом расстоянии... Интересно! Здесь, конечно, есть изъян, и сейчас я его найду. — Можно только удивляться быстроте, с которой переключался ход мыслей Тобольгана. Он оживился, порозовел, схватил карандаш и полез было за бумагой, но сработало какое-то невидимое реле, и он пришел в себя. — Ладно, потом... — Он махнул рукой. — Но вы подменили тезис: бесспорно, цель у вас самая благородная, глупо спорить! Но каковы средства? Вы соберете талантливых ученых и создадите элитарное общество! Впрочем, здесь еще есть объективные критерии — чины, степени, звания в расчет принимать нельзя, но остаются способности, труды, достижения. А как быть с так называемыми «простыми людьми»? Рабочими, крестьянами, плотниками...

— Здесь тоже есть критерии. Общечеловеческие. Честность. Порядочность...

— Это довольно расплывчатые понятия, к тому же они постоянно меняются. Но, предположим, что выбрали их. Почему? Должна же быть какая-то логика отбора?

— Вы замечали, что благородные люди уязвимее трусов и приспособленцев? Ну-ка, ответьте: кто скорее бросится в пожар спасать ребенка или уступит место женщине в последней шлюпке? Вот то-то и оно! По-вашему, это логично? А на мой взгляд — жесточайшая несправедливость! Естественный отбор наоборот! Кому он на руку? Дуракам и иждивенцам. Лично мне не нравится, когда торжествуют такие особи. Логика отбора в том и состоит, чтобы поправить порочную закономерность!

— А вы не задумывались, что, если бы не способность к самопожертвованию, то герой ничем бы не отличался от труса? Лишить его этого свойства — значит уничтожить и нравственное превосходство!

— Странный взгляд на вещи.

— Отнюдь. Просто с другой стороны, и это естественно: любая жизненная позиция имеет две грани. Вопрос в том, какую выбрать.

— Мы снова вернулись к логике выбора?

— Не только. Скажите, кто принимает решение об эвакуации конкретного навойца? Я имею в виду окончательное решение.

— К сожалению, я.

— Вот даже как? — Тобольган развел руками. — Единолично?

Я промолчал. Он бил в самые уязвимые точки.

— Не слишком ли велика ответственность? И не боитесь ли вы ошибиться? Ведь как мы только что выяснили, четких представлений о том, кого спасать, а кого оставлять на погибель, у вас нет. Так, личные ощущения — симпатии, антипатии. Они годятся, чтобы выбрать себе подругу, и то вы оцените большую совокупность параметров: рост, цвет глаз и волос, объем груди, талии, бедер, овал лица, форму ног. А тут... — Он снова развел руками. — Такой дилетантский подход к судьбам людей и будущему цивилизации мне, уж извините, непонятен!

Да. В таком состоянии не следовало сюда приходить. Впрочем, даже находясь в отличной форме, я бы не смог переиграть Тобольгана. Мы оба правы, каждый по-своему. И с точки знания логики он прав более, чем я. У нас в совете тоже были головы, считающие, что этичнее оставаться в стороне: в конце концов, мы не отвечаем за космические катаклизмы, а за вмешательство в развитие чужой цивилизации отвечать придется. Хотя бы перед собой. Но я не признаю такой логики. Да и остальные участники операции тоже.

— Значит, вы отказываетесь? — На этот раз мой голос был хриплым и усталым.

— А что будет, если откажусь? — Тобольган снова сунул руку в карман.

— Ничего. Я встану и уйду. А вы забудете, о чем мы говорили.

— Забуду? Это унизительно. И задачку жаль... Впрочем, что с нами церемониться? Вы же сверхсущество, эмиссар, уполномоченный решать судьбы людей и планет! Вы не знаете сомнений, вы непогрешимы, так что...

— Я бы с удовольствием поменялся с вами местами. — Этого, конечно, уже говорить не следовало, но я не мог сдержаться. — Брюзжал бы, задавал логические задачки, считал себя добрым и справедливым, легко становился в позу обиженного, сам себя жалел и успокаивал. Но приходится заниматься другим. На Навое нас высадилось двадцать человек — добровольцы, по десятку на континент. Вопросами, которыми вы меня сегодня кололи, нас исхлестали еще на Земле, и здесь они мучили нас ежедневно и ежечасно. Но мы делали свое дело — чертовски трудную и неприятную работу — и кое-чего достигли. — Я перевел дух. — Это не прошло незамеченным, у вас ведь много зорких служб — полиция общая и тайная, разведка, контрразведка. Специальное бюро... Здесь моих товарищей приговаривали к смерти как шпионов Агрегании, а там — как ваших диверсантов! А после одного случая нас перестали арестовывать и как особо опасных расстреливали из засад! Сегодня я остался один! — Я не заметил, как перешел на крик. — Я устал, измотался, нагромоздил личных проблем и докатился до того, что трачу нервный потенциал, чтобы лишний раз убедиться в лживости женщины, которую полюбил! За мной уже охотятся, а я в состоянии выжатого лимона прихожу к вам и пытаюсь переубедить сильнейшего логика Навои! Вот вам отсутствие сомнений и непогрешимость! А сейчас я выбалтываю все это вам неизвестно почему, просто чтобы выговориться!

305

Тобольган слушал внимательно и даже несколько растерянно.

— Так давайте поменяемся местами! Я буду сидеть в мягком кресле, спокойно спать, избегать смотреть в небо, а в минуты депрессии сознавать, что существует замечательный и простой выход из любых положений. — Я швырнул в полированную пепельницу маленький, блестящий смазкой патрон с остроконечной пулей. — А что будете делать вы? Останетесь наблюдателем? Возьметесь заселять Навою-II посредственностями и мерзавцами? А может, все-таки используете свои представления о том, как можно «улучшить породу»?

Тобольган молчал.

— Но имейте в виду, в любом случае вас ждут жесточайшие сомнения, угрызения совести, временами даже презрение к себе! Вы зададите себе тысячу вопросов, на которые не сможете ответить! Вас будет сгибать бремя ответственности, боязнь ошибок и постоянное чувство неправомерности собственных действий! Но так работать нельзя, и вам останется только сжать зубы и поступать в соответствии со своими убеждениями! Чтобы потом мучиться до конца жизни...

Я обращался не к Тобольгану. Передо мной была вторая половина моего собственного «я», погрязшая в паутине самокопания и колебания, отравленная ядом нерешительности, растерянная, неуверенная, утрачивающая способность к активным действиям. Но теперь она находилась вне меня и потому больше не представляла опасности. К тому же я остро ощущал свое превосходство.

Я встал и поднял портфель.

— Только, знаете, я не стану с вами меняться. Это стресс, он пройдет. А я ненавижу чистоплюев, которые всегда правы, потому что стоят в стороне! И честно говоря, не люблю железную логику! Потому и пошел в добровольцы.

Я наклонился к Тобольгану и заглянул ему в глаза.

— А на Навое-II уже рождаются дети! И построено два города, пусть маленьких, но настоящих! И там нет преступности, пьянства, разврата и прочей мерзости! Вот так, Великий Логик мэтр Тобольган!

Проснулся я бодрым и уверенным, хотя запас энергии полностью и не восстановился. Тобольган оказался отличным кулинаром, и мы с аппетитом позавтракали. Потом он долго мыл посуду, а я лежал в кресле с закрытыми глазами и старался расслабить каждую мышцу. Завтра прибудет второй отряд добровольцев — сто пятьдесят человек. Даже после полученной подготовки месяц-другой им придется осматриваться, вживаясь в местную жизнь. А мне предстоят организационные хлопоты и текущая работа. Правда, теперь работать и жить будет веселее. И опасней.

Честно говоря, мне дьявольски хотелось домой. Но опытных, знающих обстановку, хорошо внедренных специалистов никогда не отзывают. Да они никогда и не просят об этом.

Я готов.

Тобольган упаковал в саквояж только самое необходимое, книги мы заберем позже.

В прихожей он замешкался и как-то растерянно оглянулся.

— Похоже на сон... Фантастические события в будничной обстановке. Надо, наверное, сказать напоследок что-нибудь значительное...

— Обязательно. — Я взял его за локоть. — Кристопер, например, сказал: «Черт побери, самое главное — не забыть трубку».

Он немного натянуто улыбнулся и открыл дверь.

1979

ТРЕФОВЫЙ ТУЗ

Багровое солнце уже заходило за горизонт, посылая косые лучи в выжженную долину. Тени от кактусов удлинялись, из многочисленных трещин сухой земли выползали за добычей змеи и ящерицы. Приближалась ночь.

В сухом воздухе отчетливо послышался цокот копыт. Вскоре показался всадник на белом мустанге. По запыленной одежде и усталому лицу было видно, что за его плечами немалый путь. На нем были простые молексиновые штаны, грубая рубашка с ярким шейным платком и стетсоновская шляпа. На широком поясе, тяжело оттягивая его, висели два самовзводных револьвера калибра сорок пять. Это были последние образцы фирмы Сэмюэля Кольта. К седлу притрочены лассо, винчестер и две вместительные сумки.

Всаднику было около двадцати пяти лет. На загорелом, почти квадратном лице с массивным подбородком выделялись серые глаза, которые блестели как вороненая сталь. Это был Брэд Декстер, который во всех пограничных городках от Ларедо до Рио-Браво был известен под прозвищем Трефовый Туз из-за пристрастия к покеру, а также из-за умения выбивать пулями трефовые узоры.

Брэд Декстер за последние пять лет перепробовал немало ремесел. Золотоискатель, рудокоп, контрабандист, вышибала в салуне — словом, за его плечами были десятки тех профессий, которые создали ему репутацию картежника, задиры и, как ни странно, честного человека. Одно время на его жилете блестела звезда шерифа, но Брэду была по вкусу жизнь свободного и независимого человека, а не ревностного служителя закона. Последнее время он занимался стрижкой овец — до тех пор, пока не обнаружил у себя удивительную способность без промаха бить с двух рук.

Так Брэд избрал себе новую профессию — свободного охранника. Он сопровождал поезда, дилижансы и фургоны, так как бандитские шайки частенько нападали на переселенцев и почтовые поезда. Брэд постоянно кочевал с места на место, и его не обременяло сопровождение экипажа, который двигался в том же направлении. А люди, которых он брал под свою защиту, знали, что они в сравнительной безопасности, и щедро платили за это.

Брэд не единственный занимался этим промыслом. Таких людей было много — ведь на Западе умеют владеть оружием, — но Трефовый Туз прославился несколькими стычками с бандой Циско Кида, в которых он одерживал победу, поэтому в сопровождение с большой охотой брали его. Не всем это нравилось, завистники стремились избавиться от удачливого конкурента, а так как Брэд дрался на семидесяти дуэлях и только два раза был ранен, то большей частью выстрелы направлялись в спину. На теле осталось несколько следов от коварно пущенных пуль, но покушавшимся приходилось хуже — пули Брэда были смертельны.

Сейчас Брэд направлялся в Локано — небольшой городок у границы Мексики и Техаса. Дело в том, что он был связан обязательством чести. Пионеры, осваивающие Дикий Запад, были выходцами из разных краев, но зачастую привозили с собой обычаи родины. Декстер — уроженец Корсики, а там не забывают обязательств кровной мести. Из-за чего разгорелась война между семействами Декстер и Молано, уже не помнили, так как она тянулась несколько десятков лет, но в ущелье, где жили эти семьи, часто раздавались выстрелы, сначала из капсюльных ружей, потом из более современного оружия.

Достопочтенные джентльмены тщательно выцеливали друг друга, стараясь максимально сократить число противников. Им это удалось. Наконец со стороны Декстеров остались два брата, Брэд и Джеймс, а со стороны Молано — братья Рой, Джон, Боб, Баркли и их дядя Хэмп. В прошлом году Джеймс упал с коня с пулей между лопаток, а несколько месяцев спустя Брэд опередил выстрелом Хэмпа Молано.

Теперь Брэд надеялся встретить кого-нибудь из своих кровников и изменить соотношение четыре к одному, которое было явно не в его пользу.

Брэд добрался до Локано в полночь. Привязав коня, он зашел в ярко освещенный салун, открытый всю ночь. У стойки бара стояли несколько человек, остальные сгрудились в соседней комнате около стола, покрытого зеленым сукном. Шла крупная игра — в банке набралось уже около четырех тысяч долларов. Из шестерых партнеров остались четверо — двое вышли из игры.

Брэд очень устал — в другое время он обязательно посмотрел бы, чем кончится и эта игра, — поэтому, поужинав, он поднялся наверх. Хозяин салуна с радостью предоставил ему комнату, понимая, что лучшей рекламы, чем присутствие в заведении Трефового Туза, ему не придумать.

Спал Брэд недолго. Около двух часов ночи внизу раздались два выстрела. Брэд с «кольтом» в руке спустился вниз. Один из игроков зажимал рану в плече, другой уткнулся лицом в зеленое сукно. На спине расплывалось багровое пятно: с близкого расстояния пуля сорок пятого калибра прошивает человека насквозь.

Брэд взглянул на кучу банкнот, затем откинул убитого на спинку стула. Только громадная выдержка удержала его от возгласа изумления: перед ним был Боб Молано!

— Что произошло? — обернулся Брэд к ковбоям, плотной стеной обступившим место трагедии.

— Шулер, — кратко и равнодушно бросил кто-то из толпы.

Да, такие вещи здесь не в диковинку. Довольно часто какой-либо мошенник, допустив ошибку, тем самым выдавая себя с головой и зная, что пощады ему не будет, хватается за оружие. Иногда ему удается проложить себе дорогу к коню, иногда его ловят и тогда, положив руку на стол, простреливают ее в упор, а иногда кончается и так: шулер промахнулся, а его противник — нет. Брэд еще раз взглянул на мертвого Боба и

312

пошел наверх. «Итак, три к одному», — подумал он, засыпая.

На другой день в салуне было больше посетителей, чем обычно: весть о приезде Трефового Туза быстро облетела городок. Брэд спустился вниз, когда солнце уже стояло высоко в зените. За завтраком он порасспросил собравшихся о новостях в городке и о том, где находятся сейчас братья Молано. Те тоже были незаурядными личностями — крутой нрав и умение обращаться с оружием снискали им своеобразную славу в пограничных районах. Брэду удалось узнать, что Роя Молано несколько дней назад видели в Ларедо. Об остальных братьях ничего не было известно.

Над городком сгустилась ночь. Большие южные звезды с любопытством заглядывали в окно салуна «Приют ковбоя», где за большим круглым столом шла карточная игра. Играли шесть человек. Банкометом был Брэд Декстер, который, тасуя колоду, спокойно оглядывал своих партнеров. Собравшиеся в игорном зале с интересом наблюдали за игрой. Против Брэда играли самые достойные и честные люди города, большие мастера карточной игры. Впрочем, человек, не обладающий этими достоинствами, не сел бы за один стол с Декстером: все знали, с какой легкостью пускает он в ход оружие, и помнили, как год назад он одновременно застрелил двух игроков: одного правой, а другого левой рукой. Те не только имели дерзость нарушать правила честной игры, но и были настолько самонадеянны, что не подбирали партнеров.

Вместе со звездами в окно салуна заглядывал всадник в низко надвинутой на лоб шляпе. Он медленно вынул из кобуры револьвер и, щелкнув курком, направил его в игроков. Вернее, в одного игрока — банкомета. Мушка хорошо выделялась на фоне белой рубашки Трефового Туза как раз над левым карманом.

Шериф Локано славился тем, что в нужное время он всегда появлялся в нужном месте. Сейчас он как раз выехал на центральную улицу и увидел в ста ярдах от себя незнакомого всадника, который направлял холодно блестевший в лунном свете «кольт» в окно салуна. Быстрота реакции, ловкость в обращении с оружием, смелость — эти качества были не чужды шерифу. Его выстрел грянул на секунду раньше, чем выстрел незнакомца. Конечно, расстояние в сто ярдов слишком велико для прицельной стрельбы из револьвера, тем более ночью, но внезапный выстрел испугал коня незнакомца, а может быть, свист пролетевшей рядом пули заставил дрогнуть его руку, но пуля пробила стену двумя дюймами выше шляпы Брэда.

В следующую долю секунды Трефовый Туз послал две ответные пули в окно, но незнакомец, низко пригнувшись в седле, уже во весь опор скакал на юг, и только когда город остался далеко позади, он пустил коня шагом. Свет луны осветил его широкоскулое мужественное лицо с небольшими усиками и роскошными бакенбардами, которые скрывали длинный узкий шрам — след ножевой раны, полученной в пьяной драке. Это был Баркли Молано — старший из братьев. Он с досадой крутнул барабан револьвера и направил коня к гряде скал, мимо которых вилась узенькая дорога — единственная, по которой можно было выехать из Локано на юг.

Солнце едва показалось над горизонтом, когда Брэд Декстер выехал в Ларедо. Прозрачный воздух в долине еще не был пронизан палящими лучами солнца, слышалось пение птиц, отдохнувший конь резво скакал по твердой, казалось, каменной почве.

Брэд был мрачен и насторожен. Вчера ему не повезло — он крупно проиграл, и теперь весь его оборотный капитал составлял пять долларов. К тому же он хотел бы узнать, кто всадил пулю в стену над самой головой и только благодаря случайности не раскроил ему череп. Возможно, это был какой-нибудь случайный бродяга, а возможно, и кто-нибудь из его кровных врагов. Поэтому Брэд держался в седле напряженно и зорко смотрел по сторонам.

Опасаться ему действительно стоило. Баркли был отличным стрелком и сейчас, зарядив винчестер и удобно устроившись за камнями, целился прямо в грудь Брэду, силуэт которого отчетливо выделялся на фоне неба.

Грянул выстрел. Это многократно повторилось окружающими скалами. Сильный удар в грудь заставил Брэда потерять равновесие и упасть с коня. Упав, он не пошевелился и даже не потянулся к рукоятке револьвера. Раздались еще два выстрела. Одна из пуль ударила в землю у самой головы Брэда, другая раздробила рукоятку «кольта».

Баркли был уверен, что три пули сделали свое дело, и поэтому спокойно встал и направился к лежащему ковбою. Винчестер он положил на плечо и не успел вскинуть его, когда лежащий вдруг выхватил револьвер и направил ему в лицо. Единственное, что он мог сделать, — это упасть на спину и выстрелить еще раз в противника, пуля которого со свистом прорезала воздух.

Теперь оба находились в одинаковом положении: оба укрывались за камнями, и оба лежали на земле. Расстояние между ними было ярдов пятьдесят — предел прицельного огня для «кольта», но отнюдь не для винтовки.

У Брэда же при себе имелся только один исправный револьвер, потому что винчестер был приторочен к седлу ускакавшего к скалам жеребца.

Противники обменялись несколькими выстрелами, потом наступила тишина ожидания. Брэд увидел, что Баркли неосторожно выставил плечо из-за камня. Он тщательно прицелился и нажал спуск. Выстрел слился с коротким вскриком. Теперь преимущество было на стороне Брэда — его противник не владел правой рукой.

Вскоре Декстер увидел, что Баркли отползает к скалам, за которыми был привязан его конь. Вот он вскочил на ноги и в несколько прыжков укрылся за каменной грядой. Вслед ему дважды щелкнул барабан декстерского «кольта», но выстрелов не последовало — кончились патроны. Раздался цокот копыт и вскоре затих вдали.

Брэд встал и осмотрелся. Пуля Баркли попала в медальон, висевший у него на груди, и, сплющившись, скользнула по ребрам, содрав лоскут кожи. Брэд перевязал рану и, подозвав свистом жеребца, тронулся в путь. Он спешил в Ларедо.

А Джон Молано скакал в Рио-Браво, надеясь

скрыться от представителей закона, которые преследовали его уже три дня с самого ранчо «Шелудивый осел», где остался лежать шериф с пулей Молано в груди. Эта пуля вошла в самую середину звезды шерифа, и Джон гордился удачным выстрелом. Главное — удалось оторваться от преследователей на день пути, и он надеялся избежать печальной участи тех людей, которые пытались убивать представителей закона.

Пути Брэда Декстера и Джона Молано схлестнулись в Эль-Пасо. Несколько выстрелов, облако дыма и два неподвижно лежащих тела. Трефовый Туз и на этот раз оказался счастливее своего противника, который был мертв. Он отделался двумя ранами: в плечо и в бок. Брэда Декстера свезли в больницу и передали на попечение сестрам милосердия и усатому краснолицему хирургу, который непонятно почему хмыкал, извлекая из тела пациента две пули калибра 1/2 дюйма в никелевых рубашках.

Прошел месяц. Брэд покинул Эль-Пасо, сохранив теплые воспоминания о персонале больницы и два свежих шрама. Денег у него не было, а долги были — счет в больнице оплатили друзья.

Чтобы попасть из Эль-Пасо в Ларедо, надо было миновать длинное глубокое ущелье, которое, казалось, самой природой создано для засад. И действительно, здесь часто гремели выстрелы, звучали воинственные крики и лилась кровь неосторожных путников. Брэд сделал привал, не доезжая нескольких миль до каменной горловины. Ему удалось подстрелить антилопу, и, разведя костер, он принялся жарить мясо. Поужинав, он неторопливо устроился на ночлег.

На другой день Брэд увидел дилижанс, который следовал из Эль-Пасо в Ларедо. Брэд остановил его и предложил охрану при следовании через ущелье. В дилижансе ехали две молодые девушки, недавно прибывшие из Старого Света и с интересом ждавшие первых приключений на Диком Западе, пожилая чета, два коммивояжера, которые отчаянно трусили и не вынимали правых рук из карманов, в которых лежали пистолеты с взведенными курками, пожилой коммерсант и тощая старуха с лорнетом на потертом черном шнурке. Кроме них, впереди на козлах сидели возница и сопровождающий дилижанс охранник.

Возница и охранник, более опытные люди, чем их пассажиры, мрачнели по мере приближения к Черному ущелью. Узнав в Брэде смелого и отчаянного Трефового Туза, они оживились и представили его пассажирам. Те с радостью приняли предложение взять их под охрану.

Перед въездом в ущелье Брэд тщательно проверил оружие и расстегнул сумку с патронами. Предельно собравшись, он ехал впереди дилижанса, готовый послать пулю на любой подозрительный шум. Охранник настороженно водил по сторонам стволом короткой двустволки, а коммивояжеры вытащили оружие из карманов и, стараясь придать себе спокойный и хладнокровный вид, направили револьверы на груду камней, которая казалась им наиболее подозрительной. Воздух в ущелье был затхлый и сырой — сюда никогда не проникали лучи солнца. По обе стороны узкой дороги возвышались скалы, обрывистые и неприступные. Они поднимались высоко вверх. То тут, то там были разбросаны груды камней, всевозможные осыпи, кучи осыпавшейся земли.

Внезапно на дорогу, прямо перед конем Брэда, выскользнула огромная, около трех ярдов, змея неизвестной Брэду разновидности. Отвратительное пресмыкающееся застыло перед конем, приподняв маленькую треугольную головку со злыми блестящими глазами. Конь Брэда испуганно заржал и встал на дыбы, поэтому первая пуля ударила в камень на добрый фут выше цели. Второй выстрел попал в змею, и голова ее отлетела в сторону, в то время как обрубок туловища яростно извивался на дороге.

Вслед за выстрелами Брэда послышалась частая равномерная стрельба — коммивояжеры разряжали барабаны револьверов в камни и небольшие заросли у подножия скал. Охранник, укрывшись за колесом, искал глазами цель, а возница поспешно достал из-под сиденья старый крупнокалиберный «смит-вессон». Брэд успокоил пассажиров, и путешествие продолжалось. Больше приключений не произошло, дилижанс благополучно миновал ущелье и выехал на широкий накатанный путь. Брэд получил десять долларов и поскакал вперед, провожаемый восхищенными взглядами девиц, которые впервые видели Трефового Туза и его молниеносные решительные действия.

Брэд прибыл в Ларедо, когда уже смеркалось. Рой Молано вместе с Баркли покинул городок рано утром. Братья собирались в далекий путь — это было видно по той тщательности, с которой они седлали лошадей, проверяли оружие и приторачивали сумки, полные провизии и патронов. Баркли вылечил руку и владел ею не хуже, чем раньше, но его плечо было навсегда изуродовано шрамом.

Узнав то, что его интересовало, Брэд отправился в казино и до утра играл в покер. На этот раз ему повезло: когда он встал из-за стола, карманы были туго набиты кредитками.

Теперь требовалось развлечься. Выйдя на улицу, Брэд продемонстрировал свое искусство собравшимся. Достав револьверы, он выстрелил в стену. Два выстрела слились в один, и в стене образовалось отверстие, похожее на корпус гитары, — две пули, зацепив друг друга, вошли в одно место. Брэд продолжал стрелять до тех пор, пока барабаны его «кольтов» не стали щелкать впустую. Отверстие в стене чуть-чуть расширилось.

Затем он перезарядил оружие и выбил две трефы — фигуры, за которые получил свое прозвище. Затем Брэд, многочисленные друзья и приятели зашли в бар и стали соревноваться в употреблении виски.

Через час Брэд оглядел бар, где всюду валялись мертвецки пьяные люди, взглянул на бармена, который спал, перегнувшись через стойку, и нетвердым шагом прошел к себе в комнату.

Прошло не менее суток, пока Брэд встал и почувствовал себя бодрым и отдохнувшим. Он решил продолжить путь на юг.

Мерно стучали копыта. Отдохнувший конь скакал по гладкой, укатанной дороге.

Путешествие продолжалось около пяти часов, и Брэд хотел уже остановиться на привал, когда впереди увидел большую группу всадников. Их было не менее ста человек. Брэд остановил коня, взвел курки револьверов и спустил предохранитель винчестера. Он знал, что честные люди редко встречаются тут в таких количествах, скорее всего, это были бандиты. Бандитов Брэд не боялся, они уважали Трефового Туза, но встреча с шайкой Циско Кида не сулила ему ничего хорошего. Это была единственная банда, атаман которой вот уже два года мечтал убить его.

От всадников отделилась группа человек в восемь и поскакала навстречу. Когда расстояние между ними сократилось до ста ярдов, Брэд отчетливо разглядел богатый, расшитый серебром кожаный жилет одного из них и богатое с серебром сомбреро. Такой наряд был у единственного человека в здешних краях — у Циско Кида.

Брэд свернул с дороги на тропинку и погнал коня во весь опор. Его, видимо, тоже узнали: вслед загремели выстрелы. Брэд низко пригнулся и скакал вперед, даже не пытаясь отстреливаться: расстояние было слишком большим для «кольта», а стрелять из винчестера на скаку, да еще оборачиваясь назад, было бесполезно. Дорога пошла в гору. Брэд увидел, что его преследователи не отстают. Первым скакал Циско Кид.

Циско Кид был мексиканцем. Вот уже десять лет его имя наводило ужас на все пограничные районы. Он грабил селения, угонял скот, останавливал почтовые поезда и дилижансы, убивал шерифов. Обычно охрана, сопровождающая поезда, не пыталась отстреливаться — все знали, что те, кого Кид ловил с оружием в руках, немедленно вздергивались на ближайшем дереве.

Однажды на экспресс «Ночная звезда», который вез на два миллиона долларов золотого песку с Бонанзы, нанялся сопровождающим Брэд Декстер. Кроме него, в почтовом вагоне было десять охранников и пять добровольных сопровождающих. В песчаном каньоне с обрывистыми стенами, вдоль которых росли густые заросли кактусов, поезд остановился: поперек полотна лежало толстое бревно.

Как только машинист вышел на рельсы, из зарослей раздался выстрел, сразивший его насмерть.

Бандиты выскочили из зарослей и бросились к поезду, стреляя на ходу и оглашая окрестности боевым кличем, от которого кровь стыла в жилах, — это был клич людей Циско Кида. Охранники даже не прикоснулись к оружию, а добровольцы, чуть подумав, тоже опустили револьверы. Если бы кто-либо другой... Но Циско Кид! У самого отважного не хватило бы смелости стрелять в его людей...

Бандиты подбежали совсем близко. Их было около тридцати человек — Кид считал, что этого вполне достаточно, чтобы ограбить экспресс, который никто не попытается защищать. Но Циско Кид не взял в расчет Декстера, а тот как раз вовремя вступил в игру.

Двенадцать раз рявкнули его «кольты», и столько же человек упали на железнодорожную насыпь. Брэд взял винчестер, и вскоре еще восемь нападающих лежали на земле. Бросив разряженное ружье, он хотел выхватить оружие у кого-то из охранников, но те, видя, как обстоит дело, сами приняли активное участие в происходящем. Стены каньона долго повторяли эхо выстрелов, а когда Кид с остальной бандой прибыл на шум боя, он нашел пятнадцать трупов и столько же раненых.

Эта стычка снискала Брэду большую славу. К тому же теперь банде Кида всегда давали отпор — Брэд убедил всех, что его люди тоже смертны и бой с ними можно выиграть. Кид поклялся отомстить Трефовому Тузу и несколько раз пытался сдержать свою клятву, но безуспешно. Пять раз падали посланные Кидом люди под смертельными выстрелами Декстера, и только один раз он упал с пулей в лодыжке, успев, впрочем, послать ответную пулю. Наконец Кид встретился с Декстером лично. Произошла эта встреча так.

Однажды Циско Кид и пять его телохранителей направлялись в горы Биттер-Рут, где находилось логово банды. Увидев дилижанс, впереди которого гарцевал одинокий всадник, разбойники решили прихватить по пути ценности, которые найдут в карманах и багаже пассажиров. Когда они приблизились, Кид направил на незнакомца закопченный ствол и предложил сойти с коня.

Тот мгновенно выхватил револьвер, Кид нажал спуск, но его верный, испытанный «смит-вессон» дал осечку. Выстрел одного из телохранителей сорвал с незнакомца шляпу, но пуля Брэда оторвала Киду ухо, а другая свалила его приятеля. В следующую секунду Брэд спрыгнул на землю, и пули бандитов пронизали воздух. Снова сдвоенный выстрел и прыжок в сторону — двое нападавших упали с коней, а пули мексиканцев взрыли землю там, где Брэд только что стоял. Еще двойной выстрел — и вот Циско Кид мчится прочь, зажимая рукой рану, а пять его товарищей неподвижно лежат на холодной земле. Так возрос счет, который Кид предъявил Брэду.

«Теперь наконец мы посчитаемся!» — злобно подумал Кид. Он знал, что тропа, по которой они скачут, обрывается у пропасти.

Брэд гнал коня вперед все быстрей и быстрей. Ему удалось оторваться от преследователей ярдов на пятьсот. Внезапно он остановился. Впереди — обрыв. Крутые стены уходили далеко вниз. Дороги дальше не было. Вдруг он увидел домик, сложенный из толстых бревен, который стоял на треугольной площадке над обрывом. С трех сторон дом окружала пропасть. Попасть к нему можно было по неширокой дорожке длиной около десяти ярдов. Выбора не было, и Брэд направился к бревенчатому укрытию. Он вошел в дом, завел жеребца и, уложив его у стены, запер дверь из толстых досок с крепким надежным засовом.

Вскоре показались первые всадники. Сквозь небольшое окошко Брэд отчетливо видел, как они посовещались о чем-то, а потом неспешно направились к его убежищу. Сразу же они убедились, что пробиться к нему не смогут, так как Брэд без труда перестреляет тех, кто ступит на узкую дорожку. Для того чтобы бандиты это поняли, им был преподан небольшой наглядный урок: шестеро упали с коней в пропасть. Бандиты начали ожесточенно обстреливать домик, но пули были бессильны против толстых стен. Тогда начали стрелять в окно. Брэд забаррикадировал его столом, оставив только узкую щель, куда мог просунуть ствол винчестера. В сумках у седла у него был порядочный запас продовольствия и сотни две патронов. Он мог легко продержаться с неделю.

Прошло три дня. Бандиты расположились лагерем на площадке перед домом, надеясь взять Брэда измором. Костры в их стане горели день и ночь, на них жарили мясо, которое запивали маисовой водкой. Время от времени в дверь домика летели пули. Один раз несколько разгоряченных алкоголем бандитов попытались взять его штурмом. Их трупы лежали у самого края пропасти.

Брэд экономно расходовал патроны и еду, но хуже всего было с водой. Запас ее кончился на второй день заточения, и ему приходилось доставать ее из мутного ручейка, который бежал по дну пропасти. Для этого Брэд выбил несколько досок из задней стены дома и опускал вниз баклагу, привязанную к лассо. Это было весьма утомительно, потому что приходилось поить и коня, который за один раз выпивал пять-шесть баклаг. Конь очень ослабел, потому что Брэд давал ему ровно столько пищи, чтобы тот не умер с голоду.

Спустилась ночь. Брэд стоял у окна с «кольтом» в руке. Эта ночь была особенно темной, луна и звезды не освещали землю из-за густых туч. Брэд внимательно слушал. Он умел стрелять ночью так же метко, как и днем, — по звуку. Вдруг тишину ночи расколол сильный удар грома. И сразу же на землю упали первые крупные капли дождя.

Дождь шел всю ночь. Когда рассвело, Брэд посмотрел на дно пропасти и увидел, что там бежит бурная река, в которую превратился узкий и маленький ручеек. А дождь все лил. В полдень раздался долгий протяжный звук, похожий на вздох, за ним другой. Посыпались, перестукиваясь, камни. Это подмытая потоком земля оползла в двух местах, завалив пологий склон недалеко от домика Брэда. Этот склон перекрыл ручей и уперся в противоположную стену ущелья. По импровизированной дороге можно было выбраться с того пятачка, на котором оказались Брэд и бандиты. Те, видимо, и хотели так поступить, но поняли, что это будет им стоит новых жертв. Образовавшаяся дорога была в двадцати ярдах от боковой стены домика Брэда. Тот тоже понял свое преимущество и, отодрав от стены доску, приготовился обстреливать дорогу.

Дождь не прекращался. Перегороженный ручей все поднимался, беснуясь и колотясь в тесном пространстве. Он все больше и больше подмывал склон, над которым находился лагерь Кида. Вскоре произошел небольшой обвал, который унес с собой десятерых бандитов и вселил ужас в остальных. Посовещавшись, они решили прорваться из этого проклятого места. Стреляя на скаку, бандиты понеслись к дороге, которая могла вывести их в большой мир. Защелкали «кольты» Брэда. Разрядив их, он схватил винчестер... Скорость не спасла бешено несущихся всадников. На свободу вырвались пятнадцать коней, а их хозяева остались лежать на земле, некоторые попадали в пропасть. Оставшиеся в живых бандиты собрались в кружок и стали совещаться.

Брэд перезарядил ружье и, взяв винчестер, тщательно прицелился в сомбреро Циско Кида. На таком расстоянии шансов попасть почти не было. Но вот Брэд выстрелил — и богатое, разукрашенное серебром сомбреро шлепнулось в грязь рядом со своим хозяином. Оставшись без главаря, бандиты растерялись. Между тем выстрелы Брэда сразили еще двоих. Всадники пятились назад, стараясь выйти из пространства, в котором пули Брэда были смертоносны. Но вот за их спинами обрыв, а число убитых все увеличивается. Тогда в диком порыве отчаяния, без единого выстрела все кинулись вперед. Десять человек, скакавших впереди, были выбиты из седел, едва только приблизились к домику, но остальные, пока Брэд перезаряжал оружие, благополучно миновали опасное место. Вслед им вновь загремели выстрелы. То, что оставалось от грозного отряда Циско Кида, потеряв еще несколько человек, скрылось из виду.

Брэд вышел наружу и вывел коня, который шатался от слабости. Пустив его пастись, Брэд обошел поле битвы. Когда он подходил к Киду, тот зашевелился и, щелкнув курком револьвера, дрожащей рукой направил его в своего врага. Но Трефовый Туз вновь опередил его, и в наступившей после дождя тишине грянул еще один выстрел — последний.

Через пять дней Брэд скакал на юг. Набравший силы конь нес его легко и свободно. В сумке Декстера лежали два револьвера системы «смит-вессон» с богатой серебряной насечкой, а за спиной висело большое, отделанное серебром сомбреро.

Вещи Кида были известны всем, и в первом же городке Брэд представил властям неоспоримые доказательства смерти Кида, получив вознаграждение в двадцать тысяч долларов.

К вечеру следующего дня он прибыл в Сан-Маркос, где намеревался провести несколько дней. Здесь на десять тысяч он открыл счет в банке, а остальные проиграл в покер на следующий день. Везение и неудача сменяют друг друга. Уже темнело, когда Брэд зашел в бар, чтобы подкрепиться перед дорогой. Через полчаса к коновязи привязали лошадей двое только что прибывших путников. Это были Рой и Баркли Молано. Рой зашел в бар, а его брат отправился заказать номер в гостинице.

Брэд стоял у стойки и разговаривал с барменом, которого давно знал еще по Бонанзе. Вдруг он почувствовал чей-то взгляд и, обернувшись, встретился глазами с Роем. Оба схватились за оружие, и через секунду ночную тишину взбудоражили два выстрела. В баре остро запахло порохом.

Рой выпрыгнул в дверь. Его шляпа, пробитая пулей, лежала на полу, а Брэд не был даже задет. Рой вскочил в седло. Он понимал, что поединок закончится не в его пользу — всю ночь он был в пути и теперь, уставший и измученный, не мог даже тщательно прицелиться. За спиной слышался цокот копыт — Брэд гнался за кровным врагом.

Рой, не оборачиваясь, выстрелил — раз, другой, третий. Вслед ему тоже гремели выстрелы. На скаку трудно попасть в движущуюся цель. Брэд остановил коня и, вскинув винчестер, прицелился. Рой сворачивал за угол, когда раздался выстрел. Тупорылая пуля выбила его из седла и бросила на землю. Рой с трудом приподнялся на локте и приготовил «кольт».

Брэд свернул за угол, и сразу же ему в глаза полыхнуло пламя. Пуля свистнула над головой. Инстинктивно он поднял коня на дыбы, и следующая пуля Роя попала животному в шею. Захрипев, конь опустился на колени и рухнул на бок. Больше Рой не успел выстрелить. Взбешенный Брэд разрядил оба револьвера в лежащее перед ним тело.

Только когда курки защелкали вхолостую, он опомнился. Вокруг плотным кольцом стояли любопытные. Расталкивая их, в середину круга вышел Баркли. Он взглянул на тело брата, изрешеченное пулями, и в ярости выхватил «кольт». Брэд был безоружен — он не успел перезарядить револьверы. Еще секунда — и его труп лежал бы рядом с трупом Роя Молано.

Но в толпе, окружающей место схватки, не было ни одного человека, который допустил бы подобное убийство. «Кольт» был вырван из руки Баркли, и между ним и Брэдом стал шериф. Шериф и несколько добровольных свидетелей из толпы посовещались и объявили следующее. Последние члены семей Молано и Декстер будут иметь возможность убить друг друга в честной мужской дуэли, которая должна состояться на следующий день.

Вечером следующего дня множество зрителей собралось вокруг здания казино. Противники, вооруженные револьверами одного калибра и системы, выслушивали условия дуэли. В помещении, где должна была состояться схватка, было темно. Враги бросили жребий, кому из них первым зайти туда.

Повезло Брэду. Он осмотрел оружие и скрылся за дверью. Зайдя в зал, он получил возможность стрелять в Баркли, как только тот очутится на пороге, сам оставаясь невидимым.

Баркли посмотрел по сторонам. На лицах людей было написано живое любопытство, и ничего больше. Он взглянул на дверь. Зная, как стреляет Брэд, Баркли был почти уверен, что, как только он ступит на порог, его силуэт, ясно видный на светлом фоне, пронижут пули.

Он разбежался и, ударив плечом в дверь, рухнул на пол в спасительную темноту. Пуля Брэда со свистом пронеслась над головами зрителей.

Баркли осторожно встал на ноги. Болело плечо, которым он с размаху ударился об пол. В непроглядной темноте слышалось напряженное дыхание дуэлянтов. Они обменялись выстрелами, но пули не достигли цели. Баркли стал продвигаться к центру зала. Неосторожный шаг — и на пол с шумом упал стул. Баркли тут же присел и отполз в сторону. Он увидел две вспышки выстрелов и послал пулю между ними. Сразу же послышался стон, на пол со стуком упал револьвер, а через секунду Брэд рухнул на пол. Пуля попала ему в грудь.

Баркли не шевелясь стоял на месте и настороженно слушал. Он и не пытался подойти к своему противнику, опасаясь ловушки. Баркли еще помнил схватку в горах близ Локано. В память о ней на плече остался глубокий шрам. Поэтому Молано выжидал, направив оба револьвера в темноту.

Брэд очнулся через пару минут. Рана кровоточила и болела. Он пошарил вокруг в поисках оружия. Звякнул металл, и тут же оба револьвера Баркли изрыгнули пламя. Пули вонзились в пол, обдав Брэда крошками дерева. Он с трудом поднял «кольт» и послал четыре пули на звук выстрелов. Одна из них раздробила Баркли правую руку. Тот отскочил в сторону и, прикрываясь стулом, отполз к противоположной стене. Из темноты вслед ему летели пули. Баркли ответил тремя выстрелами. Потом вдруг он сообразил, что у него остался только один револьвер, а второй, выпавший из простреленной руки, валяется где-то на полу и найти его в темноте, под выстрелами противника нет никакой возможности. Баркли ощупал барабан «кольта». Четыре пустых гнезда были для него молчаливым приговором.

Брэд с трудом встал и медленно стал продвигаться туда, откуда несколько минут назад летели пули. Вдруг он споткнулся и во весь рост упал на пол. От боли в ране Декстер на миг потерял сознание. Когда он очнулся, рука нащупала «кольт» противника. Теперь он был хорошо вооружен и знал, что у его врага два или три патрона. Брэд встал на ноги и дважды выстрелил в темноту, но ответа не последовало. Баркли решил стрелять только наверняка. Брэд выстрелил еще раз, пуля мягко шлепнулась обо что-то. Послышался стон.

Тогда Брэд принялся посылать пулю за пулей. При вспышках выстрелов он увидел скорчившуюся фигуру Баркли, которая вздрагивала при каждом попадании. Кончились патроны. Брэд, шатаясь, направился к двери, на ощупь нашел ее и, перешагнув через порог, рухнул на землю. Его тут же перевязали и унесли. Затем люди вошли в зал и зажгли там свет. Стены были изрешечены пулями, пол залит кровью. В углу лежал Баркли. Его тело, пробитое в шести местах, плавало в луже крови.

Прошло два месяца. Брэд Декстер на недавно купленном коне скакал по равнине. Багровое солнце ярко светило ему в спину. Трефовый Туз искал новых приключений.

А приключения были не за горами. Они всегда сопутствуют человеку, призванному блюсти закон. В кармане у Брэда лежало назначение на пост шерифа. Все когда-либо изменяют своим привычкам, и Брэд, некогда носивший на жилете знак власти, а потом отказавшийся от него, вновь предоставил свою грудь для этого украшения. Правда, сейчас звезда лежала у него в сумке: Брэд не хотел надевать память о своем неудачливом предшественнике — звезда была прострелена в самой середине...

1965

ДВОЕ

Их было двое в «Пчелке» — маленьком космическом боте, стартовавшем с Земли десять минут назад. Нависшая над корабликом глыба планеты заливала рубку ровным голубым светом. В рубке тесно для двоих, но выйти некуда: весь бот начинен взрывчаткой. И какой взрывчаткой! Уран-235 наполнял «Пчелку», превращая ее в громадную мину замедленного действия.

Двое в рубке были спокойны, как будто им каждый день приходилось возить такой груз. Оба напряженно вглядывались в пустоту на экране обзора, словно хотели увидеть там что-то очень важное. Казалось, они нарочно стараются не смотреть на тумблер в центре пульта, поворот которого превратит бот в сердце атомного взрыва.

Вот на экране показался один из восьми спутников фокусирующей системы. «Пчелка» прошла совсем близко от него, можно было даже различить каждый штырек громоздкой антенны, направленной в сумрак пространства. Антенны всех восьми спутников направлены в одну точку — туда, где висит станция ИС.

Монтаж искусственного солнца закончили совсем недавно. Позади годы трудной и опасной работы. Теперь все готово. Остается зажечь огонь термоядерной реакции, и громадный огненный шар обогреет ту часть Земли, которая сейчас скрыта под толстым слоем льда и снега.

Вот гигантский шар станции надвинулся на бот, заслоняя весь экран. Несколько коротких вспышек пламени у дюзы — и «Пчелка» замерла прямо перед отверстием, чернеющим в гладкой блестящей обшивке. Мощный магнит до половины втянул ее внутрь. Щелкнули захваты, и бот слился в единое целое со станцией. Теперь все готово окончательно. В гигантскую бомбу вставлен взрыватель.

Двое в рубке заговорили, роняя тяжелые металлические фразы в ставший густым и вязким сумрак.

— Теперь на Земле изменится климат.

— Мы этого уже не увидим.

— Ну и что? Ты жалеешь?

— Жалеешь! Как я могу жалеть? Досадно, что мы сгорим, так и не принеся больше пользы людям.

— Может быть, они вспомнят о нас, глядя на зажженное нами солнце.

— Никто не вспомнит. Даже не узнают наших номеров.

— Возможно, ты прав.

— Не понимаю, зачем вообще послали нас? Тут могли справиться даже автоматы низшего класса.

— Можно подумать, что ты боишься!

Разговор ненадолго смолк.

Осталось две минуты.

Один из них нажал кнопку системы блокировки. Оба смотрели на стрелки часов, которые медленно сближались, как бы сжимая время, остающееся на их существование.

— Прощай.
— Прощай.
Их голоса были равнодушны.
Щелкнул тумблер.
В ослепительной вспышке атомного взрыва исчезли, превращаясь в пар, оболочка станции ИС, космический бот «Пчелка» и металлические тела двух роботов высшего класса.

1967

ОШИБКА

Еще несколько плавных поворотов верньера — и угловатый корпус чужого звездолета вплыл в перекрестье прицела. Капитан Ирвинг оторвался от окуляра и провел рукой по лицу, поморщившись от скрипа щетины. Вот уже двое суток по бортовому времени корабли висят рядом, настороженно наблюдая друг за другом. Боевые системы на «Титане» приведены в полную готовность. Чужие, конечно, тоже приготовили оружие. Теперь все зависит от того, кто первым подаст повод к нападению. Экипажи кораблей настороженно выжидали.

«Вот и состоялась встреча! — с досадой размышлял капитан. — Сотни лет люди представляли, какой она будет. И вот... Первое чувство — страх, первая реакция — схватиться за оружие! Впрочем, доверяться чужим нельзя, — одернул он себя, — может быть, именно они уничтожили «Дромадер», исчезнувший как раз в этом районе космоса год назад. Лучше быть настороже».

Капитан покосился на изумрудную кнопку в углу пульта и тут же представил, как выглядит «Титан», висящий в пересечении прицельных линий. Ведь у них тоже есть оружие!

Ирвинг снова прильнул к окуляру. Их корабль,

формой напоминающий ребристую сигару, казался мертвым, но Ирвинг знал, что под броней обшивки скрываются такое же напряжение нервов и та же готовность ответить ударом на удар.

На вспыхнувшем экране появилось лицо штурмана.

— Что будем делать, капитан? Вы уже решили?

Ирвинг слабо усмехнулся. Да, в этом-то все дело. Решать предстоит ему. Экипажу легче. Все знают, что у них есть капитан, а капитан не может принять ошибочное решение. Капитан не знает, что такое сомнение. Он не знает, что такое неуверенность, боль, страх... На то он и капитан.

— Еще нет, малыш. — Ирвинг взглянул в юное лицо штурмана. И внезапно спросил: — Это твой третий полет?

— Уже четвертый. — Штурман был удивлен вопросом, но в его голосе отчетливо слышались нотки самодовольства.

— Четвертый, — проговорил Ирвинг, глядя в тускнеющий экран. — Кто знает, не окажется ли он последним...

Он сжал руку в кулак и постучал по пульту.

— Ну что? — спросил он у изображения чужого корабля. — Будем драться? Или пожмем друг другу руки?

Он откинулся на спинку кресла.

«А есть ли у них руки? Интересно, как они выглядят?» — подумал капитан, принимая решение.

Резким движением он придвинул микрофон внутренней связи и щелкнул клавишей.

— Внимание, — устало сказал он, почти физически ощущая, как экипаж корабля, бросив все дела и прекратив разговоры, вслушивается в каждое его слово. — Вот что, ребята, попробуем с ними договориться. Радисты, передайте им что-нибудь. Все равно что. Просто серию импульсов.

Ирвинг отодвинул микрофон и наклонился к прицелу. «Хотел бы я видеть, как они отреагируют на наши сигналы», — подумал он, всматриваясь в рельефное изображение звездолета, как будто стараясь взглядом проникнуть под стальную обшивку. Но он не мог видеть, как в фиолетовом сумраке чужого корабля корчились мягкие, студенистые тела, пронизываемые губительным для них радиоизлучением, как тревожно мигали сигнальные лампочки, как сидящий в рубке капитан предсмертным усилием вдавил в пульт массивную головку пускового рычага, обрушивая на «Титан» всю мощь своих бортовых орудий. Он только увидел несколько ослепительных лучей, вырвавшихся из носовой части звездолета, и еще успел потянуться к кнопке...

На месте «Титана» медленно расползалось светящееся облако раскаленного газа, а вдали по-прежнему неподвижно висел чужой звездолет с мертвым экипажем на борту.

1967

В КОНЕЧНОМ СЧЕТЕ

В помещении бара было тихо. Можно было даже услышать тихий рокот прибоя и усталое дыхание порта. Через день в порту получка, тогда бар заполнится разношерстной шумящей толпою тех, кому порт давал средства к существованию. А сейчас...

Том тяжело вздохнул и принялся уже в который раз протирать и без того чистую стойку. В зале сидел один Арни — местная достопримечательность, — который уже давно вертел в руках полный стакан, как бы не решаясь его выпить.

Наверное, в каждом городе есть такой человек, как Арни, прошлое которого давало пищу многочисленным догадкам любопытствующих обывателей. Арни появился в городе как-то незаметно и вел жизнь, ничем не отличающуюся от жизни десятков других портовых грузчиков. Но почему-то все считали, что прошлое его содержит ужасную тайну.

Том часто слышал, как какой-нибудь подвыпивший посетитель утверждал, что Арни — известный убийца, чудом спасшийся от электрического стула. Оснований верить этому, конечно, не было. Маленький худощавый человечек скорее производил впечатление спившегося профессора, чем преступника. Впрочем, может быть, он и был когда-то профессором. Во всяком случае, многие помнили, как на рекламной выставке фирмы «Электроникс» Арни выиграл партию в шахматы у счетный машины. А другой случай, когда он решил уравнение, предложенное в телевизионной программе «А ну, попробуй»... Организаторы не думали, что им придется выплачивать вознаграждение, — ведь над этим уравнением вот уже несколько лет бились ведущие математики мира!

Всю премию, а это была приличная сумма, Арни промотал в три дня. Надо сказать, что пил он чудовищно много. Грузчики в порту зарабатывали немало, но у Арни все деньги уходили на выпивку. Кто-то рассказывал, что Арни у него на глазах выпил четыре бутылки виски. Неизвестно, было ли это правдой, но бутылка-две были его ежедневной нормой.

Том посмотрел на Арни. Пожалуй, что-то в нем было действительно странным. Да вот хотя бы то, что этот хрупкий человек легко нес на спине три семидесятикилограммовых мешка с цементом. А как он пьет! И никто не видел его пьяным. Выпив, он любил рассказывать о далеких странах, о глухих тропических островах и шумящих столицах, и чувствовалось, что путешествовал он немало. Да и рассказчик он был хороший.

Арни допил наконец свой стакан и подошел к стойке. Его почти лишенные век глаза смотрели сквозь Тома на яркие шеренги бутылок.

— Налей-ка мне в долг, Том, — попросил он.

Арни часто пил в долг и неизменно приносил

деньги в срок. Том уже протянул руку за бутылкой, но внезапно передумал. Ему не хотелось, чтобы Арни выпил и ушел, оставляя его одного в пустом, неуютном зале.

— Послушай, Арни. — Том поднял нераспечатанную бутылку виски и поставил ее на полку за спиной. — Ты получишь всю бутылку бесплатно, если расскажешь мне что-нибудь интересное. И необычное. Ты же это умеешь!

Арни задумался, бросил внимательный взгляд на бармена, на виски, потом вздохнул.

— Ну, хорошо. Я расскажу тебе одну историю. Она достаточно необычна и, может, покажется тебе интересной.

Его птичье, с острыми чертами лицо как-то осунулось, и он медленно начал:

— Представь себе, что около шести лет назад на Землю опустился чужой звездолет. Он сел в глухом горном ущелье, вдали от людского жилья. В звездолете было шесть членов экипажа. Они два года скитались в космосе в поисках братьев по разуму. Теперь, когда на третьей планете желтой звезды они обнаружили разумную жизнь, радости не было предела. Покинуть изрядно надоевшую стальную коробку, ходить по твердой, надежной почве, дышать воздухом, так похожим на воздух родной планеты! Два года они мечтали об этом...

— Кто же это был? — перебил Том. — Марсиане?

— Марсиане! — Арни досадливо поморщился. — Почему именно марсиане? Они прилетели из другой звездной системы! С Церы. Так называлась их планета. Так что, если хочешь, это были цериане. Разведывательный отряд. В их задачу не входил контакт с жителями Земли, они должны были познакомиться с их жизнью, культурой, обычаями, определить уровень развития и передать собранные сведения на Церу. Обучиться земному языку было несложно, и вскоре шесть цериан затерялись среди жителей одного из городов. Правда, перед этим им пришлось подвергнуться пластической операции: при полном внешнем сходстве с людьми они не имели ушных раковин...

Арни замолчал, потом, как бы преодолевая внутреннее сопротивление, продолжил:

— Началась работа. Они собирали информацию, знакомились с жизнью и бытом людей. Все шло хорошо. Цериане посетили многие города Земли. Осматривали гидротехнические сооружения, удивлялись мощи земных рек. Ведь на Цере не было ни одной гидроэлектростанции — там текли мелкие, медленные реки. Им не составляло труда проникать в секретные лаборатории, на полигоны и космодромы.

Так было до тех пор, пока они не попробовали тот напиток, который люди Земли пили в торжественных и радостных случаях. Это их и погубило. Организмы цериан совсем не походили на человеческие. Алкоголь подействовал на них, как самый сильный наркотик. Они пили еще и еще, не в силах отказаться от прозрачной обжигающей жидкости. Спиртное изменяло скорость происходящих в организме процессов, разрушало нервные клетки, входило неотъемлемым компонентом в кровь. Оно стало необходимых для них, как воздух для дыхания. Прекратился сбор информации. Все заботы свелись к добыванию спиртного. Денег у цериан не было, а жить без виски они не могли. Им ничего не оставалось, кроме как...

— Грабить банки? — оживился Том. Он уже предвкушал увлекательный рассказ о схватках пришельцев с земной полицией.

Арни печально усмехнулся:

— Ты забываешь, что это не люди. Церианам не надо было врываться в банковские подвалы, вскрывать сейфы. Они уже свободно обращались с пространством, могли передвигаться в четвертом измерении. Любой из них умел пройти сквозь стену. А для того, чтобы выпить виски, им не надо было даже подходить к бутылке и откупоривать ее. Цериане могли добывать спиртное в любом количестве...

— Что же им мешало? — хмыкнул Том.

— Что? Как бы тебе объяснить... — Арни задумался. — Принципы. Они просто не могли воспользоваться чем-либо без разрешения. Не могли физически. Ты опять забыл — ведь это не люди.

Он снова усмехнулся.

— Так вот. Им ничего не оставалось, кроме как остаться на Земле навсегда. Начались поиски работы. Цериане разбрелись по всей планете. Алкоголь притупил умственную деятельность, даже поддерживаемая между ними телепатическая связь ослабла, а потом вообще исчезла. Сейчас они ничего не знают друг о друге, и их ежедневной заботой является добывание дневной нормы спиртного. А где-то в горах ждет их корабль, который никогда уже не сможет стартовать...

Арни смолк. Лицо его сморщилось, стало старым и

грустным, взгляд устремлен в одну точку. Потом он тряхнул головой, как бы отгоняя печальные мысли.

— Тебе понравилось? — спросил он. — По-моему, забавно...

— Да. — Том тоже задумался. Рассказ о пришельцах, погубленных порождением земной цивилизации, взволновал его.

«А ведь если бы наш корабль сел на Церу? — подумал он. — Пользуясь опьяняющей жидкостью, земные дельцы сумели бы прибрать к рукам всю планету!»

Том посмотрел на Арни.

— Ты сам это придумал?

Тот не ответил. У него блестели глаза, а лицо чуть покраснело, как это бывало после изрядной дозы спиртного. Он повернулся и, тяжело ступая, пошел к выходу. Том впервые обратил внимание на его деформированные, прижатые к голове уши.

— Послушай, Арни, возьми свое виски! — крикнул Том, нашаривая за спиной бутылку. Арни, не оборачиваясь, вышел.

Том повернулся к полке и замер: запечатанная бутылка была пуста.

1966

СОДЕРЖАНИЕ

Литературно-художественное издание

Корецкий Данил Аркадьевич
ПАРФЮМ В АНДОРРЕ

Издано в авторской редакции
Ответственный редактор *С. Рубис*
Художественный редактор *В. Щербаков*
Художник *В. Петелин*
Технический редактор *Н. Носова*
Компьютерная верстка *Л. Панина*
Корректоры *М. Мазалова, Г. Титова*

ООО «Издательство «Эксмо».
107078, Москва, Орликов пер., д. 6.
Интернет/Home page — www.eksmo.ru
Электронная почта (E-mail) — info@ eksmo.ru

По вопросам размещения рекламы в книгах издательства «Эксмо»
обращаться в рекламное агентство «Эксмо». Тел. 234-38-00

Книга — почтой: Книжный клуб «Эксмо»
101000, Москва, а/я 333. E-mail: bookclub@ eksmo.ru

Оптовая торговля:
109472, Москва, ул. Академика Скрябина, д. 21, этаж 2
Тел./факс: (095) 378-84-74, 378-82-61, 745-89-16
Многоканальный тел. 411-50-74. E-mail: reception@eksmo-sale.ru

Мелкооптовая торговля:
117192, Москва, Мичуринский пр-т, д. 12/1. Тел./факс: (095) 932-74-71

ООО «Медиа группа «ЛОГОС».
103051, Москва, Цветной бульвар, 30, стр. 2
Единая справочная служба: (095) 974-21-31. E-mail: mgl@logosgroup.ru

ООО «КИФ «ДАКС». 140005 М. О. г. Люберцы, ул. Красноармейская, д. 3а.
т. 503-81-63, 796-06-24. E-mail: kif_daks@mtu-net.ru

Книжные магазины издательства «Эксмо»:
Москва, ул. Маршала Бирюзова, 17 (рядом с м. «Октябрьское Поле»). Тел. 194-97-86.
Москва, Пролетарский пр-т, 20 (м. «Кантемировская»). Тел. 325-47-29.
Москва, Комсомольский пр-т, 28 (в здании МДМ, м. «Фрунзенская»). Тел. 782-88-26.
Москва, ул. Сходненская, д. 52 (м. «Сходненская»). Тел. 492-97-85
Москва, ул. Митинская, д. 48 (м. «Тушинская»). Тел. 751-70-54.

Северо-Западная Компания представляет
весь ассортимент книг издательства «Эксмо».
Санкт-Петербург, пр-т Обуховской Обороны, д. 84Е
Тел. отдела рекламы (812) 265-44-80/81/82/83.

Сеть магазинов «Книжный Клуб СНАРК» представляет
самый широкий ассортимент книг издательства «Эксмо».
Информация о магазинах и книгах в Санкт-Петербурге по тел. 050.

Вы получите настоящее удовольствие, покупая книги в магазинах ООО «Топ-книга»
Тел./факс в Новосибирске: (3832) 36-10-26. E-mail: office@top-kniga.ru

Всегда в ассортименте новинки издательства «Эксмо»:
ТД «Библио-Глобус», ТД «Москва», ТД «Молодая гвардия»,
«Московский дом книги», «Дом книги в Медведково», «Дом книги на ВДНХ».
Книги издательства «Эксмо» в Европе: www.atlant-shop.com

Подписано в печать с оригинал-макета 27.01.2003.
Формат 60×90 $^1/_{16}$. Гарнитура «Таймс». Печать офсетная.
Бум. газ. Усл. печ. л. 22,0. Уч.-изд. л. 13,2.
Тираж 94 000 экз. Заказ № 0301260.

ISBN 5-699-02337-2

9 785699 023370 >

Отпечатано на MBS в полном соответствии
с качеством предоставленного оригинал-макета
в ОАО «Ярославский полиграфкомбинат»
150049, Ярославль, ул. Свободы, 97.